HANNAH JEWELL

100 DE FEMEI AFURISITE

O ISTORIE

Traducere din limba engleză de
ALEXANDRA FLORESCU

ORION

Colecție coordonată de Laura CÂLȚEA
Copertă: Alin-Adnan VASILE
Redactor: Alunița VOICULESCU
Lector: Cătălina MIHAI
Tehnoredactor: Antonela IVAN
Prepress: Alexandru CSUKOR

Descrierea CIP a Bibliotecii Naționale a României
Jewell, Hannah
    100 de femei afurisite: o istorie / Hannah Jewell;
trad. din lb. engleză: Alexandra Florescu. - București:
Nemira Publishing House, 2021
    ISBN 978-606-43-1059-0

I. Florescu, Alexandra (trad.)

821.111

Hannah Jewell
100 NASTY WOMEN OF HISTORY
Copyright © 2017, by Hannah Jewell

© Orion, 2021
ORION este un imprint al Grupului editorial **NEMIRA**

Tiparul executat de ART GROUP PUBLISHING S.R.L.

ISBN 978-606-43-1059-0

Pentru prietena mea, Sylvia Bingham,
care a fost îndrăzneață și genială și unică,
mai mult decât oricine altcineva.

Prefață

Spre sfârșitul dezbaterii pentru alegerile prezidențiale din Statele Unite ale Americii, din 2016, Donald Trump s-a aplecat spre microfon, în timp ce Hillary Clinton vorbea despre asigurările sociale, și-a strâmbat gura mică, mărginită de riduri, și a numit-o pe oponenta lui „o femeie așa de afurisită"[1]. Expresia a intrat imediat în conștiința populară. A fost mâzgălită pe tricouri, pusă în biografii pe Twitter și a ajuns să însemne mai mult decât o jignire la adresa lui Hillary Clinton sau un slogan strigat sfidător de suporterii ei. În cartea asta, o femeie afurisită este una care a reușit să enerveze un bărbat pentru că nu s-a purtat cum se aștepta el. Sau care a avut idei prea puțin tipice pentru o doamnă. Sau care a omorât un bărbat.

Când dragul de Donald Trump a ajuns președinte, dacă nu erai un fan de-ai lui, nu prea știai ce să faci ca să te simți bine, poate doar să scoți vreun strigăt cathartic sau să bei până uiți de tine. Deci ce moment putea fi mai bun ca să ne întoarcem la femeile dificile de dinaintea noastră? Ce putem învăța de la ele despre cum să ne trăim viețile noastre afurisite?

Adesea, când se povestește despre femei din istorie, viețile acestora sunt relatate în așa fel încât să pară cât mai puțin

---

[1] „Such a nasty woman", în orig. (n. red.).

date naibii. De parcă și-ar fi petrecut timpul pe Pământ aruncând ocheade triste, dar frumoase, direct spre un viitor strălucit și dojenindu-i calm pe cei care voiau să le împiedice să-și atingă scopurile.

„Dar ești femeie!", îi spune un bărbat puternic imaginarei doamne istorice Îndrăzneață-Dar-Ireproșabilă-Moral. „Șșșt, o să depășesc această piedică", răspunde ea eroic, întorcându-se spre public. „Pentru că sunt o femeie puternică și curajoasă și nu voi înceta vreodată să cred în puterea visurilor mele! Trăiește, râde mult și iubește!"

Ei bine, în viață nu e și n-a fost niciodată așa. Nu există oameni care să fie nobili fără de pată. Când auziți povestea unei femei care a dus o viață 100% pură și bună, probabil vă lipsesc cele mai bune bucăți din poveste. Cele date naibii.

Poate își scotea bustul la înaintare. Poate făcea sex cu unul și cu altul. Poate fura. Poate a trădat pe cineva sau a fost trădată. Poate era pură și bună, dar făcea și greșeli. Poate s-a luptat împotriva unei nedreptăți, dar, la alta, a închis ochii. Poate a fost împușcată de naziști. Sau poate că ea a împușcat un nazist, un țar sau vreun ratat care venea să-i colonizeze țara.

Iată ce fel de povești vei găsi în cartea asta. Vă rog, luați numele acestor femei și băgați-le bine la cap. Faceți loc acolo pentru ele, dându-l la o parte pe Jack Spintecătorul, care nu era decât un criminal, sau pe John Hancock, care, să fim serioși, e faimos doar pentru că are o semnătură alambicată. Sunt mai bune numele acestea. Sunt nume de doamne. Sunt numele unor femei prea curajoase, prea inteligente, prea neconvenționale, prea implicate politic, prea sărace, prea puțin doamne sau prea puțin albe ca să fie luate în seamă de contemporanii lor ofiliți și fără suflet.

Luați aceste povești și spuneți-le prietenilor voștri. Pentru că aceste femei nu ar trebui să fie cunoscute doar de câțiva istorici serioși. Ar trebui să fie atât de cunoscute, încât numele lor să devină niște parole teribil de slabe. Atât de cunoscute, încât Netflix să producă miniserii despre viețile lor. (Sau cel puțin un documentar pe Channel 5.)

Să fie atât de cunoscute, încât atunci când leneșii ăia mici de opt ani au un proiect pentru ora de istorie să poată spune: „Nu știu, sunt opt cărți despre Phillis Wheatley la bibliotecă, copiez pur și simplu din ele și gata pe ziua de azi".

Să fie atât de cunoscute, încât oamenii să se costumeze în variantele lor frivole de Halloween fără să fie nevoie să le explice. „Ah, m-am prins, ești stricata aia de Septimia Zenobia, regina războinică din Siria secolului III!", să spună prietenii tăi când ajungi la petrecere. „Nu cumva s-a îmbrăcat și Jill așa? Penibiiiill!"

Să fie atât de cunoscute, încât nu unul, ci doi membri din echipa ta de la clubul săptămânal de *quiz* să le poată ghici instantaneu numele la runda de istorie, chiar dacă sunt cam beți.

Să fie atât de cunoscute, încât oamenii să le atribuie greșit mari invenții, reușite și cuceriri, când, de fapt, lucrurile au fost ceva mai complicate, iar ele au fost doar parte dintr-un grup mai mare, care includea și câțiva bărbați complet uitați. Astfel încât conversația să decurgă cam așa:

> *Persoana A:* Emmy Noether a inventat toată matematica.
>
> *Persoana B:* Da, așa e. Îmi amintesc c-am învățat despre ea la școală. E foarte cunoscută.
>
> *Persoana A:* OK, acum hai să luăm tacos.

Atât de cunoscute să fie.

Dincolo de teamă și de uimire, de la alegerea lui Trump încoace poate că în viața ta de tipă din secolul XXI s-a trezit o dorință puternică să te bagi înapoi într-un pântec. În orice pântec.

Cartea asta e pântecul meu. Îmi e cel mai cald, ca unui fetus în uter, când stau în bibliotecă și absorb printr-un cordon ombilical poveștile acestor femei moarte demult, când se pompează în mine promisiuni și posibilități, ca un lichid amniotic. Așa cum unui fetus care plutește în pântec îi cresc degete la mâini și la picioare, intestine, ochi, creier, așa am fost eu suspendată în cartea mea ca într-un pântec și am crescut poveștile astea rând pe rând.

Mă simt bine să citesc despre femei mișto din istorie. Mi se pare o ușurare. Uneori, e ca și când ți-ar veni în minte replica perfectă pentru o ceartă pe care ai avut-o cu ani în urmă. „VEZI?", o să vrei să spui. „UITĂ-TE LA EA! ÎMI CONFIRMĂ... PUNCTUL DE VEDERE!" Poate fi un sentiment dulce-acrișor – o emoție exprimată pentru prima dată în istorie de o femeie. Continuă să citești ca să o găsești.

Eu nu sunt istoric. Nu precizez asta ca să-mi reduc din merite. Sunt, ca toate femeile, foarte deșteaptă și amuzantă. Doar că nu am un doctorat. În schimb, mă puteți considera o pasionată și o jurnalistă care poate, pentru câteva momente, să vă facă să vă simțiți mai bine, plutind în bunătate, complet relaxați și deconectați de problemele cotidiene și mai ales ușurați să aflați că e cu adevărat OK – ba chiar sunteți încurajați – să fiți afurisiți. Pentru că oamenii cărora nu le plac femeile afurisite de ieri și de azi se dovedesc a fi, în general, personajele negative.

Așa că haideți alături de mine! Haideți în pântecul meu! Haideți să ne ghemuim înăuntru, e destul loc. Iertați-mă acolo unde am făcut greșeli. Am făcut tot ce am putut și să știți că *o grămadă* de istorie mi-a trecut pe sub ochi, am filtrat-o prin interiorul călduț al creierului meu și am strâns-o între degete. Inevitabil, unele lucruri s-au pierdut în această călătorie periculoasă pe nisipuri mișcătoare. Însă, dacă aveți vreo plângere legată de nevoia ca o astfel de carte să existe, vă rog să o scrieți pe o bucată de hârtie și să o aruncați direct în mare. N-o să-l mai menționez pe Donald Trump în cartea asta, pentru că, sincer, mi se fâlfâie. Deci, pur și simplu, uitați pentru o vreme că există. Va fi ca o mică și frumoasă vacanță. Tweet-urile lui nu vă pot găsi aici. Doar dacă nu citiți pe iPad. Caz în care nu puteți fi ajutați.

Citiți poveștile astea și bucurați-vă de căldura și de fiorii apăruți când descoperiți o femeie din istorie care n-a dat doi bani pe convenții. E un mod mai sănătos de a petrece timpul liber decât să beți până nu mai știți de voi și la fel de satisfăcător ca un țipăt cathartic – să nu mai spun că e mai puțin alarmant pentru prieteni și colegi.

Și, nu în ultimul rând, alegeți femeia preferată din carte și spuneți-i povestea mai departe. Spuneți-o prietenilor voștri, strigați-o dușmanilor, cu spume la gură, scrieți-i numele pe cer sau căutați puțin pe Google ca să aflați mai multe – mi-au scăpat o mulțime de lucruri.

Lectură plăcută!

Minunatele excentrice din Antichitate

1

Hatshepsut

1507–1458 î.Ch.

*N*ici nu începuse bine civilizația și femeile dădeau semne că uitau care le era locul. Totul a început în secolul al XV-lea î.ch., cu marii iubitori de pisici și triunghiuri, egiptenii antici, când regina Hatshepsut s-a uitat la poporul ei și a zis: „Vreți să-mi spuneți că nu pot fi regina Egiptului doar pentru că sunt *femeie*? Uau!"

Hatshepsut fusese deja regină, era soția faraonului Tutmes al II-lea, iar după moartea acestuia (odihnească-se în pace) a condus Egiptul ca regentă pentru fiul ei minor. Însă pe la 1473 î.ch., Hatshepsut se săturase să pretindă că un copilaș netrebnic putea fi un faraon mai bun ca ea, așa că a preluat puterea și a condus în nume propriu, exercitând întreaga suveranitate a unui faraon puternic și legitim care nu avea nevoie de niciun bărbat.

Hatshepsut a condus în nume propriu din 1473 î.Ch. până în 1458 î.Ch. (Țineți cont că înainte de Isus se numără invers!) Nu a fost prima femeie care a condus Egiptul, alte câteva au fost regente înaintea ei, dar a avut cea mai lungă și mai importantă domnie până la cea de 21 de ani a Cleopatrei, care a început în 51 î.Ch. Și-a accentuat puterea imperială apărând în portrete cu barbă și alte însemne ale faraonilor, doar pentru a-i pune la punct definitiv pe cei care o urau. Domnia lui Hatshepsut a fost una de succes, marcată de un comerț înfloritor, câteva campanii militare învingătoare, construirea sau restaurarea unor mari temple, și alte lucruri de-ale egiptenilor antici.

Nu e clar cum a reușit Hatshepsut să convingă pe toată lumea că era în regulă ca o fată să fie faraon, dar, cu siguranță, a beneficiat de o cohortă apropiată și loială de consilieri. Cel mai important dintre ei era Senenmut, consilierul ei principal, tutorele singurei sale fiice și, posibil, iubitul ei. E greu să știi sigur cine a fost amantul cui acum mii de ani sau chiar weekendul trecut, dar, momentan, să spunem că așa a fost. E cartea mea, aici toată lumea face sex cu câte cineva.

După ce a murit Hatshepsut, Tutmes al III-lea, care nu mai era un copilaș de tot rahatul, ci un bărbat de tot rahatul, a preluat puterea pentru 33 de ani. Spre finalul vieții, s-a decis să încerce să șteargă orice urmă a lui Hatshepsut din istorie, distrugându-i statuile și monumentele și ștergându-i numele din lista oficială de regi de pe frigiderul lor. Poate că a făcut asta ca să legitimeze, dincolo de orice îndoială, succesiunea perfectă dintre Tutmes I, al II-lea și al III-lea, sau poate că era doar ușor nemernic.

Cel mai impresionant proiect arhitectural al lui Hatshepsut este și locul ei de odihnă pe veci, templul Deir el-Bahri. Puteți să vizitați monumentul și în zilele noastre, să vă așezați la soare și să vă gândiți la faptul că Hatshepsut a domnit peste Egipt acum nu mai puțin de trei milenii și jumătate, dar, știți voi, SUA nu sunt pregătite să fie conduse de o femeie. Poate totuși în curând! Oamenii trebuie să se adapteze la ideile noi și nebunești.

2

Brigid din Kildare

cca. 453–524

Sfânta Brigid din Kildare a murit în jurul anului 524. Nu se știe când s-a născut, pentru că, probabil, să te naști nu era mare chestie pe-atunci. Când mori ești o persoană întreagă, dar când te naști nici măcar nu te obosești să-ți aduci aminte. Despre moartea ta poți avea o părere. Iar când te naști, nici măcar nu ai vreun prieten.

În orice caz, Brigid s-a născut în ținutul Louth din Irlanda, oricând s-o fi întâmplat treaba asta. Tatăl ei era de viță nobilă, iar mama, sclavă – ea și mama ei i-au fost vândute unui druid. Brigid era virgină și stareță, cea mai populară carieră pe care-o putea urma o doamnă ambițioasă din Irlanda secolului al VI-lea. Ea a fondat prima maternitate din Irlanda, dar nu asta e cea mai tare chestie despre ea.

Când candidezi pentru o nominalizare la Departamentul Sfinților, trebuie să dovedești că ai făcut multe miracole. Brigid a dovedit că merită sanctificată și comemorată ca o supertipă de gașcă pentru că, odată, a transformat apa în bere pentru o întreagă colonie de leproși. Iartă-ne, Isuse, dar unii pur și simplu preferă berea. Altă dată, dintr-un singur butoi, a făcut destulă bere cât să ajungă pentru 18 biserici.

Astăzi este unul dintre sfinții patroni ai Irlandei, deci acum și a voastră, petrecăreților. Orice loc pe care-l știți cu numele Kilbride[1] vine de la ea.

La un moment dat, Brigid se distra cu un oficial al bisericii care a intrat în transă și, din greșeală, a făcut-o membră a clerului. Deci a fost și episcop pentru o vreme. Acum, ăia care vor să ne taie tot cheful pot spune că Brigid nu a existat, de fapt, ci mai degrabă a fost confundată cu o zeiță celtă cu același nume. Dar, orice ar spune spărgătorii ăștia de distracție, putem fi cel puțin de acord că următoarea poveste e grozavă:

Brigid, care era genul caritabil, voia să construiască o mănăstire, așa că l-a întrebat pe regele Leinster, care pare să fi fost un nenorocit, dacă poate primi niște pământ. Erau împreună într-un loc frumos, cu o pădure drăguță, un lac drăguț, niște sol fertil, tot ce-și putea dori o fată pentru mănăstirea ei. Din păcate, Regele Nesimțiților a spus nu și a râs de ea. A râs! De virginala Brigid. Imaginați-vă așa ceva!

Așa că Brigid, care nu se putea împiedica de unul ca Regele Nesimțiților, s-a rugat și s-a gândit puțin. Apoi i-a venit o idee! A spus: „Hei, ce-ar fi să-mi dai cât pământ acoperă micuța mea pelerină de fetiță?" Și el i-a zis: „LOL, OK. Da, să fie al tău!"

Brigid și cele trei prietene ale sale au apucat fiecare de un capăt al pelerinei și au mers în direcții opuse, iar pelerina – SURPRIZĂ, GOLANULE! – s-a întins pe mai multe sute de metri.

---

[1] Nume de familie sau de locuri frecvent întâlnit în Irlanda și Scoția. O formă anglicizată a expresiei galice Mac Giolla Brighde sau Mac Gille Brighde – slujitor al Sfintei Brigid (n. tr.)

În acel moment, probabil că regele s-a gândit: „Ah, la dracu', Dumnezeu există!", a căzut în genunchi și le-a dat lui Brigid și prietenelor ei multe cadouri și resurse, crezând că sunt cele mai sfinte. Mai mult, s-a convertit la creștinism și n-a mai fost nesimțit cu săracii.

E ceva adevărat în toate astea? Asta rămâne de discutat între voi, Dumnezeul vostru și pelerina voastră uriașă și magică.

3

Sappho

cca. 630–570 î.Ch.

Sexualitatea poetei antice de origine greacă Sappho e subiect de dezbatere de mai bine de două mii de ani și jumătate, așa de mare e anxietatea tuturor civilizațiilor la gândul că o femeie ar putea să nu fie deloc interesată de bărbați, în ciuda faptului că aceștia sunt atât de infinit de interesanți. Sappho a scris cu pasiune despre dorința ei pentru femei, dar se mai spune și că odată s-a aruncat de pe o stâncă fiindcă un tip cu o barcă i-a frânt inima. Totuși, nu putem exclude posibilitatea că încerca doar să scape de el și de barca lui plictisitoare.

Nu se știe mai nimic despre Sappho, cine erau părinții ei, ce slujbă avea sau cum arăta – conform unor cărți de istorie care se contrazic, era fie „superbă", fie „extrem de urâtă", ceea ce e adevărat pentru majoritatea oamenilor, în funcție de momentul zilei sau de unghiul din care e făcut *selfie*-ul. Deci, știind atât de puține lucruri despre ea, ar fi iresponsabil să presupunem ceva așa de sălbatic precum că ar fi fost hetero.

Sappho s-a născut în 640 î.Ch. și a trăit destul cât să se plângă, într-un poem liric, de durerile de genunchi. A trăit la Milene, capitala Lesbosului, o insulă asociată de multă vreme cu femei care sunt doar bune prietene și nimic mai

mult. Lumea lui Sappho era plină de bătălii politice conton-
dente între clanuri, iar ea se pare că a condus un soi de școală
corală pentru educarea fetelor (grecoaice). Sau poate că nu.
Dar, orice ar fi lucrat Sappho ca să-și plătească factura antică
la curent, timpul liber și-l petrecea încercând să devină una
dintre cele mai talentate poete din toate timpurile.

În timpul vieții, a fost extrem de apreciată – admirată de
Aristotel și de Platon, considerată egala lui Homer. Cărtura-
rii din Alexandria au pus-o pe lista Celor Mai Buni Nouă
Poeți Lirici Pe Care Să-i Citești Înainte Să Mori și au umplut
nouă suluri întregi de papirus cu operele ei – astea erau ca
niște cărți mai vechi, dar mult mai greu de citit pe plajă.
Operele complete însumează 10 000 de versuri de poezie
lirică. (Poezia lirică este poezia scrisă ca să fie cântată, eventual
acompaniată de cineva care improvizează la liră.)

În vreme ce fructele geniului masculin, precum *Odiseea* sau
Iliada lui Homer, au supraviețuit până la noi, astfel ca elevii
plictisiți de 13 ani să pretindă că le citesc la orele de litera-
tură, aproape toată opera lui Sappho s-a pierdut în potopuri,
în incendii și pe mâna fanaticilor vremii. Dacă biserica creștină
timpurie a avut sau nu de-a face cu distrugerea operei sale,
asta e o altă necunoscută din povestea lui Sappho. Însă cel
puțin un critic creștin a numit-o „o curvă nebună după sex
care cântă despre dorințele ei", ceea ce, întâmplător, scrie și
la biografia mea de Tinder.

Din operele acestei mari artiste a Antichității au rămas
aproape 650 de fragmente, cu 70 de versuri complete. Asta
înseamnă că, deși putem citi numeroase opinii care spun că
opera ei era De Departe Cea Mai Bună, numai bucățele mici
din ea au ajuns până în secolul XXI – uneori, câte un fragment
scris de ea mai apare pe vreo bucată de papirus descoperită
te miri unde, ca atunci când încerci să dai un telefon dintr-o

zonă cu semnal foarte prost, iar persoana pe care o suni a murit de mii de ani.

Iată o mostră din poezia ei de dragoste intensă, poate scrisă ca să fie cântată de un cor:

> *Aidoma zeilor îl consider*
> *Pe acela care stă în faţa ta*
> *Când are norocul să-ţi soarbă dulcele şoapte*
> *De-atât de aproape*
> *Alături de surâsul tău fermecător.*
> *Oh, asta-mi face inima să zboare-n piept,*
> *Din clipa-n care te zăresc*
> *Toate cuvintele mă părăsesc*
> *Nu-mi mai rămâne nicio limbă.*
> *O febră se ridică brusc sub piele,*
> *Ochii îşi pierd vederea,*
> *Urechile îmi duduie,*
> *Transpiraţia mi se prelinge pe tot corpul*
> *Şi sunt cuprins de tremurat*
> *Sunt mai verde-crud ca iarba, mai am puţin şi mor,*
> *Aşa îmi pare.*
> *Dar toate astea sunt de îndurat, când până şi săracul...*

Şi apoi NIMIC! Ce s-a întâmplat cu biata de ea?? E OK? Când e episodul următor?

În altă bucăţică rămasă din opera ei, Sappho a inventat conceptul de dragoste dulce-acrişoară:

> *Şi din nou Dragostea, cea care înmoaie membrele,*
> *Dulce-acrişoară şi inevitabilă, ca o creatură târâtoare,*
> *Mă cuprinde.*

Data viitoare când simțiți ceva dulce-acrișor, fiți supărați, dar și recunoscători pentru Sappho și prietenele ei.

Ăsta este coșmarul oricărui scriitor, ca din toată munca vieții tale să rămână doar 70 de versuri. Și dacă alea 70 de versuri care îți rezumă existența sunt parte dintr-o serie de tweet-uri furibunde despre o întârziere Ryanair? Ei bine, ne poate consola gândul că, într-o zi, internetul va fi distrus într-un incendiu colosal, în care se va pierde orice lucru compromițător.

Ce vreau să spun e că Sappho a fost lesbiană, deci treceți peste asta și faceți mereu copii de rezervă la tot ce lucrați.

4

Seondeok din Silla

?-647

Prima conducătoare a Coreei a fost Seondeok, care a domnit peste regatul Silla din 632 până în 647, perioadă care, știm cu toții, a fost una importantă în istoria coreeană. Există multe legende despre ea, prima dintre cele trei regine coreene ale perioadei Silla, o vreme când moștenitoarele puteau primi succesiunea la tron la fel ca bărbații.

Odată, pe când Seondeok vizita un templu, un tânăr admirator pe nume Jigwi a venit de departe doar ca să o zărească o clipă pe mult-iubita regină. Dar tânărul a adormit sub o pagodă înainte ca ea să ajungă și, astfel, i-a ratat complet vizita. Clasic pentru Jigwi! Din fericire pentru el, Seondeok era în toane bune și i-a lăsat o brățară pe piept în timp ce dormea. Când s-a trezit și a descoperit brățara, legenda spune că inima i-a luat foc și a ars pagoda până la temelii, ceea ce e destul de romantic, dar, totodată, un coșmar pentru sănătate și pentru siguranța clădirilor. Era pagoda cuiva! Bărbații nu au pic de respect pentru proprietatea altora. Cred că, doar pentru că sunt îndrăgostiți, pot da, pur și simplu, foc pagodei oricui.

Dincolo de faptul că dădea foc la inimi, domnia de 15 ani a lui Seondeok a pus bazele pentru viitoarea unire într-un singur stat a regatelor Coreei, datorită diplomației reginei. Era o conducătoare cu mintea deschisă, rațională și plină de compasiune, care și-a dovedit înțelepciunea în fața poporului prin trei profeții importante, dintre care prima o să vă facă să ziceți „hmmmm".

Când împăratul Taizong din Tang i-a trimis familiei sale semințe de bujori din China, se spune că Seondeok a zis: „Ah, sunt drăguțe, ce păcat că nu miros". Oamenii au întrebat-o: „DAR DE UNDE ȘTII?" și ea a răspuns: „Ei bine, dragilor, imaginea de pe pachet nu arată nicio albină atrasă de flori". Iar când bujorii au înflorit și nu aveau miros, ea era ceva de genul: „V-am spus eu". Hmmm.

A doua profeție a fost mai semnificativă din punct de vedere militar decât prima (doar dacă nu ești albină, presupun). Într-o iarnă, Eleșteul Verde de Jad de la templul Yeongmyosa era plin ochi de broaște care orăcăiau din tot trupul, într-un moment cu totul greșit al anului. Și oamenii se întrebau de ce. Iar Seondeok le-a spus: „Dușmanii sunt aproape". A trimis de îndată trupe și acestea au descoperit forțe inamice în văile care înconjurau capitala. Au omorât 500 de inamici. Iar Seondeok era la modul: „Odihnească-se-n pace".

A treia șmecherie a fost că Seondeok și-a prezis propria moarte, deși, la momentul ăla, era într-o stare de sănătate perfectă și a cerut să fie înmormântată într-un loc care, multe decenii mai târziu, s-a dovedit profetic în tradiția budistă.

În anii ei de domnie, Seondeok a promovat cultura și bunăstarea în regat, a construit temple budiste importante și pagoda lui Hwangnyongsa, care are nouă etaje și 80 de metri înălțime și care a fost, pentru o vreme, cea mai înaltă clădire din lume. Astăzi din ea n-au mai rămas decât pietrele de fundație, probabil pentru că inima vreunui tip a luat foc prin apropiere și a ars-o până la temelie. Of, bărbații...

5

Khayzuran

?–789

Ă scută în Yemen, Khayzuran a fost capturată și vândută ca sclavă în palatul califului al-Mahdi din Bagdad, cetatea de scaun a Imperiului Abbasid, imperiu care a condus lumea islamică din secolul al VIII-lea până în 1258, când orașul a fost cucerit de mongoli. Dacă nu știți prea multe despre Bagdad, în afară de ce ați auzit pe la știri în ultimii ani, scoateți-vă din minte acele percepții și începeți cu anul 775, când a venit la putere al-Mahdi, al treilea calif abbasid.

În acel moment, și timp de multe secole după aceea, Bagdad era un oraș *aprins*[1]. Piețele bine reglementate aduceau produse din India, din China, de peste tot, practic. Veneau oameni din toată lumea și își împărtășeau cunoștințele științifice și literare. Bagdad a fost de la început obsedat de cărți. Cetățenii educați frecventau librăriile și bibliotecile și citeau opere din întreaga lume, traduse în arabă la una dintre școlile de traduceri din oraș.

---

[1] Hei, salut! Dacă nu știți ce înseamnă asta, vă rog mergeți la *Glosarul pentru oameni în vârstă*, pe care l-am inclus la finalul acestei cărți pentru voi.

Și acum uitați tot ce credeți că știți despre haremuri. Dacă aveți amintiri vagi despre acest cuvânt sau știți picturi cu femei care zac semi-dezbrăcate pe niște perne, aflați că imaginile astea au ieșit din mințile unor europeni albi în călduri, genul de bărbați care vizitează o țară din Orientul Mijlociu timp de o săptămână și dup-aia țin prelegeri despre misterele Orientului pe la toate adunările sociale. De fapt, haremul era sfera privată a femeilor de la curtea imperială și era un loc extrem de politizat. Pe parcursul acestei cărți, vom cunoaște o mulțime de femei puternice care au început ca sclave de rând în harem și au ajuns să conducă imperii, punându-și la bătaie inteligența, alianțele, educația, priceperea la intriga politică și, desigur, frumusețea.

Când Khayzuran a fost adusă la palatul din Bagdad, a fost însoțită de familia ei cea săracă. Soarta avea să le fie schimbată dincolo de orice imaginație. Khayzuran a ajuns prima soție a lui al-Mahdi și a manevrat lucrurile în așa fel încât fiii lor să fie numiți moștenitori, în ciuda unei căsătorii anterioare. Ca soție a califului, Khayzuran era un personaj public activ în afacerile de stat și a aranjat ca familia ei, acum mult ridicată în rang, să obțină poziții de conducere excelente.

Când al-Mahdi a murit, în 785, cei doi fii ai lui Khayzuran nu erau la Bagdad, dar ea s-a mișcat repede ca să asigure continuitatea familiei sale la putere. Ca să prevină orice eventuală răzmeriță în acel moment de vid de putere, a plătit armata pe doi ani în avans. Nu prea îți mai arde de lovituri de stat după ce primești salariul pe doi ani în avans, nu? Khayzuran și-a chemat fiii înapoi și i-a pus pe demnitari și pe cei aflați în poziții de putere să-și jure supunerea față de fiul mai mare, al-Hadi.

Din păcate pentru toți cei implicați, al-Hadi s-a dovedit un fiu de căcat. (Există mereu câte un tip dintr-ăstia în orice familie și, dacă nu știți care e al vostru, atunci sunteți chiar voi.) Al-Hadi era gelos pe fratele lui mai mic, care era, în mod evident, mai puțin de căcat și mai plăcut decât el. Se simțea incredibil de amenințat de mama lui, care își construise o rețea puternică de sfătuitori și de oficiali care o vizitau regulat la palat. „Nu stă în puterea femeii să intervină", a avut el curajul să-i spună mamei care l-a născut, „în chestiuni de guvernare. Vezi-ți de rugăciuni și de mătăniile tale!"

Ei bine, în loc să-și vadă de rugăciuni, Khayzuran „se pare" că s-ar fi implicat în asasinarea mizeriei sale de fiu. Oare chiar a făcut-o? Cine poate să spună? Oricum, indiferent cine a făcut-o, „se pare" că a trimis niște doamne sexy în dormitorul lui să-l sufoce într-un mod mai feminin, așa, cu o pernă, punând astfel capăt într-un mod sexy domniei lui al-Hadi, după doar un an. Se pare că al-Hadi însuși complota să-și omoare mama și fratele. Odată, i-a trimis mamei sale mâncare cu instrucțiunile „mănâncă, e așa de gustoooos", dar ea și-a hrănit mai întâi câinele, care a murit imediat. Deci presupun că e mai bine să faci tu prima mișcare în jocul ăsta de-a omorâtul.

Așa că al doilea fiu al lui Khayzuran, Harun, care nu era un nemernic, a venit la putere. Ea a continuat să se ocupe foarte bine de afacerile statului, iar Harun a avut încredere în mama lui pentru sfaturi politice. Și-a împărțit cu ea, fericit, responsabilitățile și puterea, și, împreună, au prezidat peste o curte glorioasă.

Morala poveștii, copilași, e să vă ascultați mamele sau vă treziți morți.

6

Subh

cca. 940-999

Subh a fost capturată ca sclavă în regiunea bască, în timpul
luptelor pentru consolidarea controlului ramurii vestice a
Califatului Omeiad asupra Spaniei andaluze. S-a născut
cândva, în jurul lui 900. Nu e clar în ce an și nici nu e politi-
cos să întrebăm. Numele ei original a fost Aurora, iar Subh
are aceeași semnificație în arabă: răsărit. Așa cum am văzut
la Khayzuran, drumul pe care femeile urcau scara ierarhică
înspre putere, în palatul califului, trecea prin harem, acestea
căsătorindu-se și apoi instalându-și la putere gunoaiele de
copii, care erau ușor de manipulat și/sau omorât. Știți voi,
basmul standard cu prinți și cu prințese.

Subh s-a căsătorit cu califul al-Hakam, care era un tocilar.
Ca toți tocilarii cu bani, al-Hakam cheltuia o avere pe cărți,
le colecționa și le copia, le lega din nou, apoi se spune că le
punea într-o baie imensă și înota printre ele. În zilele de
dinainte de Kindle, asta însemna că trimitea emisari în toată
lumea ca să descopere cărți și să le cumpere pe sume enorme.
De asemenea, tot fiindcă era tocilar, al-Hakam a distrus tot
vinul din Cordoba (buuu!), încurajându-și poporul să urmeze
calea învățării, a poeziei și a științei, în loc să se facă praf tot

timpul, ceea ce, dacă e să fim cinstiți, e un sfat de viață bun. A construit universitatea din Cordoba cu gândul să fie, poate, cea mai mare din lume. Și chiar era foarte sus în liga universităților, în funcție de satisfacția studenților.

Subh i-a atras atenția lui al-Hakam nu doar pentru că era frumoasă, ci și pentru jocurile ei de cuvinte și pentru faptul că știa istorie și religie. Pe măsură ce al-Hakam îmbătrânea, nu mai voia decât să zacă în baia lui de cărți și lăsa chestiunile de stat pe mâna ei. Ceea ce mi se pare corect: să conduci un imperiu imens nu e pentru toată lumea.

Ocupată cu mașinațiunile politice și cu conducerea unui întreg imperiu, Subh și-a luat un secretar, Ibn Amir, care avea 26 de ani, era sexy, inteligent și o ajuta. E posibil ca el și Subh să fi avut o aventură. Câți ani avea ea? Mamă, ce întrebare nepoliticoasă, mai lăsați-o în pace! Dar, oricum, au avut sau nu o aventură? Poate fi doar un zvon răspândit de inamicii lui Subh. Sau poate era un joc în trei acolo? Sau chiar în patru, incluzând și cărțile? Pur și simplu nu știm. Dar de ce ar putea numai bărbații să se culce cu secretarele lor? Fetelor, nu avem parte de egalitate adevărată până nu vă culcați toate cu secretarii voștri sexy!

Ibn Amir nu era doar o bucățică bună, era și ambițios. Precum fetele de carieră din toate filmele despre fetele de carieră făcute vreodată, și el voia să ajungă în vârf. Și chiar asta a făcut, devenind *hajib*, consilier-șef. Între timp, Subh reușise să schimbe legile succesiunii, ca să se asigure că fiul ei, Hicham, care avea fie nouă, fie unsprezece ani când a murit al-Hakam (e nepoliticos să întrebăm), ajunge următorul calif în locul fratelui lui al-Hakam, iar ea poate domni ca regentă până ce crește copilul. Așa că a domnit public, nu din umbra haremului. Tânărul Hicham, cu adevărat fiul tatălui său, era și el tocilar. Subh și Ibn Amir i-au încurajat tocitul și studiul chestiilor mistico-religioase, numai bine pentru ca ei să poată conduce Cordoba.

Dar lucrurile s-au stricat curând între Subh și *iubi doi* al ei, Ibn Amir, așa cum se întâmplă mereu. El voia să rupă bariera care a împiedicat atâta timp secretarii să evolueze și să conducă el însuși imperiul. Lupta pentru putere dintre cei doi colegi și/sau amanți pasionali a atins un apogeu. Ibn Amir l-a convins pe Hicham să semneze un document care zicea: „Sunt doar un nimeni tocilar, nu pot să conduc nimic!" sau ceva pe acolo și a preluat puterea. Pentru prima dată în lumea islamică, un non-calif conducea (nu în sensul că era grozav[1]). Subh însăși crease un precedent, impunându-și legal rolul de regentă. Ce vreau să spun e să nu aveți încredere în bărbații atrăgători.

După ce a condus Cordoba două decenii și a fost trădată de *iubi*, Subh a dispărut din viața politică și și-a petrecut ultimii ani la fel ca multe alte doamne în vârstă, făcând mari proiecte de infrastructură. A coordonat construcția de poduri, de moschee, de spitale și altele. Până la urmă, a murit în 999, arătând probabil grozav pentru vârsta ei, oricare o fi fost aia.

---

[1] Joc de cuvinte pornind de la omonimia verbului *to rule*: „a conduce" și „a fi grozav" (informal) (n. tr.).

7

Hildegard von Bingen

1089-1179

$\mathcal{H}$ ildegard von Bingen a trăit în secolul al XII-lea și a fost o adevărată enciclopedie, compozitoare și călugăriță obscenă. OK, era de fapt foarte religioasă și conservatoare, credea cu tărie în virginitate și în altele, dar tuturor le place o călugăriță obscenă, iar ea a scris cel puțin câteva chestii obscene, așa că să începem cu descrierea orgasmului feminin:

„Când o femeie face dragoste cu un bărbat, simte o căldură în creier, care dă naștere unor plăceri senzuale și îi comunică gustul acelor plăceri în timpul actului, și asta cheamă sămânța bărbatului, iar când aceasta ajunge la locul ei, căldura aia violentă coboară din creier, atrage sămânța și o ține." Heeeeeei! Asta spune ea! Hildegard a avut timp berechet să contemple, dacă nu și să experimenteze chemarea semințe masculine, fiindcă viața unei călugărițe în Germania secolului al XII-lea era, prin natura ei, izolată de ispitele lumii. Hildegard s-a născut în 1098 și a fost dată la mănăstire la 14 ani. Asta era regula cu copiii. Era ca un card de loialitate la cafenea. Ai nouă copii, pe al zecelea i-l dai lui Dumnezeu. Îmbracă-l într-un lințoliu, fă-i o înmormântare falsă și predă-i-l micului Isus, ca să nu mai fie văzut vreodată de societatea păcătoasă[1].

Regimul strict al mănăstirii presupunea ca, în fiecare zi, călugărițele să doarmă opt ore, să se roage patru ore, să studieze patru ore, iar în alte opt să facă muncă manuală, ceea ce însemna, nu știu, să ridice ziduri de susținere sau altele. Dar cel puțin duminicile aveau voie să se uite la *reality-show*-uri.

Lui Hildegard îi mergea bine, își vedea de viața de călugăriță, făcea lucruri călugărești, gândea gânduri călugărești, când, ce să vezi, a fost lovită de o viziune intensă:

„Când aveam 42 de ani și 7 luni, cerurile s-au deschis și o lumină orbitoare de nemaipomenită strălucire mi-a înflorit în tot creierul. Și așa mi-a cuprins toată inima și pieptul ca o flacără, dar nu arzătoare, ci caldă, și, deodată, am înțeles ce însemnau tălmăcirile din cărți."

Seamănă foarte tare cu orgasmul feminin, conform contemplațiilor lui Hildegard de mai sus. Totuși, ceea ce voia să spună cu *înțelegerea tălmăcirilor din cărți* era mai degrabă despre Isus. Dar avea să mai treacă o vreme înainte ca lui Hildegard chiar să nu-i mai pese de ce crede lumea despre ea și să ajungă o celebritate internațională genială. Pentru că, deși primise o viziune directă de la Dumnezeu, ceea ce e supergrozav, Hildegard încă mai suferea de sindromul impostorului.

„Deși am auzit și am văzut aceste lucruri", explica ea, „din cauza îndoielii și a părerii proaste despre mine și din cauza diverselor vorbe ale unor bărbați, am refuzat multă vreme

---

[1] Părinții obișnuiau adesea să-și dea fetele ca să nu le plătească dotele dacă sau când se căsătoreau. Dacă aveai o mulțime de fete, să plătești dota pentru toate putea fi incredibil de costisitor, deci fetele erau trimise la mănăstire. Sigur, părinții ar putea și ei să economisească dacă nu ar mai merge la cafenele elegante, nu? Of, cum sunt unii!

chemarea scrisului, nu din încăpățânare, ci din umilință."
Ceea ce arată, din nou, că nimeni nu ar trebui să asculte tot
ce zic bărbații.

Până la urmă, Hildegard și-a depășit îndoielile și și-a scos vi-
ziunile la lumină scriindu-le, interpretându-le și împărtășindu-le
cu alții, ea rămânând totodată închisă la mănăstire. Astfel, a de-
venit o megacelebritate în lumea bisericească, a primit vizite de
la popi și a dat permanent sfaturi binecuvântate oricui îi cerea.
Și-a înființat chiar și propriile mănăstiri, doar era o femeie de
carieră emancipată pe cai mari.

Dar Hildegard nu a lăsat faima spirituală să o distragă de
la multele ei talente. Astăzi e faimoasă, măcar printre fanii
muzicii clasice, și pentru munca ei de compozitoare. Poți să
dai peste muzica ei când intri online sau când auzi subit un
cor de îngeri într-un moment de extaz religios. Una dintre
cele mai faimoase opere ale ei este *Imnurile extazului*. Bătrâna
Hidly se dădea în vânt după puțin extaz.

Deși avea fir direct cu Dumnezeu, deși dădea sfaturi
politice jucătorilor puternici ai secolului al XII-lea, precum
popii sau funcționarii înalți, și deși producea o vastă canti-
tate de muzică medievală, toate astea tot nu-i umpleau timpul
de studiu din fiecare zi. Hildegard e considerată și una dintre
fondatoarele științelor naturale și ale medicinei, pe baza
cunoștințelor acumulate în timpul petrecut în grădina mănăs-
tirii și prin observarea bolilor și a remediilor acestora.

În cartea ei de medicină, *Cauze și remedii*, găsim multe
leacuri utile chiar și pentru probleme moderne. De exemplu,
dacă te lovește dorința sexuală, cel mai bine e să intri în saună
cu niște frunze de salată. Asta o să te facă bine. Dacă iei
gălbinare – după ea, o boală cu transmitere sexuală – după ea
o boală cu transmitere sexuală, Hildegard spune că există un
singur remediu: „Un liliac lovit până la leșin, legat pe vintrele

omului și lăsat să moară acolo!" Garantat te vindecă sau îți dăm banii înapoi! Oricum, de asta era speranța de viață a cuiva din Germania medievală sub 25 de ani. Iar pentru lilieci, chiar mai puțin! Dar nu o putem blama pe Hildegard: ea se afla în avangarda medicinei și a științei în secolul al XII-lea.

Sper că descrierea plăcerii femeii făcută de Hildegard se baza pe oarecare experiență personală, poate intermediată de vreo colegă de mănăstire obraznică, așa cum unii dintre istoricii și fanii lui Hildegard vor să creadă, pentru că, Doamne, ce mai merita și ea o pauză de la cariera de scris cărți de știință și de medicină, de la jurnalul ei de vise și de viziuni, de la scrisul de poezie, de la compunerea a 77 de cântece, de la sfaturile date popilor și, desigur, de la legatul liliecilor de penisuri bolnave!

8

Margery Kempe

cca. 1373-1438

M istica Margery Kempe a trăit între 1373 și 1438, perioadă care, o știe orice fetiță sau băiețel, a fost extrem de haotică pentru viața religioasă din Anglia. Vedeți voi, Biserica Catolică din Anglia avea tot felul de drame cu ereticii, acei mari scandalagii din istorie. Dar Margery era pe cale să le facă mult mai multe probleme decât ei.

Margery ducea o viață perfect normală pentru o tipă din secolul al XIV-lea, frecând menta prin ceea ce se numește acum orășelul King's Lynn și bucurându-se de statutul ei, când cine crezi că apare la picioarele ei? Însuși Isus Hristos, proaspăt ca o gură de apă rece. Să-l vezi pe Isus în dormitorul tău poate fi un șoc de proporții pentru oricine, oricât de credincios ar fi, dar pentru Margery a apărut exact la momentul potrivit.

Vedeți voi, Margery avea niște probleme cu demonii. Tocmai născuse primul copil și se stresa pentru niște păcate nespovedite. Normal, îi era frică să nu moară și să ajungă direct în cazanele iadului. (Nu e clar pentru ce păcate își făcea atâtea griji, deci să presupunem că pentru unele destul de deocheate.)

Așa că asta era starea ei, chinuită de demonii care-i spuneau că o să ardă în iad pentru toată eternitatea, când Isus a răsărit

lângă ea și a liniștit-o: „E OK, nu te-am părăsit." Apoi a zburat
înapoi la ceruri. Iar Margery s-a gândit: „Ce tare!" Și asta a fost
tot, pentru 15 ani.

Margery și-a continuat viața și a mai născut încă banalul
număr de 13 copii cu gagicul ei, John Kempe. Abia la 40 de
ani a început să aibă mai multe viziuni și s-a lansat cu adevă-
rat în cariera ei de lamentații religioase, dovedind că nu ești
niciodată prea bătrână ca să ajungi faimoasă pentru că plângi.
De data asta, viziunile erau mai intense decât niciodată; în întâl-
nirile ei cu Isus, acesta îi răvășea sufletul și nu numai. Conform
prietenului meu Tim, care știe totul despre femeile mistice
medievale sexy, „Femeile erau mai predispuse spre senzualitate
și de-ale cărnii pe atunci, deci se dedau unor expresii foarte
emoționale și fizice ale spiritualității. Dar asta le dădea și o
legătură specială cu Isus, care se întrupa". Sexy.

Margery, tocilară până la capăt, a început să poarte inel și
să spună că, de fapt, era căsătorită cu Isus. Și nu căsătorită doar
ca o călugăriță. Căsătorită de-a binelea. În viziunile ei, simțea
durerea crucificării Lui și asta era nasol. Mai avea conversații
și cu Maria, cu Dumnezeu și cu alte celebrități creștine. Asta
era o mare chestie, și Margery a știut că era timpul să facă niște
schimbări în viața ei. A încetat să mai mănânce carne și a făcut
o înțelegere cu soțul ei preexistent, care nu era Isus, că nu vor
mai face sex. (O ÎNȚELEGERE CUM E ȘI CĂSĂTORIA,
AȘA-I, BĂIEȚI?) În orice caz, de-acum era căsătorită cu Isus
și totul avea să fie grozav.

Margery a început să predice – ceea ce femeile nu aveau voie
să facă în epoca respectivă – și să vorbească despre viziunile ei,
care uneori erau groaznice. Și-a păstrat niște plâns corespun-
zător pentru sărbători precum Floriile sau Vinerea Paștelui și
a pornit într-un mare turneu, ca să plângă și prin alte părți.
A călătorit prin toată Europa și a ajuns până la Ierusalim.

Un fel de *Mănâncă, roagă-te, iubește*, dar mai mult cu „roagă-te". Deși se pare că adora o cină reușită, așa că era și destul de mult „mănâncă". Și, desigur, multe răvășiri de la Isus. Deci, da, exact ca în *Mănâncă, roagă-te, iubește*.

Margery călătorea în grupuri, cum se făcea atunci, dar intra în bucluc pentru că era extrem de enervantă când le spunea tot timpul oamenilor ce acțiuni profane comiteau și, desigur, pentru că plângea mult. Tovarășii ei de călătorie erau iritați și de faptul că se îmbrăca în alb, sugerând că era virgină, când știau bine că avea 14 copii. Așa că tovarășii ei de drum erau nasoi cu ea, îi furau banii și o tot abandonau. Dar, până la urmă, nu stăm aici să facem *Istoria ticăloșilor*, deci e numai și numai pierderea lor.

Ca să aibă un pelerinaj încă și mai dificil, deci „mai" memorabil, Margery dona bani. Când alții îi dădeau ei, ea îi dona mai departe. Ca atunci când copiii de bogătani își folosesc anul sabatic ca să ia virusul Zika, numai ca să aibă o poveste mai tare de zis.

Autoritățile bisericii au început să fie destul de îngrijorate în legătură cu Margery, care țopăia prin lume plângând până-i sărea cămașa de pe ea, așa că au hotărât să o judece la Leicester pentru ceva numit lollardism[1]. Asta era o sectă începută de un tip pe nume John Wycliffe, care fusese exclus de la Oxford deoarece criticase Biserica Romano-Catolică. El credea că tot ce spunea și făcea Biserica era idolatrie, deci Rău. Era preocupat de puterea și de corupția clericală și considera că oamenii de rând trebuie și pot să citească sau să predice scripturile. Nu mai e nevoie s-o spun, dar Biserica Catolică nu se lăsa călcată în picioare nici de John, nici de Margery, nici de altcineva. Ideea de femeie-mistic sau

---

[1] *Lol.*

de femeie de rând care să fie o autoritate spirituală le dădea fiori. Pe lângă faptul că erau suspicioase cu privire la credințele religioase ale lui Margery și la predicile ei de femeie afurisită, autoritățile nu erau de acord nici cu ideea că o femeie poate, pur și simplu, să nu mai facă sex cu soțul ei și să călătorească prin lume vărsând lacrimi. Dacă și alte soții prindeau ideea? Ar fi fost haos. Din fericire pentru fanii lamentațiilor, Margery i-a convins că nu era așa afurisită cum credeau ei, a negat acuzațiile și a scăpat de arderea pe rug.

Margery și-a petrecut restul zilelor făcând bani din rugatul pentru alții, mergând în pelerinaje și împrietenindu-se cu o altă femeie-mistic, Julia de Norwich. În plus, desigur, și-a rafinat și tehnica de plângere. În ultimii ani, a angajat un preot să îi scrie memoriile într-o carte, care pare a fi prima autobiografie din limba engleză: *Cartea lui Margery Kempe*. La început, preotul era sceptic cu privire la viziunile ei, până când a început și el să plângă de câte ori citea Biblia. Plânsul poate fi contagios.

Probabil că nu am ști nimic despre Margery azi dacă nu s-ar fi întâmplat cea mai tare chestie. În anii 1930, niște petrecăreți englezi s-au dus după mingea de ping-pong pierdută în spatele unui dulăpior din frumoasa lor casă de țară și acolo au descoperit tocmai *Cartea lui Margery Kempe*. Nu știm dacă au găsit și mingea de ping-pong, însă e clar că oamenii bogați ar trebui să-și facă mai des curat prin dulapuri.

Cartea lui Margery Kempe probabil că nu e 100% adevărată, ci mai degrabă un portret al vieții medievale târzii, cu un frumos filtru Valencia peste ea. Ceea ce e destul de cinstit din partea ei. Deși Margery n-a fost niciodată sanctificată, cartea asta i-a dus povestea mai departe, chiar dacă, timp de câteva secole, a strâns praful pe ea, în spatele unui dulap elegant.

Femei cu un număr impresionant de crime la activ

9

Artemisia I din Caria

secolul al V-lea î.Ch.

*P*oate o țineți minte pe Artemisia din Caria, din filmul *Cei 300: Nașterea unui imperiu*, continuarea celei mai hipermasculinizate labe în cerc din toate timpurile, *Cei 300*. Dacă nu ați văzut *Cei 300*, povestea e că 300 de bărbați din Sparta Greciei Antice își umflau piepturile tari ca piatra unii spre alții și luau decizii militare proaste. În continuare, în *Nașterea unui imperiu*, ne bucurăm de forțe grecești cu abdomene mai puțin fantastice, într-o bătălie navală, la zece ani după ce eroii spartani au avut parte de morți stupide. De data asta, inamicul este Artemisia. Ne dăm seama imediat că e personajul negativ, pentru că poartă o grămadă de tuș negru la ochi și are părul de un șaten mai închis decât restul sparta-nelor. Și ne dăm seama că e respectată ca „una dintre băieți" și ca un soldat legitim, pentru că avem un întreg montaj care ne arată cât de însetată de sânge era.

Artemisia a trăit în secolul al V-lea î.Ch. în regatul Caria, în partea de vest a Turciei de astăzi. A preluat conducerea Cariei după ce i-a murit soțul, la fel ca mulți alți soți din cartea asta (RIP pentru toți soții din lume). În ciuda originii grecești, Artemisia era aliata lui Xerxes și a Imperiului Persan.

Îl țineți minte pe Xerxes din *Cei 300* pentru bijuteriile lui faciale, vocea ciudată și sprâncenele grozave.

Artemisia era un strateg militar talentat, nu ca rataţii din primul *300*, și singura femeie comandant din războiul greco-persan. Aparent, schimba steagurile persane de pe corăbii cu cele grecești ca să se poată strecura. Grecii erau foarte interesaţi s-o prindă, așa că au pus o recompensă de 10 000 de *drachme* pe capul ei, ceea ce înseamnă aproape cinci dolari în banii de azi.

În film, soldaţii greci mai sperioși șușoteau că Artemisia „era vândută Morţii înseși", ceea ce, istoric vorbind, nu se poate nici confirma, nici infirma. De asemenea, e neclar dacă l-a invitat sau nu pe liderul flotei grecești, Theoblablabla, ca să încerce să-l convingă, prin puterea seducţiei și prin sânii ei sexy și mari, să-și unească forţele cu ea – o invitaţie pe care el a refuzat-o după una scurtă, ceea ce a împins-o să jure o răzbunare sângeroasă. O să mă hazardez să spun că nu s-a întâmplat *IRL*, dar cine știe? Oamenii din Grecia Antică trebuie să fi făcut sex, deci de ce nu și pe corăbii, în toiul negocierilor?

Cea mai mare bătălie purtată de Artemisa a fost în 480 î.Ch.: bătălia de la Salamis, când grecii și perșii s-au bătut pentru un platou delicios de salam[1]. Artemisia l-a sfătuit pe Xerxes să nu participe și s-a dovedit că avea dreptate când persanii au fost păcăliţi să intre în strâmtorile de la Salamis și au fost învinși de navele mai mici și mai agile ale grecilor. Totuși, ea a scăpat fără nicio zgârietură,

---

[1] Dacă insistaţi să aflaţi chestii, Salamis e, de fapt, numele unei insule grecești, iar bătălia a avut loc în strâmtorile dintre Salamis și ţărmul grec. A fost pentru prima dată când oamenii descopereau bucuria de a se ataca unii pe alţii, cu navele, la scară largă, deci e consemnată ca prima bătălie navală uriașă din istorie.

posibil pentru că a intrat într-o navă persană, astfel încât grecii să creadă că era de partea lor – sau cel puțin așa spune istoricul grec Herodot, un ticălos care trăia pentru scandal. Orice s-ar fi întâmplat, Xerxes a fost mulțumit de prestația ei și a spus: „Oamenii mei s-au transformat în femei și femeile, în bărbați!" Bine zis, Xerxes!

Deci asta e Artemisia. A dus treaba până la capăt cu tușul ei întunecat pentru ochi, talentul la bătălii navale și posibilele aventuri sexuale, pe care cu toții trebuie să le avem în viață.

Æthelflæd

cca. 870-918

O listă de femei afurisite ar fi incompletă dacă nu am vorbi și despre regina medievală a Angliei, care practic a inventat denumirea de afurisită: Æthelflæd, Doamna mercienilor.

Nu, nu am tastat aiurea cu degetele mele groase ca niște cârnăciori, ci chiar așa se scrie numele ei, cu A și E împreunate, pentru că engleza medievală nu făcea DELOC risipă de spațiu în iluminatele sale manuscrise. Ca să înțelegem cum se pronunță, imaginați-vă sunetul pe care îl faceți când sunteți pe cale să faceți duș și, chiar înainte să intrați, vedeți un păianjen la scurgere. Ăla e æ.

Æthelflæd s-a născut în 870 și ceva și era primul copil al regelui Alfred cel Mare, cunoscut în istorie pentru că a fost mare. Unul dintre lucrurile mărețe știute despre dragul de Alfred e că și-a învățat fiica tot felul de chestii pe care trebuie să le știi când conduci un regat medieval: strategie militară, un pic de economie, niște legi, cum se colectează taxele, cum te poți relaxa cu călugări și, cel mai important, cum să omori un viking cu o sabie imensă și ascuțită.

Această ultimă abilitate îi va fi utilă lui Æthelflæd pe parcursul vieții, inclusiv când ea și alaiul său de mireasă au fost atacate de vikingi și a trebuit să se lupte cu ei până când numai ea, o gardă de corp și o servitoare au mai rămas în viață. Din fericire, Æthelflæd a înțeles că e important să ai o atitudine pozitivă în viață și nu a lăsat ca un masacru sângeros să se interpună între ea și *iubi*. Căsătoria ei cu Æthelred, Lordul Merciei, va consolida legătura dintre regatele Wessex și Mercia, aducând multele regate ale Angliei anglo-saxone mai aproape de un regat unit – ceva ce vikingii voiau probabil cu tot dinadinsul să prevină. De aceea nu-i simpatizează nimeni pe vikingi.

Dacă v-ați uitat la *Urzeala Tronurilor* probabil știți ce efort presupune să unifici o mulțime de regate în război, mai ales dacă nu ai niște dragoni și ești distras în mod constant de țâțe. Deși, *din câte știm*, nu avea dragoni, Æthelflæd deținea destulă putere politică și militară, într-o epocă în care femeile nu erau lăsate să-și asume asemenea roluri.

Când tatăl ei cel Mare a murit, iar soțul ei cel mediocru s-a îmbolnăvit, Æthelflæd a preluat tot mai mult din putere, inclusiv a condus și a luptat în bătălii importante. Când alți blestemați de vikingi au atacat Chester, în 905, a luptat alături de soldații ei, atrăgând inamicii în interiorul orașului, simulând o retragere înainte să închidă porțile, capturându-i înăuntru și atacându-i fără milă. Æthelflæd, nemiloasa ucigașă de vikingi, a intrat în acțiune cu sabia ei de nădejde. Vă dați seama cât de mult îi păsa de Chester...

În 911, soțul lui Æthelflæd a murit (odihnească-se în pace). Femeia era atât de respectată de aristocrație pentru abilitățile ei militare și politice, încât a reușit ceva cu totul neobișnuit pentru acele vremuri: să rămână conducătoare autonomă, cu titlul de Doamna de Mercia, versiunea feminină a soțului ei mort, Lordul de Mercia. Până la urmă, se știa că, oricum, ea fusese cea care condusese, din culise, spectacolul din ultimul deceniu.

În timpul acestei domnii autonome, Æthelflæd a continuat să câștige bătălii importante și să facă pași spre consolidarea regatelor Angliei, împreună cu frățiorul ei, Edward. S-a mai luptat cu vikingi ca să-i scoată din Wales, în 915, apoi a invadat Wales, în 916, pentru că omorâseră un abate englez și o enervaseră. În 917, a capturat Derby de la danezi și de-asta ne putem bucura de el astăzi. Regatele Leicester și York i s-au supus imediat. A reconstruit drumuri romane și catedrala din Gloucester, care încă e în picioare.

Æthelflæd făcea progrese importante împotriva vikingilor când, din nefericire, a murit, în 918. În mod remarcabil, domnia a trecut la fiica ei, Ælfwynn, care domnise alături de mama ei, ca orice fiică bună. Avea să fie prima succesiune femeie-la-femeie din toată Europa și nu se va mai repeta timp de 600 de ani până la Lady Jane Grey, care a fost succedată de Mary, la rândul ei succedată de Elisabeta I.

Totuși, fratele lui Æthelflæd, Edward, a venit din urmă și a detronat-o. Fiul lui, Æthelstan, educat la curtea lui Æthelflæd, a reușit, în 927, să unifice regatele anglo-saxone.

Și cam de aici, prieteni dragi, putem să spunem că începe Anglia.

Ælfthryth

cca. 945-1000/1001

Să ne întoarcem la Ælfthryth. Exact, primiți două regine anglo-saxone la preț de una. Cartea asta are o valoare excelentă. Doar pentru că amândouă au fost regine medievale englezoaice, cu nume hilare asemănătoare, nu înseamnă că au semănat și ele prea tare. În primul rând, au trăit la distanță de un secol. Imaginați-vă cum ar fi ca, peste o mie de ani, cineva să creadă că oamenii născuți în 1890 sunt cam la fel ca oamenii născuți în 1990. Asta, dacă vor mai exista cărți și istorie peste o mie de ani...

Ælfthryth s-a născut în jur de 945, în regatul Wessex, care azi este o bucățică din sudul Angliei. A ajuns soția regelui Edgar cel Bland, cunoscut ca un tip pacifist. Dar Ælfthryth nu era o regină *oarecare*. Era o regină *muncitoare*. O femeie de carieră. O femeie care a dovedit că le *poți* avea pe toate. *Poți* fi soție și mamă, *poți* reuși ca avocată într-o lume a bărbaților ȘI îți *poți* instala fiul pe tron omorându-i rivalul! Ascultați bine, doamnelor!

Să începem cu avocatura. Avocații din Anglia secolului al X-lea nu erau așa cum îi știm noi azi, adică nu în stilul Aliciei Florrick din serialul *Soția perfectă*. Dar exista ceva numit *forespeca*, care nu era un puțochelarist[1], ci un soi de avocat semioficial care intermedia disputele dintre diverși indivizi. Asta făcea Ælfthryth, reprezentând mai ales văduve și femei necăsătorite, în foarte diversele lor drame legale. Apropo de drame legale, de ce nu a făcut nimeni un serial TV despre dramele din tribunal ale lui Ælfthryth? Uitați aici, producătorilor, vă dau gratis o mică parte de scenariu:

– Ascultă, Leofric, se încruntă Ælfthryth suflecându-și mânecile și aprinzându-și o altă țigară.

Apoi lasă timpul să treacă. Îl face să aștepte. Îl face să transpire.

– E timpul să termini cu căcaturile, îi spune până la urmă, scrumând spre fața lui. Amândoi știm că episcopul Æthelwold mi-e prieten apropiat. Deci pot să-ți propun o înțelegere.

– Dar..., se bâlbâie Leofric.

Ælfthryth dă cu pumnul ei mare și păros în masă.

– Taci dracu' din gură, Frichi, băiatule! O să facem așa: îi dai drăguței tale soțioare, Wulfgyth, o pensie pe viață pentru mica ei fermă de căcat...

– Dar o vrea ca să...

– NU ȚI-AM ZIS SĂ TACI DIN GURĂ? urlă ea.

Pălăria ascuțită îi alunecă într-o parte, într-un mod sexy[2].

– Și acum, uite cum o să facem, Leo, amicule. Îi dăm soției tale pensie pe viață pentru pământurile sale, după care ei se întorc direct la Winchester, *capisci*?

Leo se uită la mâinile sale și murmură că e de acord.

Ælfthryth iese din încăpere și se întoarce în apartamentele sale regale, face o baie fierbinte, apoi face sex cu măscăriciul curții.

---

[1] Joc de cuvinte intraductibil între *foreskin* („prepuț") și *spectacles* („ochelari") (n. tr.).

[2] Pălăriile ascuțite erau mai degrabă o interpretare victoriană a modei medievale decât moda medievală, dar e o imagine bună, deci o tolerăm.

Deci asta e. Da, Ælfthryth era mai mult decât obișnuita regină anglo-saxonă. Ar fi putut să-și întindă picioarele și să se relaxeze. Ar fi putut să-și petreacă zilele uitându-se pe fereastră din înaltul turnului, să ofteze, să-și facă griji pentru zânele din pădurile învecinate, să bea vinuri dubioase sau poate să aibă o aventură cu măscăriciul curții.[1] În loc de asta, a redefinit noțiunea de regină și a câștigat niște bani de pus deoparte prin munca de *forespeca*. Ea a fost și o apărătoare a drepturilor călugărițelor, ceea ce e ca un fel de avocat al drepturilor purtătorilor de arme, dar cu călugărițe în loc de arme.

Ælfthryth a fost prima regină încoronată oficial. Ea își trata domnia ca pe o slujbă cu drepturile și cu responsabilitățile cuiva care are un birou regal. Când i-a murit soțul, a continuat să se refere la sine ca la „regină", regina domnitoare. Dacă cronicarii medievali urau ceva cu obstinație, asta era o regină cu mare putere politică, deci Ælfthryth e acuzată în diverse istorii de:

- Asasinarea primului soț.
- Vrăjitorie.
- Adulter.
- Asasinarea abatelui din Ely (folosind vrăjitoria, normal).
- Complotare pentru asasinarea fiului său vitreg, astfel încât să-l pună pe tron pe fiul ei, Æthelred cel Nepregătit, care nu a fost niciodată pregătit să preia tronul.
- Răutate.

---

[1] Cineva care știe mai bine îmi spune că ideea unei aventuri cu măscăriciul curții e un anacronism. Sunt destul de sigură că e doar gelos, așa că, din nou, tolerăm ideea.

Dintre aceste acuzații, asasinarea fiului vitreg e probabil *cea mai* adevărată. Dar, hei, nimeni nu e perfect! Cui îi pasă dacă niște nepoți și poate un episcop au trebuit să dea colțul ca să-ți consolidezi tu puterea? Și-o cereau, oamenii ăia.

12

Zenobia

cca. 240-274

$\int$ ecretul unei căsnicii fericite este respectul reciproc și o
împărțire echitabilă a responsabilităților, cel puțin așa mi-a
spus bunica mea, care a fost măritată mai bine de șaizeci de
ani, în timp ce-și turna o limonadă cu whisky în miezul zilei.
(Să bei limonade cu whisky la amiază te poate ajuta la fel de
bine să ai o căsnicie fericită.) În orice caz, asta a fost strategia
cuplului format din regele Odainat și regina Zenobia din
Palmyra, Siria, în secolul al III-lea. Odainat scotea gunoiul și
triumfa împotriva Imperiului Persan în est, în vreme ce Zenobia
spăla rufele și cucerea Imperiul Roman de Răsărit la vest.

Regina din Palmyra a avut multe nume. Pentru greci, era
Zenobia. Pentru arabi, era al-Zabba'. Pentru romani,
era Augusta. Pentru dușmani, era: „Căcat, uite-o că vine, o să
murim toți!" Iar pentru prietenii ei, era Z-licioasa. Zenobia
era o arăboaică elenizată (adică de cultură greacă) și se
prezenta probabil cu numele grecesc, deci rămânem la el.

Zenobia s-a născut în 240 și s-a măritat cu Odainat în 255.
Se spune că era o puicuță extrem de bună, cu ochi mari și
negri și dinți așa de albi, că arătau ca niște perle. Dar, mai
important, se spune și că era o mare scorpie, care participa

la bătălii, mergea la vânătoare şi la călărit împreună cu
Odainat, apoi pleca singură în expediţii militare şi conducea
armata, ca general din prima linie.

În 267, Odainat a fost trădat şi ucis de romani, pentru că
ajunsese să aibă prea multă putere, iar Zenobia a zis: „Ei bine,
să vă fut!" A cucerit Egiptul, aşa cum se face, şi a făcut propa-
gandă că se trăgea din Cleopatra, ca să cucerească fluierând
Alexandria, cu cele 70 000 de trupe ale sale. Controla rutele
comerciale din India până la Nil, precum şi alte rute de la est
la vest. Odainat cucerise deja Arabia, Siria, Mesopotamia şi
altele, pentru Palmyra, iar Zenobia a adăugat Egiptul
şi Asia Mică, mişcări clasice ale unui cuplu aflat la putere.

Zenobia a ajuns la un soi de înţelegere cu împăratul roman
Claudiu, care era ocupat cu lupte corp la corp în părţile vestice
ale imperiului, aşa că pur şi simplu a ignorat-o, spunând:
„Bine, ia Egiptul, hm!" dar în latină. Aşa că, timp de câţiva
ani dulci, Zenobia a fost regină peste jumătate de lume,
domnind peste un imperiu vast şi bucurându-se de bogăţiile
aduse de caravane. Şi-a umplut curtea de cărturari şi intelec-
tuali care făceau dezbateri măreţe despre filozofie, ştiinţă şi
alte chestiuni din vremea lor, ca nişte podcasturi romane
antice, sponsorizate de un Squarespace roman.[1]

Dar, curând, un nou împărat a preluat puterea la Roma:
Aurelian. Şi lui nu-i convenea ca o fată din deşert să-i conducă
jumătate din imperiu. Iar Zenobia era ambiţioasă. Voia
ca imperiul ei să rivalizeze cu cele persan şi roman.
Voia să domnească peste o utopie vastă. Nu voia să conducă
doar Imperiul Roman de Răsărit – voia să cucerească chiar
Roma. Ia-o, Zenobia! Eşti puternică şi frumoasă şi poţi face

---

[1] Pentru cei care nu ştiu de Squarespace, e ceea ce foloseau romanii
ca să facă site-uri frumoase.

orice! A schițat chiar și modelul de șaretă cu care urma să intre, într-o bună zi, în Roma, ca atunci când știi ce-o să porți la Oscaruri înainte să mergi la prima oră de actorie.

Acum, dacă vreți să scoateți din sărite un împărat roman (și, hai să recunoaștem, vreți), cel mai bun lucru pe care-l puteți face e să îl puneți pe spatele unei monede, nu pe față. Dacă vreți să-l enervați și mai mult, nu-l puneți deloc, vă puneți fiul pe față și pe voi, pe spate. Cum ar trebui să-ți dai seama care e fața și care e spatele unei monede romane antice? Nu știu, trebuie să întrebați un roman. Dar asta a făcut Zenobia. L-a pus pe fiul ei Wahaballat pe fața monedei și pe Aurelian, pe spate, apoi l-a scos pe nenorocit cu totul și s-a pus pe ea în loc. S-a pictat precum Selena, zeița Lunii, ca să obțină o înfățișare de vrăjitoare. Iar Aurelian a fost profund jignit. Cine se credea parvenita asta? Dar, pentru o vreme, a fost ocupat cu problemele imperiului în vest, cu luptele cu goții, vandalii și cu alți adolescenți problematici. Când s-a întors la Roma, a convins Senatul să-l lase să recucerească Egiptul și alte tărâmuri ale Zenobiei. Egiptul era o sursă de grâu importantă pentru Roma, iar lui Aurelian îi plăcea mult să alerge prin lanurile de grâu. Din păcate pentru Zenobia, își întinsese prea tare resursele militare, iar triburile arabe și aliații armeni – coloana vertebrală a armatei sale – păreau să nu fie de ajuns ca să salveze Palmyra. Totodată, a ignorat prevestirile și s-a aruncat în luptă, ceea ce, tbh, nu e chiar o mișcare fericită pentru o zeiță a Lunii.

Aurelian s-a luptat cu armatele Zenobiei până le-a izgonit din Alexandra și din Antiochia, apoi le-a fugărit prin orașe și prin deșert până au ajuns să asedieze chiar orașul Palmyra, cu cei 200 000 de locuitori ai săi. Zenobia a încercat să se strecoare din oraș și să plece spre est, ca să caute ajutor la persani, dar a fost capturată de Aurelian, care a vrut s-o aducă înapoi la Roma într-o procesiune triumfală. Voia să le arate el senatorilor care râseseră pentru că fusese batjocorit de o femeie și voia s-o umilească în fața plebei, ca să se simtă el mare și tare. Nici măcar nu putea fi vorba de vreun „triumf" care sărbătorea victoria împotriva puterilor străine, pentru că, tehnic, Palmyra făcea parte din Imperiul Roman. Sau, cel puțin, asta credea Roma.

Ce s-a întâmplat ulterior e neclar, dar probabil că Zenobia a preferat să-și ia viața decât să fie cărată la Roma și expusă plebei într-o procesiune triumfală. Aurelian a prădat orașul și așa s-au sfârșit șase secole de imperiu arab în Siria (până la cuceririle islamice, patru secole mai târziu). În secolele care au urmat, Palmyra va fi distrusă și reconstruită de multe ori, deși nu a redevenit niciodată centrul cultural și economic care fusese în zilele Zenobiei. Astăzi, în ce a mai rămas din Siria, Zenobia apare pe bancnota de 500 de lire, iar ruinele spectaculoase ale Palmyrei, odată populare printre turiști, au fost distruse în mare parte când ISIS a preluat orașul și a bombardat o parte din ruinele pe care le considerau sursă de idolatrie. Așa, băieți! Arătați-le voi unor zei vechi de două mii de ani...

Tomoe Gozen

cca. 1157-1247

*N*u se știu prea multe despre războinica japoneză din secolul al XII-lea, Tomoe Gozen. O consemnare din secolul al XIV-lea spune că era „deosebit de frumoasă", dar istoriile astea despre războinice spun mereu același lucru. Poate că o femeie care e capabilă să rupă gâtul unui bărbat în mijlocul bătăliei face pe toată lumea să remarce tare și des că e frumoasă și grațioasă.

Deși nu știm multe despre viața personală a acestei figuri legendare, are un CV militar impresionant și bine documentat. Conform aceluiași cronicar care a spus că era o puicuță tare, Tomoe „era pregătită să înfrunte și demonii, și zeii" și „era o războinică egală cu o mie de bărbați", cum sunt toate femeile. Era excepțional de puternică, o călăreață abilă și n-o întrecea nimeni la trasul cu arcul în luptă, ea având un arc și o sabie imense. Printre hobby-urile ei se numărau călăritul cailor sălbatici la viteze inumane și condusul unor armate imense în luptă.

Tomoe a luptat în războaiele Genpei, o bătălie între două clanuri japoneze care a durat din 1180 până în 1185. În prima ei bătălie, Tomoe însăși a învins șapte războinici călare, fără mare efort. În altă bătălie, din 1183, a comandat o cavalerie de 100 000 de oameni, adăugând astfel *experiență de lider* în CV.

În ultima ei bătălie, în 1184, înainte să se retragă și să se apuce de, nu știu, grădinărit sau tricotat, Tomoe s-a lansat împotriva temutului, uriașului și musculosului războinic Onda no Hachiro, care era flancat de 30 de călăreți. L-a prins cu ușurință, l-a tras de pe cal, l-a lipit de șaua ei ca să-l țină bine și i-a smuls capul de pe nenorocitul de corp, apoi l-a aruncat lejer ca pe un sâmbure de cireașă. Mișcare ajunsă să fie cunoscută drept Noul Tău Coșmar Recurent!

Mă întreb care au fost ultimele cuvinte ale lui Onda no Hachiro: „Uau, chiar e incredibil de frumoasă, dar ar fi și mai și dacă ar zâm..."

Riiiiiip.

14

Sorghaghtani Beki

?-1252

Sorghaghtani Beki a ajuns conducătoarea liniei Toluid a familiei imperiale din Mongolia când soțul ei, Tolui, a murit în 1232, chestie care știu că încă ne supără. (RIP Tolui, n-o să te uităm niciodată, fie ca îngerii să te primească.) Sorghaghtani era, ca toate femeile, o intrigantă politică pasionată de conspirații, cu o sete nemărginită de putere și care avea să facă orice ca să-și instaleze fiul, Mongke, pe tron. Pare că seamănă cu fosta mea soție! Sorghaghtani a reușit să-și țină familia departe de conflictele dintre familiile regale, care au avut loc între 1230 și 1240, ca atunci când părinții și frații se ceartă și tu refuzi politicos să iei partea cuiva, așa că rămâi eroul familiei și singurul moștenitor al averii unchiului. Totodată, și-a oferit serviciile oricui se întâmpla să domnească în orice moment, dându-le tuturor armate pentru campaniile lor și trimițând, se spune, coșuri-cadou cu brânzeturi fine, fructe și gem.

Sorghaghtani era admirată în întreaga lume pentru inteligența și abilitatea ei politică. Istoricul persan Rashid al-Din îi lăuda „marea abilitate, înțelepciunea fără cusur și agerimea", iar cărturarul sirian Bar Habreus o descria poetic: „Dacă ar fi să văd în rasa femeilor altă femeie ca asta, aș spune că rasa femeilor

e mult superioară bărbaților." Ăsta e practic echivalentul de
secol XIII pentru când un tip spune: „Nu ești ca alte fete..."

În fine, asmuțindu-și dușmanii unii împotriva altora și
fiind totodată cea mai bună prietenă cu toată lumea,
Sorghaghtani a reușit să manevreze lucrurile în așa fel încât
familia ei să îi accepte fără probleme puterea. „Ei bine, cred
că o să facem pasul cel mare și o să conducem noi lucrurile,
dacă voi nu vă descurcați, băieți!" Facțiunile concurente din
familia regală au căzut de acord și l-au ridicat pe Mongke la
rang de *khaghan*, noul împărat. Mai existau doi prinți
concurenți care voiau tronul, însă, iar aceștia au plănuit să-l
asasineze pe Mongke la încoronare. Și chiar ar fi reușit, dacă
nu ar fi fost un șoimar băgăcios care, pe când se afla în căuta-
rea unui animal pierdut (aș spune că un șoim), a dat peste o
căruță abandonată care le aparținea complotiștilor, plină ochi
cu arme. Prinții au fost deconspirați și au plătit prețul.
Odihnească-se în pace prinții!

Mongke a decis că nu putea decât să înceapă o mare
epurare, ca să curețe Mongolia de complotiști. Sorghaghtani
a declarat-o vinovată de trădare inclusiv pe mama prinților
și i-a acuzat pe toți de magie neagră, ca să adauge niște
sare și piper acuzațiilor, așa că aceștia și-au găsit repede
sfârșitul. Sorghaghtani reușise să-și facă fiul *khaghan* și nu
avea de gând să mai lase pe nimeni să-i amenințe familia
vreodată. Nu după ce a cheltuit atât de mulți bani pe minuna-
tele coșuri cu fructe.

Iar de-asta, copilași, nu e bine să complotați ca să-l omorâți
pe *khaghan*. Spuneți nu!

15

Wu Méi

Nu se știe dacă Cei Cinci Shaolini Înțelepți au existat sau nu, dar, dacă au existat, au trăit sau poate nu au trăit la templul Shaolin, care poate a fost sau nu distrus de dinastia Qing din China, în 1647, 1674 sau 1732. Dacă aceste evenimente au avut loc, unul dintre Cei Cinci se poate sau nu să fi fost Wu Méi, cunoscută și drept Ng Mui și dacă așa a fost, atunci ea a inventat multe mișcări de arte marțiale puternice și mortale. De dragul discuției, să spunem că tot ce urmează e adevărat.

A fost odată ca niciodată o tânără pe nume Yim Wing-chun, care a spus că nu se va căsători cu un amărât de războinic local care o ceruse de nevastă decât dacă acesta o poate înfrânge în luptă. Ea nu-l plăcea deloc, așa că s-a dus la fata noastră Wu Méi ca să învețe repede să lovească cu piciorul un bărbat – ceea ce, toată lumea știe, e cel mai bun motiv ca să te apuci de orice fel de exercițiu. Wu Méi spunea că sistemul ei era inspirat de o luptă dintre un șarpe și un baston. Era o metodă atât de letală că, în general, o ținea pentru ea, dar totuși a învățat-o pe Yim Wing-chun, după principiul „fetele înaintea băieților". Așa că tânăra Wing-chun l-a bătut la fund pe războinic,

iar stilul ăsta de arte marțiale a rămas cunoscut sub numele de
Wing Chun. E un sistem prin care atacul și defensiva se fac
dintr-o singură mișcare, ca atunci când ești în club și, ca să
respingi avansurile unui ciudat, te săruți aiurea cu un tip cel
mult simpatic.

Dacă fata noastră Wu Méi a existat, se poate sau nu să fi
tăiat capul unui împărat tiran înainte să se retragă ca să devină
călugăriță budistă – una care se bătea pentru dreptate, cu super-
puterea de a lovi cu picioarele bărbații drept în moacă. Și se
poate să fi lovit odată un maestru kung fu în gât, ca să apere
un băiat de 14 ani. Sau poate că nu. Cine poate spune?

Cam atât despre Wu Méi, dar, sincer, e mai mult decât merităm.

16

Kosem Sultan

1589-1651

*K*osem Sultan a fost una dintre cele mai puternice femei din toată istoria de șase sute de ani a Imperiului Otoman, deși și-a început viața ca sclavă. Născută prin 1560, pe o insulă grecească, Kosem a fost vândută ca sclavă unui oficial otoman, pe ceea ce este acum teritoriul Bosniei, iar acesta a trimis-o la haremul imperial din palatul Topkapi din Istanbul.

Așa cum am văzut în cazul lui Khayzuran, bărbații europeni care mergeau în Imperiul Otoman, frustrați că nu aveau voie înăuntru, descriau haremul ca pe un loc plin de femei „exotice", care stăteau mereu goale, în posturi languroase. Dar să uităm ce credeau băieții ăia albi excitați, pentru că haremul imperial era mult mai mult de-atât. În aceastã sferă privată a femeilor din palat, care cuprindea patru sute de camere și era locuită de rudele, concubinele, soțiile și servitorii sultanului, Kosem a studiat teologia, matematica, muzica și literatura. Haremul era un centru de putere politică semnificativ în administrația imperială și niciuna dintre locuitoare nu era la fel de puternică precum mama sultanului de la putere, *valide sultan*. Kosem avea să urce în ierarhia haremului, devenind legal soția sultanului Ahmed I, apoi *valide sultan*, regină-mamă și conducătoarea vieții imperiale.

Kosem Sultan va domni, direct și indirect, aproape cinci decenii, într-o perioadă din istoria otomană numită „sultanatul femeilor". O perioadă de o sută treizeci de ani în care numeroase soții și mame puternice din haremul imperial au condus *de facto* imperiul, prin intermediul soților slabi sau al fiilor de căcat. Kosem și-a exercitat influența prin soțul ei, Ahmed, prin cei doi fii, Murad și Ibrahim, apoi prin nepotul Mehmet, folosind o combinație de lapte și otravă. Perioada de cinci ani, cât a guvernat în timp ce Mehmet nu avea vârsta necesară, a fost prima din istorie când o *valide sultan* a fost regent oficial și, deci, guverna direct imperiul.

Povestea vieții lui Kosem – acum subiectul unei telenovele turcești extrem de populare, pe care mi-ar plăcea mult să o văd cap-coadă dacă nu aș fi prea ocupată să scriu cartea asta excelentă – arată două fațete foarte diferite ale personalității ei. Așa cum ea însăși explica: „Am ales să-mi las otrava să curgă în interiorul palatului, iar laptele să mi-l dăruiesc poporului."

Kosem și-a dăruit laptele poporului prin donații caritabile, ajutor pentru orfani (și mai ales pentru fete orfane, cărora le găsea soți și le plătea educația), prin construirea de adăposturi și cantine în tot imperiul. A construit și o moschee frumoasă, care mai e încă în picioare în Istanbul, și era cunoscută ca fiind mărinimoasă și generoasă cu poporul ei.

Dar nu e deloc ușor să menții puterea politică, fie ea și neoficială, atât de mult timp cât a reușit ea. Manevrele ei implicau multe intrigi și chiar, ei bine, câteva crime pe lângă ele.

Când a domnit alături de fiul ei Murad, cei doi au luat parte la activități care întăreau legăturile mamă-fiu, precum executarea juristului oficial al imperiului, recucerirea Bagdadului, în 1638, sau stoparea mai multor rebeliuni. Așa cum încă fac mamele și fiii chiar și azi.

În Imperiul Otoman de dinainte de sultanul Ahmed I, succesiunea însemna că orice fiu (nu conta dacă nu era primul născut) putea ajunge următorul sultan dacă obținea destul sprijin pentru domnia lui. Asta făcea ca frăția să fie o treabă periculoasă, și mulți sultani și-au omorât frații de-a lungul vremii. Sigur că nu era o practică populară pentru publicul larg, așa că sultanul Ahmed va institui noua politică de a pune frații succesorului într-o „cușcă de aur" – adică închiși într-o zonă a palatului, separați de lume, ca să nu îl poată amenința pe viitorul sultan.

Pentru fiii lui Ahmed I și Kosem asta însemna că, atâta timp cât Murad era sultan, fratele său mai mic, Ibrahim, avea să fie izolat de lume. Asta i-a dăunat grav sănătății, de aceea va fi poreclit „Ibrahim cel Nebun".

Ibrahim era, într-adevăr, atât de incapabil să domnească, încât ultima dorință a fratelui său a fost ca el să fie mai degrabă ucis decât să-i fie permis să domnească și să continue dinastia. Dar Kosem nu a permis așa ceva. A profitat de ocazie ca să conducă indirect, prin intermediul fiului său incredibil de incompetent.

În timpul domniei lui Ibrahim, Kosem s-a confruntat cu un harem plin de soții și de concubine înfometate de putere, dintre care se remarcă Sechir Para – „Cub de zahăr" – o armeancă recrutată pentru a împlini dorința lui Ibrahim de a i se găsi „cea mai mare femeie din imperiu". Era favorita lui absolută și cea care l-a convins să-și ucidă celelalte concubine.

Pe măsură ce lucrurile scăpau de sub control, Kosem intenționa să-l decadă din drepturi și să-l execute pe Ibrahim, ca să-l înlocuiască cu nepotul ei de șapte ani, Mehmet. Nu i-a ieșit, dar, până la urmă, o revoltă l-a dat jos de pe tron pe

Ibrahim, care a primit o execuție sumară prin spânzurare. Cu Mehmet la putere, însă, Kosem a dat peste o rivală aproape la fel de ambițioasă ca ea: Turhan Hatice, mama lui Mehmet și nora ei. Kosem a complotat să-l ucidă pe Mehmet ca să-l pună la putere pe celălalt nepot, Suleyman, a cărui mamă era mai puțin ambițioasă și mulțumită să fie și ea pe-acolo tbh. Dar Turhan i-a luat-o înainte și a spânzurat-o.

Kosem a murit în 1651, pe la 61 sau 62 de ani, după o domnie fără precedent de lungă asupra haremului și, implicit, a imperiului.

Deci ce înțelegem din povestea asta e că femeile sunt, în general, prea blânde și docile ca să fie lideri eficienți și că de asta America nu poate avea o femeie președinte.

17

Împărăteasa Wu

624-705

Când un bărbat excelează în politică și se remarcă prin slalomul între rivali și aliați, apoi ajunge în vârful puterii, e considerat un Mare Om Politic și i se dedică o dramă Netflix. Când o femeie are aceleași capacități și le folosește, e o intrigantă însetată de putere, o manipulatoare, un tiran și, cel mai adesea, o vrăjitoare. Asta e moștenirea împărătesei Wu, singura conducătoare adevărată din lunga istorie a Chinei care a domnit sub numele ei, nu ca regentă pentru vreun copilaș de căcat sau ca „adevărata minte" din spatele soțului de căcat. Să fie foarte clar: femeia era un tiran absolut. Are o listă impresionant de lungă de crime. Spun doar că femeile nu vor cunoaște cu adevărat egalitatea până nu vor putea să omoare la liber sau să țină un harem de bărbați, așa cum a făcut Wu, și totuși să li se poarte o amintire plăcută peste timp.

Deci ce a făcut de fapt Wu, în secolul al VII-lea? A început de foarte jos. Era pe ultimele locuri între cele o sută douăzeci și două de soții din palatul împăratului Taizong, cel care a preluat puterea în 626, după ce și-a omorât frații. Băieții, tot băieți!... Poziția lui Wu în ierarhia concubinelor o făcea să fie, cel mult, o servitoare mai importantă. Totuși, pe când ajuta la grajduri, i-a atras atenția împăratului, printr-o conversație pe tema lui preferată: caii. E ca atunci când un tip încearcă să flirteze cu tine vorbind despre feminism. A ajutat și faptul că era foarte frumoasă, pentru că nici pe tine nu te deranjează dacă un tip îți explică feminismul și e și foarte sexy pe deasupra[1].

În China din epoca Tang, marea ruletă istorică a standardelor arbitrare de frumusețe se rotise și nimerise pe „corpolent", așa că Wu era considerată una dintre cele mai frumoase femei din imperiu. A urcat în ierarhia favoritelor lui Taizong, dar poziția i-a devenit precară când acesta a murit. Bărbații strică tot! Din fericire, Wu atrăsese atenția ultimului dintre fiii împăratului, Gaozong, fiindcă, înainte să moară, Taizong trebuise să *elimine* patru prințișori de căcat, pentru diverse trădări, cu tot cu femeile lor. Dar Gaozong era bine mersi și ușor de manipulat, o încântare pentru sfetnicii de curte și pentru Wu, care supraviețuise epurării de prinți și de concubine.

În secolul al VII-lea, sub dinastia Tang, fetele o luaseră razna. Inspirate de vecinele lor turcoaice, femeile călăreau cu tupeu, își scurtau tot mai tare vălurile și comiteau cea mai mare crimă posibilă: purtau pantaloni. Niște curviștine. Era momentul potrivit ca Wu să ajungă la o putere mai mare decât avusese vreo femeie înaintea ei. Dar lucrurile nu erau simple și nu se opreau la căsătoria cu Gaozong. După moartea unui împărat, soțiile lui trebuiau să-și radă părul și să se retragă în liniște și în rugăciune, departe de curte. Wu, însă, era o obrăznicătură, care aparent l-a întâlnit pe Gaozong când acesta își plângea tatăl, așa cum face orice femeie bună și pioasă.

---

[1] Bună, domnilor cititori! Mă bucur că sunteți alături de noi. Voiam doar să vă spun că e mai bine să nu testați teoria asta, cu nimeni, niciodată. E doar o glumă nevinovată și nu e menită să fie aplicată sub nicio formă. Vă mulțumesc, lectură plăcută în continuare!

Gaozong a fost foarte entuziasmat, iar lui Wu i s-a permis, împotriva tradiției, să se întoarcă la palat și să devină soția primului fiu al soțului său, ceea ce e destul de scârbos tbh. Cealaltă problemă era că Gaozong avea deja o primă-soție, pe împărăteasa Weng, căreia Wu îi era servitoare. Wu intenționa s-o înlocuiască pe aceasta și avea un plan foarte, foarte negru în acest sens. Wu îi făcuse deja mai mulți copii lui Gaozong, în timp ce Weng nu-i oferise niciun moștenitor oficial. Soarta împărătesei Weng s-a scris în ziua în care a venit să vadă o fetiță născută recent de către Wu. S-a trezit singură cu copilul, căruia presupunem că i-a zis: „Ce mai faci?" (sau ce se zice copiilor), apoi a plecat, dar când Wu s-a întors, a țipat că copilul era MORT. Și a cerut să știe care a fost ultima persoană care l-a văzut și, ce să vezi, fusese chiar împărăteasa Weng, care a părut o ucigașă de copii în ochii întregului palat. În decăderea ce-a urmat, împărăteasa Weng și-a înrăutățit situația încercând să se răzbune pe Wu cu niște vrăjitorie, ceea ce chiar nu era o chestie tolerată.

După niște lobby atent al lui Wu și Gaozong printre sfetnicii de palat, împărăteasa Weng a fost decăzută din drepturi și, în 655, Wu a fost făcută soția-șefă și împărăteasă.

Cum dracu' a murit copilul ăla? Nici nu vreau să știu, pentru că e grav de tot, Doamne, Doamne. Chiar dacă a fost o moarte naturală, Wu cu siguranță și-a folosit politic moartea copilului. Aoleu, Wu!

Oricum, Wu s-a ocupat personal să le bage în arest la domiciliu pe împărăteasa Weng și pe alte concubine care o ajutaseră cu chestii vrăjitorești, apoi le-a omorât brutal, torturându-le și lăsându-le trupurile încă vii să se perpelească în cazane cu vin, zile întregi, până au murit. Sună ca planurile mele pentru vineri seara, nu?

Aşa că împărăteasa Wu a primit porecla de „Vulpe perfidă"
şi a trăit mulţi ani fericită, ca primă soţie a lui Gaozong. Cei
doi îşi petreceau zilele uneltind, punând la cale pedepse pentru
rudele trădătoare şi bucurându-se de chestii sexuale ciudate.
Unul dintre motivele pentru care Wu a ajuns să fie preferata
lui Gaozong a fost că era, aparent, singura dispusă să facă „o
chestie sexuală necunoscută", care rămâne un mister, dar care,
probabil, de atunci, a ajuns descrisă din greşeală în paginile
Cosmo. Orice ar fi fost, se pare că se bucurau de ea în paturi
înconjurate de oglinzi, cea mai bună cale să-şi vadă trupurile
împlinite. Sfetnicii palatului erau îngrijoraţi că cei doi ajunse-
seră prea monogami, ceea ce, pe atunci, era considerat nesănă-
tos pentru un bărbat: să-şi irosească toată sămânţa şi energia
pe o singură femeie-demon, ca Wu, în loc să absoarbă forţă
vitală de la zeci de alte tinere, cum era „natural"[1].

Wu ajunsese foarte sus, atât politic, cât şi sexual, dar avea
să ajungă şi mai sus, pe ambele fronturi. În 660, Gaozong a
avut un atac cerebral şi a însărcinat-o pe Wu cu afacerile statu-
lui. Totul mergea conform planului: împărăteasa Wu se vedea
singura adevărată conducătoare după moartea soţului. Dar va
mai fi nevoie de câteva otrăviri mârşave şi de exiluri, de câteva
decrete pentru ca unii şi alţii să fie pacificaţi, de o mână de
semne prevestitoare favorabile şi, curând, Wu se afla pe
drumul spre putere. Singura ei problemă era frica profundă
că va fi bântuită de fantomele inamicilor pe care i-a torturat
şi omorât, pentru că şi voi aţi fi al dracului de îngroziţi după
o fază ca aia cu cazanele de vin, nu?

---

[1] Salut din nou, băieţi! Vă mai dau un sfat prietenesc cât mai sunteţi
aici: NICI ăsta nu e un argument grozav în lumea modernă, niciodată,
pentru nimeni! Nu încercaţi! Aveţi încredere în mine! OK, continuaţi.

Wu mai avea doi fii în viață, când a murit Gaozong, în 683. Unul dintre ei, Zhongzong, pe care îl cam ura, a ajuns împărat fiindcă era cel mai mare. Celălalt, Ruizong, era prințișorul mamei și un alt bărbat ușor de manipulat pentru ca Wu să poată domni. Iar când vrea ceva, mami obține acel ceva. Zhongzong a avut doar șase săptămâni de domnie înainte ca Wu să-l declare trădător și să-l decadă din drepturi. Cu Ruizong la putere, Wu le-a spus oamenilor că acesta avea un defect de vorbire și că, normal, va vorbi ea pentru el. După șase ani de domnie puternică, impresionantă, deloc secundară domniei mamei sale, Ruizong a spus, în sfârșit, că ar fi frumos să abdice și s-o lase pe Wu să preia puterea.

Așa se face că Wu a ajuns la putere în 690. Nu era doar împărăteasă, era împărat, conducător, Mama Înțeleaptă a Oamenilor și un zeu în viață. A domnit astfel 15 ani, fără evenimente importante, în afară de faptul că a continuat să facă treburi sexuale ciudate. În 699, a creat ceva numit Oficiul Cocorului[1], unde se căutau poțiuni și elixiruri care să o ajute să scape de moarte. Era plin de tineri sexy care se relaxau în robe de mătase și se machiau ca să-și pună în evidență frumusețea. Până la urmă, dacă sexul cu fete tinere prelungea viața unui împărat, de ce să nu se bucure și Wu de aceleași beneficii? Cei doi favoriți dintre băieții ei de jucărie erau frații Zhang, care, atunci când ea s-a îmbolnăvit, la bătrânețe, au fost singurii lăsați s-o vadă. Chiar și spre 80 de ani, Wu își făcea de cap, nebunatica.

Dar, până la urmă, i-a venit și ei rândul. Sătul de viața de curte cu practici sexuale ciudate, condusă de mama lui, Zhongzong, fiul dat la o parte, a venit într-o noapte cu mai mulți conspiraționiști și le-a tăiat capul neplăcuților frați Zhang (RIP),

---

[1] În China, cocorul este simbolul longevității (n. tr.).

apoi a dat o lovitură de stat. Wu a părăsit palatul câteva zile mai târziu, după cinci decenii de domnie în China, într-o formă sau alta. Puteți spune ce vreți despre crimele ei, dar Wu a avut o domnie bună.

Moștenirea ei are recenzii amestecate. Wu este subiectul unui roman porno din secolul al XVI-lea, intitulat *Lordul Satisfacției Perfecte*, în care Wu și-o trage cu un tânăr frumos, aproape minor, căruia ea îi spune „Tati". Niște secole mai târziu, a apărut în alte romane, biografii și filme mai puțin porno. O biografie din limba chineză despre Hillary Clinton din 1996 avea subtitlul „Împărăteasa Wu la Casa Albă", ceea ce e foarte josnic, având în vedere cele povestite mai sus.

A fost oare Wu un personaj negativ absolut, din cauza mașinațiunilor făcute la curte? Sau doar parte din jocul intrigilor imperiale de atunci și dintotdeauna? Dar trebuie să recunoaștem că a cam și omorât mulți oameni...

Putem fi măcar de acord că împărăteasa Wu merită un film biografic de Oscar. Poate s-o joace Scarlett Johansson? Sau oricare altă doamnă albă care primește roluri de asiatice – asta dacă nu cumva, într-o zi, Hollywoodul decide să-și schimbe obiceiurile albe precum crinii.

18

Laskarina Bouboulina

1771-1825

Laskarina Bouboulina a dovedit că nu ești niciodată prea bătrână să începi o carieră de comandant de nave. Avea 40 de ani, era de două ori văduvă, mamă a șapte copii, singură și gata de acțiune, când a început să-și construiască imperiul naval.

Laskarina s-a născut în 1771, într-o închisoare din Istanbul, unde mama ei îl vizita pe tatăl ei, care fusese încarcerat pentru participarea la revolta din 1770 împotriva Imperiului Otoman. Familia se trăgea din insula grecească Hydra și, ca majoritatea grecilor din comunitățile maritime, erau marinari abili. Laskarina era băutoare de cursă lungă și povestea spune că era atât de urâtă, încât nu putea face sex cu un bărbat decât dacă îl amenința cu un pistol. Cât este adevăr aici și cât bârfe de vestiar ale unor bărbați respinși, n-o să știm niciodată.

Al doilea soț al Laskarinei, Dimitri Bouboulis, de la care i-a rămas numele Bouboulina, a murit în 1811, într-o luptă cu pirații, ceea ce era una dintre cauzele principale ale morții pe vremea aia. El deținea patru nave, pe care ea le-a preluat și a început să-și construiască o flotă formidabilă, în frunte cu imensa navă de luptă Agamemnon, numită așa în amintirea războiului troian. Laskarina și tovarășii ei greci se pregăteau de ani de zile pentru o nouă revoltă pentru independență, ca parte a unei organizații ilegale cu nume inocent: „Societatea prietenoasă". Ea a recrutat o armată privată de bărbați din insula Spetses și a cheltuit averea moștenită de la soții ei plătindu-i și hrănindu-i. Laskarina strângea în secret armate și le ținea sub acoperișul ei. Imaginați-vă un oficial otoman care vine în inspecție acasă la o mamă de vârstă mijlocie și găsește o armată privată. „Ah, ce? Ei? Nuuu, e doar un hobby, nu mă luați în seamă."

Când grecii și-au început lupta sângeroasă pentru independență, Laskarina și-a condus navele printre insulele grecești, a luptat în blocade, bătălii și asedii-cheie la forturile turcești, a ajutat forțele grecilor oriunde a fost nevoie. Deși erau depășiți numeric, grecii erau marinari mai buni și o provocare importantă pentru otomani. Când nu-i mai ajungeau luptele pe mare, Laskarina mergea pe țărm să lupte pentru revoluție din șaua calului.

Când grecii au cucerit orașul Tripoli, Laskarina a negociat un schimb de prizonieri cu comandantul turc, pentru a salva viețile femeilor și ale copiilor turci din haremul guvernatorului otoman Hourshid Parsha. Îi promisese mamei sultanului, cu ani în urmă, că va proteja femeile turce nevoiașe, în schimbul înapoierii averii sale confiscate. Așa că, în mijlocul unui război marcat de masacre brutale ale civililor, ea le-a comandat soldaților să nu se atingă de femei și de copii, avertizându-i că „oricine încearcă să le facă rău trebuie mai întâi să treacă peste cadavrul meu". Femeile și copiii au fost evacuați în siguranță.

Războiul Grec de Independență a ținut din 1821 până în 1832 și a dus la independența statului grec, dar Laskarina nu i-a supraviețuit. După toate aventurile ei pe mare și pe câmpul de luptă, Laskarina a fost ucisă în 1825, într-o dispută de familie, când fiul ei a fugit cu fiica altei familii și cineva a împușcat-o. Asta arată că spiritul revoluționar și experiența de război nu te salvează de dramele de familie.

Ching Shih

1775-1844

*C*el mai important lucru pe care trebuie să-l știți despre Ching Shih (sau Zheng Shi) e că nu a fost doar un pirat care a secat porțiuni imense de mare, în secolul al XIX-lea, ci că a fost *cel mai de succes pirat din toată nenorocita de istorie.* A rupt nenorocita aia de barieră care a ținut în loc mult prea mult timp femeile-pirat. A comandat o nenorocită de flotă de zeci de mii de nenorociți de pirați. A distrus britanicii. A distrus portughezii. Iar britanicii și portughezii erau cei mai răi nenorociți de pe mare! Apoi a văzut dinastia Qing și s-a gândit: „Opa, ce mai faci?" și a distrus-o și p-aia.

Ching Shih s-a născut în 1775, în Guandong, China, și a început ca prostituată la bordel. Contează? Nici pe dracu'. Nu contează cine ești sau de unde începi, atâta timp cât muncești mult și ajungi cel mai temut pirat din lume. Ching s-a apucat de piraterie ca lumea după ce s-a căsătorit cu *iubi* al ei pirat și, împreună, s-au pus pe treabă. La un moment dat, el a murit. Bărbații te dezamăgesc întotdeauna.

Ching Shih a continuat să comande ea însăși flota de nave și a mărit-o considerabil. Avea de toate flota ei. Avea bărbați. Avea nave mari. Amenința *întreg oceanul.* Era atât de bogată și de succes, că a ajuns o adevărată afacere-imperiu, colectând taxe de la orașele de coastă cucerite. Ea își taxa și pirații lachei, așa că a ajuns incredibil de bogată. Imperiul de pirați al lui Ching Shih avea *legi*. Dacă încălcai legea, RIP tu. Dacă prindeai o nevastă, dar nu îi erai fidel, RIP tu. Dacă violai pe cineva, erai mort. Era o mașinărie foarte bine unsă, iar pe ea o numeau „Teroarea din Sudul Chinei", ceea ce e *metal*.

Guvernul chinez era așa de sătul de căcaturile ei că le-a oferit ei și tuturor piraților săi amnistia, dacă încetau să-i umilească măcar o secundă. O lăsau chiar să păstreze ce capturase până atunci. Era un pirat atât de bun, că a trăit deștul cât să se pensioneze și să se apuce de bingo sau alt căcat. (De fapt, s-a măritat, a făcut un copil și a deschis o casă de jocuri de noroc.)

Unde sunt doamnele pirat din poveștile pentru copii? Unde sunt doamnele pirat puternice și sigure pe ele, care nu au nevoie de bărbați pirați?

Avem nevoie de mai multe doamne pirat.

Avem nevoie să cucerim mările.

FETELOR, STUDIAȚI NAVIGAȚIA, E TIMPUL SĂ CUCERIM MĂRILE!

De ce nu știm că cel mai de succes pirat din istorie a fost femeie? De ce, când ne gândim la pirați, îl vedem pe nemernicul de Johnny Depp și nu pe nenorocita, grozava și teribila de Ching Shih? Sunt furibundă. Astea sunt întrebări la care cineva ar trebui să răspundă acușica.

Și asta e ceea ce trebuie să știți despre Ching Shih.

Femei care au fost genii, deși erau fete

(toată lumea știe că fetele nu pot fi genii)

20

Hypatia

cca. 355-415

ypatia a trăit cu mii de ani înainte să existe trolii de internet, deci, din păcate, n-a informat-o nimeni că fetele nu se pricep la mate pentru că au creierul prea dantelat și emoțional, și nici n-a făcut-o nimeni „curvă urâtă". Așa că, fără acest avertisment crucial, a ajuns cel mai mare matematician și astronom din vremea ei.

Hypatia s-a născut în 335, în Alexandria, Egipt. A scris despre geometrie și teoria numerelor, despre care nu știu nimic pentru că, ce să vezi, mi s-a spus că am creierul prea dantelat și moale și cu aromă de căpșuni ca să pot înțelege astfel de lucruri. Tatăl Hypatiei era și el matematician și astronom – ultimul membru cunoscut al Muzeului din Alexandria, marele institut de învățare plin de cărturari și de holuri frumoase pe unde era, odinioară, Biblioteca din Alexandria. Împreună, Hypatia și tatăl ei s-au chinuit să conserve munca tocilarilor greci antici în acele vremuri tulburi pentru Alexandria, când creștinii, evreii și păgânii se certau pe cine îl iubește mai mult pe Dumnezeu. Sau (Dumne)zeii.

Cu toții suntem supărați că Biblioteca din Alexandria a ars! Cum au îndrăznit? Acolo erau cărți bune. Cineva s-ar fi putut gândi măcar să facă o arhivă pe kindle-ul de Alexandria[1]. Oamenii din Antichitate erau atât de proști! Biblioteca a fost fondată în 295 î.Ch., cu scopul de a aduna toate cărțile din lume, doar așa, pentru distracție. În timp ce biblioteca principală, cu sute de mii de cărți, a fost distrusă în urma unei nimicnicii a lui Cezar din 48 î.Ch., „restul" bibliotecii, cu zeci de mii de cărți, s-a aflat în templul Serapeum până pe vremea Hypatiei când s-a petrecut altă tâmpenie.

În 385, Sfântul Teofil a fost făcut episcop de Alexandria. Aparent, el însuși fusese un student și un cărturar dedicat, dar, din păcate era și un prostănac nesimțit. Se opunea cu violență oricui nu era creștin și s-a apucat să distrugă toate templele non-creștine din Africa de Nord, cu binecuvântarea împăratului roman Teodosie al II-lea. În acest scop, în 391, Teofil a ras de pe fața pământului Serapeumul, un templu închinat zeului greco-egiptean Serapis, adică zeul greșit, distrugând cu ocazia asta ultimele cărți care au făcut parte din legendara Bibliotecă din Alexandria. Isus ar fi fost încântat. Ar fi zis ceva de genul: „Da, exact asta urmăream, mersi, nene, gata, fii sfânt."

Oricum, acolo s-au distrus toate cărțile. RIP secole întregi de cunoaștere umană! Dacă nu ar fi fost toate tâmpeniile astea, acum am avea teleportare, deci nu ar mai trebui vreodată să faci pipi în avion și nici să te temi să tragi apa ca să nu fii tras și tu afară, aruncat de la 10 000 de metri, cu pantalonii în vine.

Dacă meseria ta e să fii un intelectual faimos, e semn rău când societatea în care trăiești își distruge toate cărțile. Dar fiindcă Hypatia era așa de populară printre studenți, iar unul dintre aceștia era prieten bun cu însuși nenorocitul de Teofil,

---

[1] Bună, Amazon! În schimbul acestei glume aș vrea o cantitate nelimitată de încărcătoare kindle, le tot pierd pe ale mele, mersic.

a fost lăsată în pace o vreme, în ciuda păgânismului și a intere-
sului său neascuns pentru știință. Deci și-a continuat studiile
vrăjitorești, matematice, predatul, filozofarea, plimbatul
haihui și deosebit de inteligent prin Alexandria și, desigur,
exercițiile Pilates, de două ori pe săptămână. Până la urmă,
totuși zeloții creștini au fost tot zeloți creștini, iar Hypatia a
fost ucisă violent de o gașcă de iubitori de Dumnezeu sub
îndemnul noului episcop, Chiril, care era un cretin ignorant.
Isus cel însetat de sânge ar fi fost cu totul de acord cu
uciderea unui matematician. „Exact asta voiam să spun!",
trebuie să le fi zis celor din gașca de creștini zeloși. „Continuați
treaba cea bună, băieți, ne vedem în rai."

21

Fatima al-Fihri

cca. 800-880

*D*acă ești fanul cunoașterii, medicinei, numerelor, educației sau al progresului uman, ar trebui să-i mulțumești femeii ăsteia. (Surpriză! Nu cred că vă așteptați la asta!)

Fatima al-Fihri a trăit în secolul al IX-lea. Familia mamei sale s-a mutat din Tunisia de azi la Fez, în Maroc, un oraș cu o populație, o bogăție și o importanță tot mai mari în lumea medievală musulmană. Tatăl era un comerciant bogat care, când a murit, le-a lăsat Fatimei și surorii ei, Mariam, o avere consistentă. E un adevăr universal cunoscut că o femeie în posesia unei averi colosale va dori să se implice într-un proiect de infrastructură major, așa încât fetele s-au apucat să schimbe fața orașului. Fetele și bănuții lor de la tăticul, nu-i așa?

Mariam a plătit pentru construcția moscheei al-Andalus, care încă mai stă în picioare și în ziua de azi în orașul Fez. Așa cum spune un recenzent Tripadvisor, Dave Russ, despre această frumoasă, antică și încă operațională moschee „Nu merită!" Între timp, în 859, Fatima și-a luat sarcina să pună bazele universității al-Qarawyyin, considerată azi drept singura cu cea mai lungă și neîntreruptă activitate din lume.

Nu se știu prea multe despre Fatima sau despre familia ei. Detaliile s-au pierdut ca nisipul prin timp, la fel ca detaliile despre viețile multor altor femei. Dar asta nu înseamnă că ea nu merită să ocupe un loc într-o carte de istorie. Uite, Fatima, îți ofer aici niște spațiu:

[ACEST SPAȚIU E LĂSAT LIBER INTENȚIONAT, ÎN ONOAREA FEMEILOR DIN ANTICHITATE DESPRE CARE NU ȘTIM PREA MULTE, DAR CARE SIGUR AU EXISTAT ȘI AU FĂCUT LUCRURI MIȘTO.]

Deși nu știm destule despre Fatima, știm o grămadă despre moștenirea universității ei. Al-Qarawyyin a pus Fezul pe harta culturală; a contribuit la unificarea cunoștințelor din lumea islamică și a facilitat schimbul de idei între Europa, Africa și Asia. În secolele de după fondare, poeți, matematicieni, juriști și o grămadă de altfel de tocilari din jurul lumii au venit la al-Qarawyyin să gândească gânduri de cărturari.

Dupa ce a studiat aici, papa Silvestru al II-lea a adus numerele arabe în Europa. Ce sunt numerele arabe, întrebați? Sunt băieții ăștia răi: 0, 1, 2, 3, 4, 5, 6, 7, 8, 9, adică cifrele. Mulțumită acestui transfer de cunoștințe, nu stăm acum cu toții să ne întrebăm ce înseamnă MCMLVII. Alți europeni care nu erau ocupați să se omoare unii pe alții pe câmpul de luptă – distracția preferată în Europa medievală – au călătorit la al-Qarawyyin și au adus cu ei la întoarcere cunoștințe de astronomie, de logică și de medicină, pe care le-au tradus în latină și în alte limbi europene. În timp ce europenii uitau de știință și își concentrau energiile bând rachiu și căcându-se acolo unde mâncau, secole întregi de cunoaștere se păstrau, se dezvoltau și se răspândeau între pereții de la al-Qarawyyin.

Așa că, prieteni, dacă vă plac stelele, rațiunea și viața trecută de treizeci de ani, trebuie să-i mulțumiți Fatimei al-Fahri. Femeile au investit în cunoaștere. Femeile au investit în întreaga lume. Dacă nu sunteți de acord, scrieți-vă plângerea pe o foaie, înmuiați-o în ceai, apoi mâncați-o.

Wáng Zhenyí

1768-1797

*W*áng Zhenyí era genul de tipă care poate face pe oricine să se simtă un gunoi. Nu e vina ei, ea doar a dus o viață devotată învățării și a produs o cantitate neplauzibilă de studii, începând de la o vârstă foarte fragedă. De ce nu putem și noi să ne oprim, pur și simplu, și să învățăm lucruri și să lucrăm din greu? De ce trebuie să ne pierdem vremea și să ne holbăm la telefoane cu orele, în timp ce ne apropiem tot mai mult de moarte?

Dar, cum spuneam, nu e vina lui Wang. Ea s-a născut în 1768 și a ajuns unul dintre cei mai cunoscuți oameni de știință din dinastia Qing din China. Bunicul ei era un colecționar avid de cărți și se spunea că avea 75 de biblioteci acasă, ceea ce trebuie să fi fost o achiziție colosală de la versiunea IKEA chineză de secol XVIII.

Când a murit bunicul lui Wang, familia ei s-a dus la înmormântare și au rămas la locuința lui cinci ani, ceea ce i-a dat timp lui Wang să citească atât cât a putut din biblioteca lui. A învățat să călărească și să tragă cu arcul și a mărturisit că îi plăcea „să practice artele marțiale în timp ce călărea", chestie care rămâne și astăzi cel mai bun mod de a ajunge la birou luni dimineața.

Nu i-a luat mult lui Wang să-și facă un nume ca om de știință de top. S-a concentrat pe științele naturale și pe astronomie, ajungând la explicații esențiale pentru eclipsele lunare și solare, precum și pentru echinocții și numărul stelelor de pe cer. (Și sunt cu grămada.) A făcut experimente acasă, dovedind că Pământul e rotund, și a recreat mișcarea planetelor și a Soarelui folosind o lampă pe post de Soare, o masă ca glob și o oglindă pe post de Lună, ca să observe mișcarea relativă și, în general, relația dintre corpurile cerești. A pledat pentru adoptarea calendarului vestic, care îi plăcea pentru că punea în centru Soarele (sau mai degrabă lampa ei).

În timpul liber a scris zeci de cărți, inclusiv treisprezece volume de poezie și o serie de manuale de matematică, ce aveau ca scop să învețe publicul larg elementele de bază. Uneori, cele mai simple concepte pot fi cel mai greu de explicat, după cum am descoperit când un copil m-a întrebat ce sunt numerele. Nu am reușit să-i explic, așa că, undeva în lume, există acum un adolescent care tot nu știe ce sunt numerele. Scuze!

Wang se opunea cu tărie valorilor tradiționale care le împiedicau pe femei să beneficieze de educație. Spunea că femeile sunt oameni ca bărbații, că au același interes să studieze – ceea ce desigur, știm cu toții, înseamnă să amâni găsirea unei slujbe adevărate, acumularea de puncte pentru reduceri la transport și capacitatea să dormi toată ziua. Așa că de ce să nu fie și femeile studente?

Într-unul dintre multele ei poeme în stilul clasic „ci", care impune structuri fixe de metrică, ritm și număr de caractere, Wang întreba:

Suntem făcuți să credem
Că Femeile sunt egale cu Bărbații;
Nu ați observat
Că și fiicele voastre pot fi eroine?

Wang avea numai 29 de ani când a murit, dar produsese deja o mulțime de lucrări. Cei mai mulți dintre noi nici nu s-au dat jos din *pat* până la 29 de ani. Bravo ție, Wang, și mulțumim că ne faci să ne simțim ca naiba.

Jang-geum

Secolele V-VI

*J*ang-geum este prima femeie medic din istoria Coreei, care a trăit la începutul secolului al XVI-lea, o vreme când nu se auzise de femei care să studieze medicina, cu atât mai puțin de una care să îl trateze pe însuși regele. Presupun că, dacă ești singura care poate vindeca un bărbat, regulile pot fi încălcate. „Hmm, pe de-o parte, sunt foarte bolnav și numai tu mă poți salva. Pe de altă parte, ai vagin. Oare ce să fac?" Chiar e o dilemă.

Din poziția ei de doctor regal, Jang-geum era, aparent, atât de importantă pentru rege, că a ajuns curând al treilea înalt membru al Curții. Niște misogini prăfuiți spun că ea nu a existat, așa cum se spune despre orice femeie tare din istorie. Însă niște cărturari prăfuiți care nu sunt misogini spun că există multe referințe la un „doctor femeie" în *Analele Dinastiei Joseon* – o lectură grozavă, de vacanță, scrisă în secolul al XVI-lea, în caz că are nevoie cineva. Într-o astfel de mențiune, regele Jung-kong, care a domnit între 1506 și 1544, spune: „Nimeni nu-mi știe boala mai bine ca Jang-geum."

Din fericire însă, a fost nevoie doar de referința asta pentru ca Jang-geum să inspire un serial coreean, în 2003.

Serialul *Daejanggeum* sau *Bijuteria din palat* – care, oricât de comic pare, e porecla mea de când eram mică – urmărește ascensiunea lui Jang-geum de la un om de rând la cineva care cunoaște intim suferința regelui și toate problemele scârboase ale acestuia. Serialul TV a readus-o pe Jang-geum la viață și i-a transformat numele într-unul cunoscut în toată Coreea.

Așa că, fetelor, dacă vreți să fiți cunoscute după ce muriți, aflați cele mai scârboase secrete ale cuiva aflat la putere și aveți grijă să fiți menționate în *Analele Dinastiei Joseon*!

24

Artemisia Gentileschi

1593-cca.1656

O femeie extrem de fermecătoare m-a întrebat odată dacă nu e păcat că, de câte ori vorbim despre artiste femei, nu o pomenim decât pe Artemisia Gentileschi, fără să le menționăm pe celelalte pictorițe din barocul italian. „Ah, da", am dat eu din cap asemenea cuiva care ar putea spune câte o pictoriță din barocul italian pentru fiecare literă din alfabet. Da, ce păcat! Și totuși iată-ne pe cale să vorbim din nou despre ea. Îmi cer scuze tuturor femeilor fermecătoare, dar Artemisia e pur și simplu atât de bună! Și nu m-am chinuit să le caut și pe celelalte. Însă e frumos să știm că au existat numeroase barocuțe, mai ales că nimeni nu le știe.

Când se vorbește totuși de Artemisia, este adesea și în primul rând descrisă drept victima celebră a unui viol și se spune că arta ei reflectă se pare, un soi de răzbunare sălbatică împotriva bărbaților. Când avea 17 ani, Artemisia a fost violată de un partener de afaceri al tatălui ei, care a încercat să demonstreze apoi, într-un proces foarte public, că fata nu fusese virgină. A făcut asta ca să-i distrugă reputația, doar știm că nimic nu strică reputația cuiva mai rău decât să fie omorât sau jefuit. (Cum putem ști că victima ucisă nu a mai fost omorâtă înainte?)

Artemisia a pictat atunci unul dintre cele mai celebre tablouri ale sale, *Iudita și capul lui Olofern*, care reprezintă o femeie tăind capul unui bărbat. Totuși, nu ar trebui să presupunem că ăsta era un răspuns direct la ce i s-a întâmplat, pentru că ar fi ridicol să presupunem că violul e singurul motiv pentru care o femeie ar picta un bărbat căruia i se smulge capul sau pentru care ar da o atenție deosebită stropilor de sânge, așa cum face ea aici.

Tabloul arată o scenă oarecum biblică din *Cartea Iuditei*, în care Iudita însăși omoară un general asirian, care era pe cale să-i distrugă căminul. Asta după ce îl îmbată, ceea ce ridică întrebarea: de unde putem ști dacă Olofern nu *voia* să fie omorât?! Dacă nu voia să fie omorât, poate că nu ar fi trebuit să bea atât. Oricum, dacă privești comparativ pictura Artemisiei cu aceeași scenă pictată de Caravaggio, acesta din urmă ilustrează o Iudita mult mai reticentă, îngrozită de toată treaba, exact cum ar crede un bărbat, și anume că Iudita nu *gusta* stropii de sânge. În versiunea Artemisiei, în schimb, fata se bucură de fiecare secundă. Face treaba până la capăt, pentru că e o doamnă rece, calmă și profesionistă, cu o sarcină de îndeplinit, și nimic n-o să-i stea în cale, cu atât mai puțin un râu de sânge cald, cu bulbuci. Într-o epocă în care nu existau încă filmele de acțiune care să poată satisface setea de sânge a maselor, Artemisia nu făcea decât să le dea oamenilor ceea ce voiau. Și era extrem de bună la asta.

Artemisia era o pictoriță cu atât de mult succes, încât putea trăi din vânzări – visul oricărui student ratat la Arte. Și, comparativ cu pictorii de atunci, care aparent nu văzuseră sâni în viața reală, Artemisia picta sâni adevărați în toată gloria lor, atârnând, nu ca niște boluri micuțe și tari pe o masă.

În loc să ne gândim la Artemisia ca la o victimă, ar trebui să o considerăm o scorpie-șefă care se numără printre cei mai buni pictori italieni, fie ei bărbați sau femei. Chiar dacă a făcut-o pentru răzbunare, toată lumea știe că cea mai bună răzbunare e să ajungi bogat și faimos pentru talentele tale inegalabile – ceea ce ei i-a ieșit din plin.

Raden Ajeng Kartini

1879-1904

*R*aden Ajeng Kartini s-a născut pe 21 aprilie 1879, în Mayong, pe insula Java din Indonezia. Astăzi, 21 aprilie e Ziua Kartini în Indonezia, ceea ce ar putea fi un bun indiciu că tipa e destul de tare pentru indonezieni. Ea provenea dintr-o familie aristocratică – „Raden Ajeng Kartini" e un fel de „Lady Kartini" – iar tatăl ei a lucrat cu guvernul colonial olandez. Totuși, Kartini dezavua pe față conceptele și practicile aristocrației javaneze.

„Cred că nimic nu e mai ridicol și mai prostesc decât oamenii care se lasă onorați pe baza așa-zisului drept de naștere", îi scria colegei sale de epistole, feminista olandeză Stella Zeehandelaar. „Ce valoare are să fii conte sau baron? Cu mintea mea simplă, pur și simplu, nu pot înțelege." (Fetelor, să introducem „cu mintea mea simplă nu pot înțelege" în vocabularul nostru sarcastic de zi cu zi.)

De la 12 ani, vârsta pubertății, Kartini a fost ținută în reședința familiei patru ani, așa cum i se cerea unei fete în poziția ei. A fost complet nefericită, dar și-a petrecut timpul citind și învățând. Încă din copilărie Kartini zdruncina așteptările pentru fetele de rang înalt, mai ales când considera

că anumite tradiții ale aristocrației javaneze – cum ar fi poliga-
mia sau căsătoriile aranjate – le dăunau femeilor. I-a scris
Stellei: „Eram o *kuda kore*, un cal sălbatic, pentru că rareori
mergeam, mereu săream de colo colo. Și de ce mă mai certau?
Pentru că adesea râdeam tare și nerușinat (!!) arătându-mi
dinții." Semnele de exclamare îi aparțin: Kartini nu avea de
gând să suporte toate astea.

Dar Kartini nu și-a epuizat disprețul pe părerile despre
educația tradițională. Respingea totodată colonialismul
olandez și rasismul pe care era acesta fondat – deși mai mult
în scrisori private decât în articole și declarații publice: „De
ce atât de multor olandezi nu le convine să converseze cu noi
în limba lor?" – o întreba ea pe Stella. „Ah, acum știu, olandeza
e prea frumoasă ca să fie rostită de o gură maronie."

Kartini mai credea și că viitorul indonezienilor din toate
clasele sociale depindea de o educație continuă. În 1903,
Kartini a scris un memorandum către guvernul olandez, intitu-
lat „Educați javanezii". În el pleda pentru educație în masă și
pentru educarea femeilor. Era o intelectuală în toată puterea
cuvântului și o persoană care nu lăsa restricțiile impuse de
clasă și gen să o împiedice să facă lobby în fața Puterii.

Kartini a făcut multe la viața ei, așa cum îi recunoaște
Stelei: „Uneori, îmi doresc să am două rânduri de mâini, ca să
pot face tot ce vreau." Alte lucruri pentru care Kartini a pledat
intens a fost îngrijirea medicală mai bună și moșitul. Ea însăși
avea să moară dând naștere, în 1904, la 25 de ani. Scrierile lui
Kartini, însă, au trăit mult dincolo de viața ei scurtă. Ideile
sale au pus bazele viitoarelor mișcări naționaliste indoneziene,
iar părerile ei despre gen erau cu mult înaintea vremii. Antici-
pase că întoarcerea spre naționalism va fi însoțită de o revoltă
a femeilor, care-și vor cere drepturile deranjând foarte tare
bărbații: „Când bărbații vor fi în mijlocul bătăliei pentru

emancipare, atunci se vor ridica femeile. Sărmanii bărbați, de câte vă veți lovi." Într-adevăr, săracii bărbați...

Dar cea mai mare pasiune a lui Kartini era educația, iar visul ei cel mai mare – o școală pentru fetele javaneze, care să nu discrimineze în funcție de clasa socială – nu avea să moară odată cu ea. După moartea ei, s-au fondat asemenea școli și i-au purtat numele: Școlile Kartini. În 1901, Kartini i-a scris Stelei despre marea ei dorință, ca astfel de școli să existe într-o bună zi: „Ce instituție ideală ar fi internatele pentru fetele aborigene: trebuie și vor include arte, subiecte academice, gătit, economie domestică, cusut, igienă și pregătire vocațională. De ce să nu continui să visez dacă asta mă face fericită?"

26

Emmy Noether

1882-1935

*D*acă trebuie să numiți o femeie importantă din istoria matematicii, probabil că veți spune Ada Lovelace. Așa că acest capitol nu e despre Ada Lovelace. Aplauze pentru tine, Ada, regina algoritmilor, fie ca amintirea ta să dăinuie, dar nu chiar acum.

Nu, capitolul ăsta e despre altă femeie matematician, un geniu adevărat, care a contribuit la înțelegerea întregului univers și de care, probabil, nu ați auzit pentru că Istoria Este Rea. Se numea Emmy Noether.

Emmy Noether s-a născut în 1882, în Bavaria, dintr-un tată matematician. Nu a fost o studentă strălucită, dar odată a rezolvat o problemă logică foarte complicată la o petrecere de copii. Pentru că, aparent, asta făceau copiii la petreceri în Bavaria anilor 1890: rezolvau probleme logice complicate.

Emmy s-a calificat ca instructor de engleză și franceză, dar a decis să meargă la universitate ca să studieze matematica, în loc să profeseze. Asta făcuse tatăl ei, de ce nu și ea? Și totul a mers minunat. A fost acceptată la universitate ca egală a colegilor bărbați și a avut o carieră de succes, cu numeroase premii academice.

Ha-ha, glumesc! Nu a fost ușor pentru că, SURPRIZĂ, bărbații sunt răi, așa că nu i s-a permis să se înscrie oficial la Universitatea Erlagen. Asta pentru că avea organe feminine. Conform credinței din vremea respectivă, numai cine avea puță putea face matematică, pentru că puța și capacitatea matematică erau legate direct. Destul de ciudat e că niște oameni foarte singuri mai cred asta și azi.

I s-a spus că nu se poate înscrie ca studentă, așa că Emmy putea să asiste la cursuri doar cu permisiune specială de la fiecare profesor. Deci era de căcat. Până la urmă, Emmy a dat un examen ca să poată urma oficial doctoratul, pe care l-a dat gata cu creierul ei mare și matematicos. Și atunci, Universitatea a zis: „Bine, fie." Și-a luat doctoratul cu o lucrare despre care, mai târziu, a spus că era „o prostie". Prostie sau nu, a rămas la Erlangen să predea în următorii șapte ani, timp în care a fost respectată și plătită.

Haha, glumesc! V-am păcălit iar! Uitați că lumea e rea și așa a fost dintotdeauna. Universitatea a lăsat-o să predea, dar cu micuța condiție să nu fie plătită. Deloc. Timp de șapte ani. Da, cu un secol înainte de *Lean In*[1], a existat mai puțin inspiraționalul *Predă Șapte Ani Fără Salariu Din Dragoste Pentru Munca Ta Și Din Recunoștință Că Ți S-A Permis Să Lucrezi*.

Apoi, matematicianul David Hilbert a invitat-o să lucreze cu el la Universitatea din Göttingen, dar, SURPRIZĂ, Universitatea nu era de acord, pentru că fata avea un amărât de vagin. În timp ce adorabilii tocilari din departamentul de matematică erau fericiți să li se alăture, știind că e un matematician adevărat, celelalte departamente se opuneau cu vehemență ideii de a avea o colegă.

---

[1] Organizație globală pentru emanciparea femeilor, vezi *Glosarul pentru oamenii în vârstă* de la finalul cărții. (n. red.).

Un profesor, al cărui nume efectiv nu contează, se pare că l-ar fi întrebat pe Hilbert: „Ce o să creadă soldații când se întorc la facultate și descoperă că li se cere să învețe la picioarele unei femei?" Oh, da, domnule profesor. Ce argument bun! Ce poate fi mai rău decât să te întorci din focurile iadului, de pe câmpul de luptă și să descoperi că profesoara ta are ȚÂȚE? Ce poate fi mai rău decât să supraviețuiești ororilor inimaginabile din Primul Război Mondial doar ca să te așezi la picioarele unei doamne să înveți? (De asemenea, oare ăștia nu aveau bănci?)

Hilbert i-a răspuns profesorului că Göttingen era universitate, nu baie publică, deci chiar nu conta dacă Emmy era bărbat sau femeie.

Din nou, Universitatea a spus: „Bine, fie" și a lăsat-o să predea. Oarecum. A trebuit să țină cursuri sub numele lui Hilbert, ca să dea impresia că erau cursurile unui bărbat.

Și tot nu a primit salariu. Nu e cea-mai-femeiască treabă pe care ați auzit-o? Cel puțin, Emmy a avut privilegiul să poată trăi așa, bazându-se pe surse misterioase de finanțare. Totodată, și-a păstrat jovialitatea în fața piedicilor ridicole care i se ridicau în cale, doar ca să poată face lucrul la care se pricepea. Asta e o abilitate împărtășită de atâtea dintre femeile din aceste pagini: abilitatea de a sări peste grămezi de căcat în flăcări în timp ce continuă să zâmbească.

La Göttingen, Emmy făcea plimbări lungi cu studenții și vorbea despre matematică, nu numai pentru a dezvolta o teorie cuprinzătoare a universului, dar și ca exercițiu de înviorare. (Îmi cer scuze oricărui cititor care se întâmplă să stea leneș în pat citind propoziția asta.) Studenții ei au ajuns să se numească „băieții lui Noether", ceea ce, întâmplător, ar fi un nume grozav pentru o trupă punk.

În 1918, Emmy a publicat teorema lui Noether. Ce este teorema lui Noether? Nu știu, nu sunt Emmy Noether, nu?

Din fericire, însă, am rugat-o pe prietena mea Kelly, regina științei, să ne explice: „E ideea că un obiect care se supune unei anumite legi de simetrie se va supune și legii conservării corespondente. De exemplu, dacă un proces se petrece la fel indiferent cum are loc, deci are un soi de simetrie în timp, știi că energia i se conservă, însemnând că nu poate fi creată sau distrusă în același proces."

Munca lui Emmy s-a dovedit fundamentală în fizica teoretică, ea completând teoria relativității a lui Einstein. În plus, a mai inventat ceva terifiant, numit „algebra abstractă".

Deci, după ce a publicat una dintre cele mai importante teorii matematice scrise vreodată, cu sprijinul progresiștilor amici Hilbert și Însuși Albert Einstein, Universitatea a zis, în sfârșit: „Bine, fie" și, în 1919, i-a permis lui Emmy să predea cu numele său. În sfârșit, în 1922, Universitatea i-a dat și primul salariu, precum și un titlu aproape echivalent cu „profesor asociat fără catedră". Ar fi putut la fel de bine să-i dea titlul: „Iiiic, O Profesoară! Scârbos! Nu o lăsa să te atingă sau Iei Microbi De Fată!".

Din fericire, Emmy Noether chiar iubea matematica și se concentra pe munca ei, în loc să ia în seamă cascada de căcat aruncată peste ea de către lume.

Dar imaginați-vă ce ar fi putut face dacă bărbații n-ar fi fost așa de groaznici! Imaginați-vă să fie nevoie să convingeți bărbații că a avea sâni în loc de puță nu are de-a face cu cunoștințele matematice. Imaginați-vă că niște colegi bărbați mult mai puțin spectaculoși decât voi vă întrec în pozițiile academice și în salariu, când tot ce vreți voi să faceți e să descoperiți liniștite misterele matematice ale universului?

E o mare risipă de energie.

Pe de altă parte, Noether știa multe despre cum energia nu poate fi nici creată, nici distrusă. Sunt sigură că e o metaforă grozavă pe aici, pe undeva – vă rog, consultați-vă teoreticianul fizician local sau pe prietena mea Kelly, ca să vă explice. Povestea lui Emmy se termină, ca mult prea multe altele, cu nenorociții de naziști. Vechii și prea realii naziști, nu naziștii de Twitter, nu naziștii virgini din subsol, nici naziștii în treningul murdar de pete de transpirație, nici prim-consilierul nazist al președintelui Statelor Unite[1]. Nup, erau naziștii adevărați, din 1930, care excludeau toate femeile și evreii din slujbele academice – deci Emmy era exclusă de două ori, ca femeie și ca evreică. Obișnuită să muncească fără plată, ea a continuat să predea în secret. Odată un student a venit îmbrăcat în uniformă nazistă. Ea a continuat lecția și se pare că a și râs de el mai târziu. Pentru că, ei bine, ce ridicol din partea lui să fie nazist!

Emmy s-a mutat în SUA în 1933, ocupând un post la Bryn Mawr, unde și-a reluat plimbările matematice cu un grup numit „fetele lui Noether” – care, întâmplător, e și el un nume grozav pentru o trupă punk.

A murit câțiva ani mai târziu, în 1935, după complicații de la o operație de chist ovarian. Deci naziștii și îngrijirea medicală precară a femeilor i-au venit de hac până la urmă. Într-o scrisoare pentru New York Times, apărută la scurt timp după moartea ei, Einstein a numit-o un geniu și cel mai bun exemplu de până acum al beneficiilor aduse de educația femeilor.

Câte alte Emmy Noether vor mai fi fost în lume? Câte femei cu capacitatea de a modela cunoașterea umană, dar care nu și-au permis să lucreze gratis, au fost oprite înainte să înceapă, de către oameni care credeau cu tărie că a avea puță conta cel mai mult? Ne-ar trebui un matematician foarte bun care să efectueze calculul ăsta.

---

[1] La momentul apariției cărții președintele SUA era Donald Trump (n. ed.)

27

Nana Asma'u

1793-1864

*N*ana Asma'u s-a născut în 1793, ca unul dintre mulții copii ai lui Usman dan Fodio, fondatorul califatului Sokoto, în ceea ce azi e Nigeria. Tatăl ei era un mare susținător al educației femeilor din islam, iar Nana a beneficiat de îndrumarea sa, a fraților și a mamei vitrege. Vorbea la perfecție patru limbi și era unul dintre acei copii-minune despre care lumea urăște să audă la petrecerile de Crăciun.

La 14 ani, Nana ajunsese deja ea însăși profesoară, ținând lecții pentru copii și femei în propria gospodărie, apoi extinzându-și ambițiile educaționale spre femeile din satele înconjurătoare. Nana era așa de tare, că a pus pe picioare o întreagă rețea de femei educatoare, care s-a extins în cele mai îndepărtate colțuri rurale din Sokoto – femei care țineau conferințe și predau. Copii, femei tinere și femei de vârstă mijlocie beneficiau de zelul organizatoric al Nanei, de un sistem care le permitea femeilor să ia lecții în timp ce aveau grijă de familii și de gospodării.

Așa cum știe oricine are un profesor în familie, aceștia primesc tone de cadouri, iar femeile îi trimiteau Nanei miere, grâu, unt, stofe și altele, doar era profesoara principală a întregii regiuni. Fiindcă era, ei bine, bogată și de asemenea foarte tare, după cum am mai spus, ea dona aceste bunuri oamenilor cu dizabilități, celor bolnavi și celor nevoiași. Da, ar fi fost groaznic s-o cunoști pe Facebook în momente în care nu ai o părere prea bună despre tine.

Totuși, Nana nu și-a consumat toată energia în reforma educațională. Îi mai plăcea și să se retragă, să se relaxeze și să scrie o poezie extrem de complexă, într-una dintre limbile în care vorbea fluent. Nana a adaptat formele poetice arabe la limbile din Sokoto, hausa și fula, și, pe măsură ce îmbătrânea, a fost tot mai respectată pentru mintea ei fină și ridicol de bună, fiind chemată să sfătuiască emiri și califi.

Astăzi, în Nigeria, e recunoscută ca o femeie grozavă, așa cum toată lumea ar trebui să încerce să fie, și e considerată un exemplu timpuriu de promotor al drepturilor și educației femeilor. Practic, era un ou de aur și, deși s-a confruntat cu niște misogini conservatori·care nu erau de acord cu ideea că femeile ar trebui educate, era incredibil de eficientă când le explica, în patru limbi, că erau niște idioți autentici. Asta e o capacitate ce trebuie exersată și dezvoltată.

Jean Macnamara

1899-1968

Ca să fii sexyst adevărat, trebuie să poți face o gimnastică mintală impresionantă ca să găsești motivele pentru care femeile ar putea sau nu face diverse lucruri. Un măreț exemplu din istorie a fost scuza folosită ani întregi în Melbourne, la începutul secolului XX, pentru ca femeile să nu poată fi medici. Să fi fost temerea că ar fi putut leșina la vederea sângelui? Să fi fost temerea că le-ar fi curs menstruația pe holurile spitalului și că totul ar fi ajuns extrem de alunecos? Nu, motivul pe care l-a primit Jean Macnamara, în 1923, când a încercat să se angajeze la Melbourne's Royal Children's Hospital, a fost: „Scuze, iubi, dar nu avem toalete de fete." În fine, poate că nu chiar așa. Sau poate chiar așa i-au zis. La urma urmei, vorbim de niște idioți.

Oricum, până la urmă au lăsat-o să lucreze acolo, ceea ce a fost foarte bine, pentru că fata și-a văzut de treaba ei și a ajutat la vindecarea poliomielitei. În plus, probabil că a descoperit și cum să se țină să nu facă pipi o zi întreagă de lucru.

Epidemia de poliomielită din 1925 a determinat-o pe Jean să înceapă o cercetare în cadrul căreia a descoperit că virusul polio are mai multe tulpini. A fost un pas vital pentru crearea vaccinului de către Jonas Salk, în 1955, mulțumită căruia voi și cu mine nu trebuie să știm acum ce e poliomielita. Unele teorii ale lui Jean despre tratamentul poliomielitei au fost puse mai târziu sub semnul întrebării, dar, dacă vreți s-o criticați, vă invit mai întâi să revoluționați un aspect din știința medicală. Jean s-a născut în 1899, în Beechworth, Victoria, și era o fată isteață și dintr-o bucată, atât în atitudine, cât și pentru că avea doi metri. Lucra non-stop și lumea avea atât de mare încredere în ea ca medic (mai ales de copiii), încât familiile așteptau oricât ca să-i vadă ea. Specializarea în ortopedie a făcut-o să descopere noi moduri de a pune atele la diverse părți ale corpului. Totodată, a pledat pentru formule noi de îngrijire a persoanelor cu dizabilități, mai ales a minorilor. A fost invitată la Casa Albă să-l cunoască pe președintele Franklin D. Roosevelt, care fusese paralizat el însuși de polio.

Cealaltă parte a moștenirii lui Jean Macnamara e destul de sinistră, în caz că vă plac iepurii. Vedeți voi, la 1880, niște vânători englezi au introdus iepurii în Australia, ceea ce ar fi fost minunat cu condiția să-i fi împușcat pe loc. Dar nu, iepurii au scăpat și au făcut ce fac ei mai bine – s-au înmulțit ca iepurii –, așa că, prin 1950, miliarde de iepuri distrugeau agricultura Australiei, făceau tot felul de nenorociri iepurești, mâncau furajele, se căcau peste tot și iepureau tot felul de alte năstrușnicii.

Jean a încurajat guvernul să folosească virusul myxoma, letal pentru iepuri, ca să reducă populația acestora. La început nu a mers, dar ea a insistat să nu se renunțe la metoda experimentală. Când myxomatosisul a început, finalmente, să fie împrăștiat de țânțari și să ajungă viral, cum zic tinerii, s-a dovedit că avusese dreptate. Populația de iepuri a dat de dracu', iar știrea principală din *Lyndhurst Shire Chronicle*, din 1952, zicea:

FERMIERII ÎI MULȚUMESC FEMEII DE ȘTIINȚĂ

Fermierii de oi – care scăpaseră de o pierdere de treizeci de milioane de lire odată cu sfârșitul amenințării iepurești – i-au dat o blană de opt sute de lire și un ceas frumos, în semn de mulțumire.

Data viitoare când sunteți amenințați de un iepure sau sunteți recunoscători că nu ați murit de polio în copilărie, nu o uitați pe Jean și, precum fermierii,

MULȚUMIȚI-I FEMEII DE ȘTIINȚĂ

29

Annie Jump Cannon

1863-1941

Când făceam cercetare despre viața și opera astronomei Annie Jump Cannon, mi-am dat seama repede că nu puteam spune ca lumea povestea femeilor astronom de la Observatorul Harvard, de la începutul secolului XX, fără să vorbesc despre Cecilia Payne-Gaposchkin, care a luat-o pe urmele lui Annie și a avut rezultate științifice excepționale. Deci, spre norocul vostru, o să petrecem două capitole alături de doamnele de la Observatory Hill, din Cambridge, Massachusetts.

Nu știu multe despre spațiu, dar ce știu sigur e că e imens. Dacă mă întrebați câte stele sunt în univers, pot răspunde: o grămadă. Dacă mă puneți să clasific toate stelele vizibile noaptea, aș spune: Nu, mulțumesc, prefer să petrec timpul ăsta în pat, uitându-mă la *Burlăcița*.

Însă atunci când Annie Jump Cannon a venit să lucreze la Observatorul Harvard, în 1894, *Burlăcița* nu exista, așa că doamna și-a petrecut timpul inventând un sistem de clasificare a stelelor, care a fost așa de revoluționar că se folosește și azi. În plus, a ajutat la înregistrarea și catalogarea a 400 000 de stele. Ceea ce înseamnă o grămadă de stele, în caz că nu ați înțeles și singuri.

Annie fusese interesată de stele încă din copilăria petrecută în Delaware, unde ea și mama ei se uitau la stele dintr-un observator improvizat în pod. Părinții ei au încurajat-o și au trimis-o să studieze fizica la Wellesley, un colegiu liberal de arte pentru fete, după care și-a petrecut cam un deceniu pierzând vremea cu fotografia și muzica, așa cum e oricine tentat la 20 de ani.

Când a intrat în echipa lui Edward Pickering, la Harvard[1], era doar una dintre numeroasele femei angajate să lucreze pe post de calculatoare la Observator. În zilele alea, calculatorul era o persoană, nu ceva pe care te uiți la *Burlăcița* din pat. Pickering angaja femei pentru că nu trebuia să le plătească atât cât îi plătea pe bărbați – o idee ridicolă, care, din fericire, a murit odată cu trecerea timpului și care, tot din fericire, nu m-a afectat nici pe mine, nici pe vreo altă femeie pe care o cunosc. La vremea respectivă, femeilor de acolo li se spunea, într-un mod scârbos, „Haremul lui Pickering."

Deci ce sarcină aveau Cannon și celelalte femei, pentru care erau plătite puțin mai bine decât niște muncitori necalificați și mult mai puțin decât colegii lor bărbați? La începutul secolului, existau aproape douăzeci de sisteme diferite pentru clasificarea stelelor și nimeni nu reușea să-l aleagă pe cel mai bun. Annie a inventat un sistem de litere și de numere uitându-se la spectrul stelelor: practic, dacă treci lumina unei stele prin prismă, ce fel de curcubeu vezi? Imaginile spectrului fiecărei stele nu erau imagini de Instagram cu curcubeie, ci mai degrabă niște pătrate de sticlă mânjite cu puncte și cu purici.

---

[1] O MICĂ NOTĂ DE SUBSOL CA SĂ SPUN CĂ HARVARD NU LE-A ACORDAT GRANTURI DE STUDII FEMEILOR PÂNĂ ÎN ANII 1960 ȘI NU AU AJUNS LA PARITATE DE STUDENȚI BĂRBAȚI ȘI FEMEI PÂNĂ ÎN DOUĂ MII ȘAPTE, ISUSE HRISTOASE!

Annie, care toată cariera a fost surdă și s-a bazat pe cititul buzelor, își scotea aparatul auditiv când lucra, ca să se concentreze numai la muncă. Putea citi ce indica spectrul fiecărei stele doar aruncând o privire la plăcuțe. „Nu se gândea la spectru când le clasifica", spunea o colegă. „Pur și simplu, le recunoștea." A făcut asta pentru mai bine de 200 000 de stele vizibile de pe Pământ până la a noua magnitudine, ceea ce e incredibil de puțin vizibil (fără supărare pentru stelele de a noua magnitudine). Mai târziu, și-a extins munca până la a 11-a magnitudine, cele mai idioate stele dintre toate. Soarele nostru, cea mai populară stea din sistem, e un G2. Asta înseamnă că e al doilea cel mai fierbinte tip de stea galbenă. (Dar nu-ți face griji, Soare, ai o personalitate mai mișto decât steaua de pe locul I.)

Lucrările ei au fost publicate în nouă volume, între 1918 și 1924. Oare sistemul ei a fost numit metoda Cannon? Metoda Annie J.? Metoda Annie Can(non) Jump?[1] Nup, s-a numit sistemul Harvard. Adică, așa cum ar zice Alanis Morissette, puțin ironic, din moment ce Annie n-a fost membră a facultății Harvard și nici plătită ca atare până pe la 70 de ani, în 1939, adică cu doar trei ani înainte să moară.

Ani de zile, Annie n-a avut voie nici măcar să folosească telescopul singură, fiindcă se considera că era periculos pentru o femeie. Ceea ce nu are absolut niciun sens. Dacă vedea ceva în ceruri care o făcea să leșine, să se rănească sau să câștige un premiu Nobel?! Și, desigur, un bărbat și o femeie care se uitau la telescop, noaptea, când apar stelele, era o idee absolut scandaloasă. Femeilor nu li s-a permis să folosească cel mai

---

[1] Joc de cuvinte pornind de la numele ei și titlul unui film foarte cunoscut, *White Men Can't Jump* („Albii nu pot să sară") (n. tr.).

bun telescop din lume, cel de la Observatorul Palomar, din sudul Californiei, până în anii 1960.

Nicio femeie astronom nu va fi inclusă în Academia Națională de Științe până în 1978, deși, încă din secolul al XIX-lea, aproape o treime dintre cei care lucrau în domeniu erau femei. (Un anume profesor Johns Hopkins va vota împotriva alegerii lui Annie în Academie pentru că... era surdă. Nu înțeleg logica asta nici ca să fac o glumă. Pur și simplu: ce mama dracu'?!)

După cum i-a spus alt nenorocit unei femei astronom, Sarah Whiting, la finalul secolului al XIX-lea: „Dacă toate doamnele ar ști atâtea despre spectroscoape și raze catodice, cine s-ar ocupa de nasturi și de mic dejunuri?" Tipul ăsta, un astronom european de vârstă respectabilă, care se credea foarte inteligent, dar nu știa să-și facă pâine prăjită, a murit la scurt timp după declarația asta, împiedicându-se de o cutie de nasturi și căzând cu moaca drept într-o tigaie încinsă.[1]

Cercetarea lui Annie și munca tuturor calculatoarelor și astronomilor prost plătiți de la Observatorul Harvard și de peste tot erau considerate, primordial, munci de femeie. Deși femeile voiau să-și avanseze propriile teorii și să facă partea distractivă a experimentelor, o porțiune imensă din timpul lor era ocupată de muncă mecanică, colectare și clasificare de date – pe care apoi bărbații le foloseau când își publicau lucrările cu numele lor, firește. Femeile ca Annie primeau ca sarcini lucruri precum planificarea evenimentelor sociale, a cinelor pentru sponsori și, în general, trebuia să fie cloști pentru toți, cam cum se întâmplă prin orice birou de pe

---

[1] Nu m-am obosit să caut cum a murit de fapt, deci cine poate ști dacă nu a alunecat cu adevărat pe o cutie de nasturi?

planeta Pământ în timp ce ne rotim și ne tot rotim cu toții în jurul plăcutului soare G2.

Un reporter de la *Camden Daily Courier* a scris, în 1931, când Annie Cannon a câștigat un premiu important pentru munca ei: „Poate că gospodinele nu se pricep prea bine la fizica astronomică. Dar vor înțelege perfect ce a simțit domnișoara Cannon. Cerurile alea TREBUIAU ordonate." La scurt timp după ce a publicat știrea, jurnalistul a murit împiedicându-se de un maldăr imens de rufe pe care soția sa nu le ordonase.[1]

Annie nu a avut niciodată o familie, a trăit, a lucrat și a respirat numai la Observator. A fost îndrăgită de astronomii bărbați și femei, în egală măsură. Bărbații nu o considerau o amenințare la marea lor operă. Chiar era o figură maternă și a primit numeroase premii în timpul vieții pentru munca ei de clasificare. A fost prima femeie care a primit un doctorat onorific de la Oxford, universitate care, dacă nu știați, pregătește oamenii să fie nesuferiți pentru restul vieții.

În timp ce dărâma bariere și sprijinea alte femei să ajungă în știință, Annie a susținut și mișcarea pentru dreptul de vot al femeilor din SUA, dar a rămas o persoană destul de tradiționalistă, care credea că există ramuri din știință mai potrivite femeilor decât altele.

Însă alte femei din laborator erau mai radicale decât ea și luptau împotriva condițiilor mizere în care lucrau. Williamina Fleming, care o învățase lucruri pe Annie Cannon, s-a revoltat împotriva faptului că era plătită mai puțin cu o mie de dolari anual decât colegii ei bărbați – o grămadă de bani pe vremea aia. La naiba, o grămadă de bani și acum! Fleming a scris că Pickering „pare să creadă că nu există muncă

---

[1] Cică.

prea grea sau prea multă pentru mine, indiferent de respon-
sabilitate sau de program. Dar, dacă ridic problema salariu-
lui, imediat mi se spune că e un salariu excelent pentru o
femeie." Aveți grijă cu șefii care vă spun că trebuie să fiți
recunoscătoare doar pentru că sunteți acolo!

Altă femeie care lucra în Observator, Antonia Maury, voia
să fie recunoscută pentru munca ei. Voia recunoaștere și a
reușit să obțină ceva. Alta, Henrietta Leavitt, a muncit până
la epuizare pentru Pickering, care a publicat rezultatele muncii
ei sub numele lui, în 1912. Observația lui Leavitt despre ceva
numit relația perioadă-luminozitate însemna că, pentru prima
dată, oamenii de știință puteau calcula distanța până la stele
și, deci, mărimea întregului univers.

Dar nimeni nu a luptat mai aprig și nu a obținut mai mult
decât Cecilia Payne-Gaposchkin, protagonista următorului
capitol, care a spus că angajarea lui Leavitt de către Pickering
„ca să muncească, nu să gândească" avea „să dea înapoi cu niște
decenii studiul variabilelor stelare." Și acum să auzim mai
multe despre Cecilia.

Cecilia Payne-Gaposchkin

1900-1979

Sunteți deja familiarizați cu condițiile în care lucra Cecilia Payne-Gaposchkin, ca femeie astronom la Observatorul Harvard, pentru că tocmai ați citit capitolul precedent. Știu că ați citit capitolul precedent pentru că nu sunteți genul de om care stă pe toaletă și dă paginile la întâmplare ca să vadă unde îl duc, așa, ca un monstru.

Și pentru că nu citiți asta lejer de pe toaletă, ci dintr-un fotoliu frumos de piele lângă un foc de șemineu, vă veți aminti foarte clar din paginile trecute că Cecilia Payne-Gaposchkin a fost una dintre femeile care au lucrat la Observatorul Harvard la începutul secolului XX.

Cecilia și-a început cariera academică într-un mare fel, cu o teză de doctorat care rămâne până azi una dintre cele mai strălucitoare teze din toate timpurile și în care lansa ideea că stelele nu sunt făcute din aceleași elemente ca Pământul și celelalte planete, ci mai mult din hidrogen și o mână de helium. A demonstrat asta plecând de la cercetarea unei indience, Meghan Saha, și a dovedit că diferitele spectre clasificate anterior de Annie Jump Cannon & restul se legau, de fapt, de temperatura relativă a stelelor, adică de cât de fierbinți sunt.

Mna, în știință nu poți să ai dreptate tot timpul. Înainte să avansezi în marele spectru al cunoașterii umane, vei greși de multe ori. Și totuși, prieteni, o avem aici pe tânăra Cecilia având perfectă dreptate. Teza ei nu a fost doar cea mai bună, ci și prima teză de astronomie de la Harvard – nu i se permisese să facă doctorat în fizică, așa că a strâns un comitet și a creat un program de doctorat în astronomie pentru ea. În fine, practic, l-a primit de la Radcliffe College, părticica de Harvard care putea da doctorate femeilor, pentru că Harvard nu putea. Între timp Harvard și-a mai revenit, cel puțin în privința asta.

Apropo de comitet, Cecilia a întâmpinat dificultăți de la doi supervizori, Arthur Eddington și Henry Norris Russell, care i-au citit ideea că stelele sunt compuse predominant din hidrogen și, pur și simplu, nu au acceptat-o. Russell, însă, avea să ajungă la aceeași concluzie peste niște ani, așa că a conchis că ea avusese dreptate. Fiind bărbat, a fost recunoscut drept co-autor pentru descoperirea asta, însă Cecilia a fost cea care a obținut faima internațională. Ea a fost cel mai tânăr astronom publicat vreodată într-o publicație numită *American Men of Science*, ceea ce era ironic, pentru că ea era englezoaică, la origine.

După ce și-a luat doctoratul, Cecilia a început să predea la Harvard, însă cursurile ei nu au fost trecute în catalogul oficial timp de douăzeci de ani. Președintele universității, A.L. Lowell, un bărbat care dă numele multor clădiri, străzi și biblioteci, i-a spus că în viața lui nu va da un post unei femei. Din păcate, după declarația asta, a murit zdrobit de un catalog de cursuri căzut de la mare înălțime.[1] Cecilia nu va fi profesor titular până în 1958, când avea peste 50 de ani – prima femeie la catedră în Harvard. Până atunci a fost plătită

---

[1] Asta nu e adevărat. E o glumă care le continuă pe cele din capitolul anterior, ceea ce ați înțelege dacă ați citi lucrurile în ordinea lor, ca niște adulți.

mizerabil și s-a chinuit să supraviețuiască mare parte din carieră amanetându-și bijuteriile.

Dacă pe vremea lui Annie Jump Cannon observatorul era condus de către Pickering, Cecilia lucra pentru Harlow Shapley. Era un bărbat pe care îl șocase când ținuse o conferință la Universitatea Brown în timp ce era gravidă, deși era bine-cunoscut faptul că sarcina reduce femeile la muțenie. Ceciliei i se refuzase catedra mai devreme, în 1944, din cauza „situației sale domestice". Una era să fii o femeie mămoasă fără copii, ca Annie Jump Cannon, și alta să încerci să fii soție și mamă în timp ce și lucrezi. Ea, însă, a reușit să crească trei copii văzându-și de carieră – ceea ce nu se prea întâmpla pe atunci. Își aducea copiii la observator, unde ăștia mici alergau și-i enervau pe toți, în timp ce ea muncea. În puținul timp liber, printre hobby-urile Ceciliei se puteau număra fumatul țigară de la țigară și glumele în mai multe limbi.

Deși avea o groază de probleme financiare și era apăsată de munca și de evenimentele sociale de la observator, care picau în sarcina ei pentru că era femeie, Cecilia a reușit totuși să-și facă o reputație ca om de știință de cel mai înalt nivel și a ajuns șefa departamentului.

Data viitoare când vă uitați la cerul nopții, aveți grijă să îi reamintiți celui care încearcă să aibă un moment romantic cu voi că o mulțime din tot ceea ce știm despre stele vine dintr-o cameră plină cu femei de știință prost plătite și prea puțin apreciate. Dacă persoana respectivă nu e șocată de asta, o puteți săruta.

31

Hedy Lamarr

1914-2000

Fetele pot fi ori drăguțe, ori deștepte. Orice alăturare a celor două trăsături ar provoca o confuzie mult prea mare ca să poată fi acceptată de societate. Dacă o femeie e și drăguță, și deșteaptă, de unde să știi dacă trebuie să fii excitat sau furios? A fi frumoasă și inteligentă a devenit deci tabu la un moment dat. Hedy Lamarr, însă, a încălcat drastic regulile, pentru că a fost și o vedetă de film strălucitoare, și o inventatoare, fir-ar ea de periculoasă!

Hedy s-a născut cu numele Hedwig Eva Maria Kiesler, în 1914, în Viena Imperiului Austro-Ungar. În anii 1930, era actriță de teatru la Viena și a ajuns să fie cunoscută drept „cea mai frumoasă fată din lume", titlu deținut acum de prietena mea Gena. A jucat în primul film în 1931, care se numea *Ecstasy* și era exact la fel de scandalos pe cât sună, implicând oameni care aleargă goi, oameni care înoată goi și sex mimat. Filmul a fost interzis în Germania, nu pentru că era prea scandalos, ci pentru că în el jucau evrei, printre care și Hedy, deși ea fusese crescută în religia catolică. Până și papa a condamnat filmul pentru că arăta un orgasm feminin simulat, ceea ce știm cu toții că este o invenție drăcească.

Prima căsnicie a lui Hedy a fost cu un mogul din indus-tria armelor, un bogătan nenorocit și violent, care le vindea arme celor mai mari nenorociți ai vremii. Iubea fascismul, atât în Europa, cât și el în casă, așa că i-a tăiat finanțele lui Hedy și îi controla fiecare mișcare. Mai târziu, ea a spus despre sine că era, la 19 ani, o tânără „într-o închisoare de aur". Când filmul scandalos în care juca Hedy a ajuns la cenzorii SUA pentru o eventuală difuzare acolo, soțul a cumpărat și a ars toate copiile pe care a putut pune mâna.

Hedy știa că trebuia să scape de el dacă voia să supraviețuiască și să-și continue cariera de actriță. „Eram ca o păpușă", spunea ea. „Eram ca un lucru, un obiect de artă ce trebuia păzit – și încarcerat – fără minte, fără o viață a mea." Mai târziu, a povestit că a reușit să scape deghizându-se în bărbat și fugind la Paris, unde soțul ei a încercat s-o urmărească, dar n-a reușit. Apoi a mers la Londra și a reușit să se vadă cu președintele MGM, Louis B. Mayer. Lui i se părea că munca ei era prea *risqué* pentru publicul american, spunându-i totodată că „n-o să iasă niciodată în față cu așa ceva la Hollywood" și că „fundul unei femei e pentru bărba-tul ei". De fapt, Louis, fundul unei femei e pentru stat pe scaun, căcare, unduire pe cântecele Shakirei și ca să ducă femeile la tribunale să divorțeze de soții lor bogați și să-i mulgă de tot ce au. Mayer i-a oferit totuși un contract de începător la MGM, dacă își plătea singură drumul până la Hollywood. Însă Hedy voia mult, mult mai mult. Așa că s-a strecurat pe vasul lui, prefăcându-se că e guvernanta copiilor de la bord, ca să continue negocierile până în America. Până au ajuns în SUA, avea contract să fie noua stea a MGM, cu numele de scenă Hedy Lamarr.

Rolul care a făcut-o faimoasă a fost în *Algiers*, din 1938, unde juca o femeie sexy și misterioasă, care nu vorbea mult, având în vedere că Hedy încă lucra la engleza ei și încerca să scape de accentul austriac. Filmul a fost un succes imens, iar Hedy a ajuns noua stea, așa că femeile au început să-i imite buclele negre și lungi, cu cărare pe mijloc, și costumele cu fuste destul de scurte.

Dar Hedy nu se baza prea mult pe celebritatea ei de femeie frumoasă. „Orice fată poate fi fermecătoare. Nu trebuie decât să stea nemișcată și să pară proastă." Nu prea vedem sfatul ăsta în revistele pentru femei, nu? De asemenea, Hedy nu era genul care să iasă la petreceri cu elita Hollywoodului. Prefera să stea acasă și să schițeze invenții la birou.

Cea mai importantă invenție a ei a fost ceva numit saltul de frecvență. Își amintea, din zilele căsniciei cu mogulul traficant de arme, că o problemă a torpilelor era că ghidajul radio putea fi obturat și preluat de către inamici. Așa că Hedy și amicul ei, George Anthiel, au inventat saltul de frecvență, o tehnologie esențială pentru comunicarea *wireless*, care prevenea problema asta. Cei doi au primit patentul în 1942, dar avea să mai dureze câteva decenii până ca armata SUA să îl folosească.

Astăzi, tehnologia saltului de frecvență e baza pentru wi-fi și telefoanele mobile, lucruri fără de care oamenii moderni ar muri, la propriu, în câteva ore. Cine știe câți adolescenți o fi salvat invenția lui Hedy?

Pentru că valorile Hollywoodului țin mai mult de libido decât de oameni, când Hedy a început să îmbătrânească, nu a mai primit roluri. În al Doilea Război Mondial, Hedy a vrut să se mute la DC și să intre în Consiliul Inventatorilor, pentru a putea ajuta în război cu talentele ei, dar i s-a spus că ar fi mai utilă ca starletă care vinde acțiuni. Astfel, a strâns 25 de milioane de dolari și a muncit și ca să-i distreze pe soldați. În timpul războiului, exista Cantina Hollywood, un club unde mergeau soldații înainte să plece peste hotare. Iar vinerile erau ale lui Hedy. Încerca să danseze cu absolut fiecare dintre miile de soldați care intrau gratis doar dacă purtau uniformă.

Ultimii ani și i-a petrecut bucurându-se de obiceiurile normale ale oamenilor în vârstă, precum furtul din magazine, datul în judecată și mutatul în Florida. Toată viața ei s-a căsătorit cu și a divorțat de șase bărbați. Nu era genul care să stea pe loc dacă ceva nu funcționa. Odată, fiindcă nu voia să se deranjeze cu prezența la audierea pentru divorț, Hedy și-a trimis în loc fosta ei dublură de la Hollywood.

Înainte să moară, în 2000, Hedy a fost, în sfârșit, recunoscută pentru multele tehnologii care îi datorau totul patentului ei și a primit și compensații. Fetelor, aveți grijă să fiți plătite cât meritați, indiferent pe cine dați în judecată! Asta și-ar dori Hedy pentru voi.

32

Louisa Atkinson

1834-1872

Caroline Louisa Atkinson, Louisa pentru amici, s-a născut în 1834 în New South Wales, Australia, și de mică a fost interesată de botanică și de zoologie. Australia e un loc foarte bun pentru cineva interesat de lumea naturală, e un continent faimos pentru păianjenii uriași, cangurii vorbitori, iepurii cu apetit sexual inepuizabil, urșii koala turbați care, se știe, cad din copaci și ucid trecători nevinovați – sau cel puțin asta am fost făcută eu să cred despre Australia.

Louisa era un copil sensibil, așa cum erau 100% dintre copiii din secolul al XIX-lea, dar îi plăcea să învețe de la mama ei, Charlotte, o fostă profesoară care îi preda acasă. Când tatăl Louisei a murit, ea și mama s-au mutat la Kurrajong Heights, la vest de Sidney, ca să trăiască cu noul *iubi* al mamei. Louisa a început să scrie articole și să deseneze plantele (și cangurii vorbitori) pe care le vedea în excursiile ei.

Louisa le-a trimis specimene din diferite soiuri celor mai importanți botaniști ai perioadei și, astfel, câteva specii noi, identificate de ea, au primit numele său, precum *Erechtites atkinsoniae* și *Epacris calvertiana* (după numele ei de căsătorie, Calvert),

pe care toată lumea le știe și le iubește azi, și care sunt, proba-
bil, un soi de plante sau o varietate de canguri vorbitori.
Louisa și-a câștigat faima prin lucrările de istorie naturală
și botanică și prin descoperirile de plante, dar a mai scris și
romane populare și serii ficționale pentru ziarele din Sidney,
între 1860 și 1870. Ea a făcut mare vâlvă când a dat fustele pe
pantaloni, mult mai practici pentru drumurile prin pădure. Și
a fost judecată pentru asta de către oameni care, putem presu-
pune liniștiți, nu au făcut absolut nimic interesant în toată
viața lor. Le puteți găsi biografiile în următoarea mea carte:
Oameni Care Nu Au Făcut Nimic Interesant Toată Viața Lor.
Disponibilă în curând în librării.

33

Laura Redden Searing

1839-1923

*L*aura Redden Searing a fost o jurnalistă care a transmis știri de pe frontul Războiului Civil – exact, doamnele jurnaliste există de mult, și nu scriau doar despre haine și despre mâncare, deși asta cred unii editori moderni că e cel mai potrivit pentru ele. În afară de cariera jurnalistică, Laura a fost poetă, era surdă și a avut ciudata onoare să fie prietenă și cu Abraham Lincoln, și cu viitorul lui asasin, John Wilkes Booth, precum și cu Ulysses S. Grant – pentru că, aparent, în DC-ul anilor 1860, locuiau doar vreo cinci oameni. Cred că dacă ești prietenă cu doi oameni, apoi unul îl împușcă pe celălalt, îl ștergi discret de pe Facebook pe asasin și nu aduci vorba despre asta la înmormântare.

Laura a absolvit gimnaziul în 1858, la Școala de Surzi din Missouri, iar la ceremonia de absolvire a recitat în limbajul semnelor poemul ei *Rămas-bun*. Erau vremuri când încă se dezbătea dacă surzii trebuiau educați, fiindcă unii credeau că predarea limbajului semnelor în loc de vorbire nu le va permite să stăpânească limba engleză sau chiar gândirea abstractă.

Capacitatea Laurei de a scrie cu ritm și de a recita poezie în limbajul semnelor dovedea că presupunerile astea despre surzi erau absurde.

Curând după absolvire, Laura s-a angajat la *St Louis Republican*, care nu e un bărbat din Missouri cu simpatii pentru un guvern cu puteri limitate, ci un ziar. *The Republican* a trimis-o la DC să scrie despre Războiul Civil, despre politică și despre personalitățile zilei. Scria sub pseudonimul Howard Glyndon, poate pentru a-și ascunde sexul, poate pentru a se distanța de editorialele pro-unioniste din trecut, pe care le scrisese de dragul neutralității sau poate pentru că Howard Glyndon e un nume foarte frumos.

De fapt, când un jurnalist de la un ziar rival, care sprijinea Sudul, a decis să dezvăluie că Howard Glyndon nu era un bărbat puternic, ci o tânără surdă, oamenilor nu le-a păsat. Doar că ea și Howard au ajuns și mai faimoși. De fapt, a ajuns atât de faimoasă, că poeziile și articolele ei erau citite în toată țara, iar un tip din Minnesota a fondat orașul Glydon în onoarea lui Howard în 1872. Probabil că atunci când încep să fie numite orașe după tine ajungi să regreți că ai scris sub pseudonim. Laura își va scoate cărțile viitoare sub două nume: HOWARD GLYDON cu (Laura C. Redden), numele ei de fată scris dedesubt, mai mic, între paranteze. Nu se știe dacă rezidenții orașului Glydon din Minnesota îi spun orașului „Glydon Paranteză Laura C. Redden".

La acea vreme nu existau colegii pentru femei surde, așa că după război Laura s-a dus în Europa și a învățat singură germană, franceză, spaniolă și italiană, așa, ca tot omul. A primit postul de corespondent pentru *New York Times*, apoi a colaborat și cu alte publicații, precum *Harper*. A publicat cărți de politică și colecții de poezie și primea scrisori de la fani din toată țara. A ajuns, cum ar trebui să ajungă toată lumea, pensionară în California, cu o carieră incredibilă în spate, probabil încercând cu disperare să uite că a petrecut timp cu John Wilkes Booth.

34

Gabriela Brimmer

1947-2000

*G*abriela Brimmer, sau Gaby, pe scurt, s-a născut în 1947, în Mexic, cu doar câțiva ani înainte de mama mea, care ar avea câteva de zis despre faptul că o persoană născută în 1947 ajunge într-o carte de istorie. Îmi pare rău, mama, așa e cu trecerea timpului!

Părinții lui Gaby au venit în Mexic din Austria, ca refugiați evrei, în anii 1930. Gaby s-a născut cu paralizie cerebrală severă, ceea ce a împiedicat-o să vorbească. Singura parte a corpului pe care și-o putea mișca era piciorul stâng. Dar, cu ajutorul îngrijitoarei care i-a stat alături toată viața, Florencia Sanchez Morales, Gaby a învățat să comunice folosind degetul mare ca să arate spre literele de pe o tablă pe care o ținea la picioare, apoi să scrie la mașina de scris. Nu doar că a învățat să scrie, dar a învățat să scrie mai bine decât aproape tot restul lumii.

Gaby și-a început educația la școala elementară pentru copii cu dizabilități, dar mama ei, Sari, s-a luptat să convingă școala publică locală că dizabilitatea ei fizică nu avea nimic de-a face cu intelectul. Sari le trimitea poeziile fiicei sale celor din consiliul școlii și, după niște examene, școala a acceptat-o, până la urmă. Doctorii îi spuseseră lui Sari că Gaby nu va ajunge la zece ani, însă nu numai că ea a trăit mai mult decât colegii ei cu trupuri sănătoase, ci a și intrat la școala de elită de la National Autonomous University din Mexico City, la studii sociale și politice. După asta, a ajuns jurnalist și autor de succes, lansând totodată mișcarea pentru drepturile persoanelor cu dizabilități în Mexic. Oricând întâlnea oameni care se îndoiau de inteligența ei din cauza paraliziei cerebrale, le dădea un ghiont cu degetul mare de la picior. În autobiografia ei din 1980, scrisă împreună cu marea scriitoare franco-mexicană Elena Poniatowska, avem perspectiva lui Gaby despre zilele ei de la facultate:

> Mbun. M-am înscris la UNAM, nenorociților! Și voi, profesorii, dar și voi, studenții. Atâtea cursuri care puteau fi utile, dar nu erau absolut deloc, pentru că la unele profesorii se temeau să înceapă discuții politice interesante, iar la altele se discuta doar teorie. De ce dracu' avem noi, studenții, gură și gândire?

Gaby a scris poezie toată viața ei, la mașina de scris poreclită „Che", de la Che Guevara – poezie inspirată, uneori, așa cum ni se întâmplă multora dintre noi, de sentimentele de panică provocate de băieți. Aici e un poem în care se plânge (afectuos) că unul dintre prietenii ei masculi era prea plângăcios:

> *Dragule, urăște-mă, respectă-mă*
> *Dar fii tu însuți mereu.*
> *Acceptă odată pentru totdeauna*
> *Că viața e grea, dar frumoasă*
> *Că soarele strălucește*
> *Și pentru tine.*

Autobiografia ei a fost un succes care a transformat-o într-o stea a Mexicului și a fost subiectul unui film din 1987, *Gaby – o poveste adevărată*, care detalia cum ajunsese scriitoare și toate privirile languroase din lungul ei drum. Filmul se concentrează pe relația dintre Gaby și îngrijitoarea ei de o viață, Florencia, o mexicancă ce a însoțit-o pe Gaby la școală, a purtat-o în sus și în jos pe scările universității și i-a interpretat limbajul în conferințe. Când Gaby a adoptat o fetiță, tot Florencia a avut grijă și de ea. Florencia i-a permis lui Gaby să își îndeplinească visul de a avea un copil care să spargă monotonia vieții ei adulte. „Tăcerea e tipică adulților și adulții sunt plicticoși", scria Gaby în autobiografie.

Gaby a ajuns o adevărată celebritate în Mexic datorită cărților sale și filmului despre ea, iar azi, prin Mexico City, sunt străzi și școli care-i poartă numele. A fondat organizația ADEPAM, acronim pentru Asociación para los Derechos de Personas con Alteraciones Motoras sau Asociația pentru Drepturile Persoanelor cu Dizabilități, ca să ajute la impunerea acestora în trei domenii, așa cum menționează în autobiografie:

1. Nu trebuie să fim izolați sau marginalizați de lumea „normală".
2. Ne trebuie servicii, ca să putem fi independenți financiar, măcar parțial.
3. Problema paraliziei cerebrale trebuie făcută cunoscută publicului, ca să ne putem cere drepturile în fața autorităților, la fel ca orice alt cetățean.

Gaby a murit în 2000, la 52 de ani, după ce și-a îndeplinit majoritatea visurilor despre care scria când era copil, inclusiv dorința de a scoate o carte „despre viața asta crudă pe care am reușit s-o trăiesc", cum zicea chiar ea. „Așa, oamenii vor vedea ce înseamnă o ființă umană al cărei corp nu poate funcționa mai deloc, ce poate ea face, această persoană care nu are decât creier și piciorul stâng ca să trăiască sau să supraviețuiască, așa cum poate, într-o societate nebună care marginalizează pe oricine nu produce lucruri măsurabile, pe care alții să le consume."

Să încheiem cu ultimele versuri din alt poem al lui Gaby:

Ce știi despre tine însuți?
Eu știu doar un lucru
Dar îl știu bine.
Ce?
Sunt în viață.

Femei care au scris lucruri periculoase*

*conform unor bărbați oribili

Murasaki Shikibu

cca. 973/978-1014/1031

*M*urasaki Shikibu s-a născut în Kyoto, Japonia, în 978. La începutul secolului al XI-lea, a scris *Povestea lui Genji*, care are peste o mie de pagini în traducerea englezească și e considerat cel mai vechi și mai lung roman din istorie. Așa că începem prin a-i mulțumi lui Murasaki că a inventat romanul, fără de care nu am avea altceva de făcut la plajă decât să ne scoatem nisipul din urechi. *Povestea lui Genji* a fost extrem de popular la vremea lui, dar a ajuns și mai și odată cu apariția tiparului pe lemn, în secolele XVII-XVIII. Povestea e plină de iubiri și de intrigi, ceea ce a însemnat că Murasaki a făcut obiectul unor critici enervante de moralitate, de-a lungul vremii. O parte dintre oamenii secolului al XVII-lea credeau că trebuie să fi fost o femeie castă și devotată, iar cartea era o *critică* a romanței și a intrigilor, în timp ce alții credeau că era o curvă care merita să ardă în iad pentru ceea ce scrisese. Unii au pur și simplu nevoie să se relaxeze și să se bucure de puțină poveste de dragoste și de intrigi.

Murasaki Shikibu a scris *Povestea lui Genji* pe când era doamnă de onoare la curtea japoneză. Se spune că fiica împăratului era plictisită de tot ce citea și i-a dat lui Murasaki ordinul regal să scrie ceva magnific, așa că aceasta s-a retras la templul Ishiyama și chiar asta a făcut. Știa chineza la fel de bine ca japoneza, ceea ce era neobișnuit pentru o femeie, iar asta i-a folosit în cele 54 de capitole ale cărții despre protagonistul Genji, om de curte, amant, un tip de gașcă absolut, cu numeroase cuceriri la activ.

E posibil ca Murasaki să fi ajuns la curtea imperială când soțul ei a murit, după doar doi ani de căsnicie, având de ales între a se recăsători sau a se înscrie în salonul literar exclusiv pentru femei al împărătesei. Voi ce ați alege?

Iată cum e descrisă Murasaki în 1658, de către un bărbat care sigur nu avea parte de iubire:

> Pe vremea împăratului Ichijo, a fost o doamnă de onoare a lui Jotomon-in, pe nume Murasaki Shikibu, care era o femeie inteligentă. Era extrem de frumoasă, ca o salcie în vânt... Avea buzele ca florile de lotus, sânii ca niște bijuterii. Era frumoasă ca bobocii de prun și de cireș care răsar peste apus.

De ce fac bărbații asta? De ce nu se putea opri după „o femeie inteligentă"? Păcat.

36

Ulayya Bint al-Mahdi

cca. 777-825

Chiar dacă nu se știu prea multe despre o anumită femeie din istorie, tot trebuie s-o onorăm cât de bine putem, mai ales dacă aceasta a scris poezie de dragoste înflăcărată. Au existat prea multe femei arabe care au scris poezii de dragoste ca să vorbim despre toate, dar vreau să menționez o poetă anonimă, care a scris aceste indicații pentru bărbații hetero din toate timpurile:

Nu satisfaci o fată cu daruri și cu flirt decât dacă
genunchii se lovesc de genunchi și pletele lui se
amestecă cu ale ei.

Oh, Doamne!

Ce să mai zicem de Dahna bint Mas-hal, din secolul al VII-lea, care i se plângea guvernatorului (așa cum se face) că soțul ei poet nu s-a atins de ea și nu a consumat căsătoria, ca apoi să-l batjocorească pentru tentativele lui plăpânde de afecțiune:

La o parte, nu mă exciți cu o legănare, un pupic sau un
miros.
Numai o îmbrânceală mă scoate din minți până îmi cade
inelul de la picior în mânecă și bluzele îmi zboară.

Ooooh, Doamne!

Iat-o și pe poeta din secolul al XII-lea, Safiyya al-Baghadiyya, scriind despre propriul trup sexy:

Sunt minunea lumii, distrugătoarea de inimi.
Odată ce m-ai văzut, ai căzut din picioare.

Așa daaaa, Safiyya!

Sau, la final, această femeie, cunoscută ca Juhaifa Addibabiyya, care se plângea astfel de soțul ei de rahat:

Ce bărbat mi-ai dat, Dumnezeule care dai tot.
E un bătrân plin de riduri, cu degete răsfirate și osoase,
cu spatele aplecat ca un croncănit de cioară.

Ce jignire usturătoare! Și rimată pe deasupra (în arabă)!

În fine, ajungem așa la Ulayya bint al-Mahdi, despre care se știe foarte puțin. A trăit din 777 până în 825 și era fiica lui al-Mahdi, al treilea calif abbasid care a condus lumea arabă de pe tronul din Bagdad. Era cântăreață și compozitoare, poetă, crescută de fratele ei, califul Harun al-Rashid, după ce tatăl i-a murit când avea o vârstă fragedă. Fratele i-a încurajat iubirea pentru muzică, cântec și poezie, dar nu se dădea în vânt după felul în care își numea cu îndrăzneală iubiții în poemele ei, așa că a rugat-o să aibă mai mult tact și să le schimbe numele cu unele de femei. Într-un astfel de poem, ea scrie:

Doamne, nu e o crimă să-mi fie dor de Raib care-mi
mângâie inima cu iubire și mă face să vărs lacrimi.
Doamne al necunoscutului, am ascuns numele celui pe
care-l doresc într-un poem ca o comoară în buzunar.

Sau, în alt poem:

Nu am zis numele celui iubit, dar l-am tot repetat
pentru mine.
Ah, ce-mi doresc un loc gol în care să strig numele
celui iubit.

Până la urmă, fratele ei a trecut peste și a lăsat-o să-și scrie numele iubiților după placul inimii. Se pare că nu poți să ții un poet departe de numele celui iubit prea mult timp. Când i-a murit fratele, Ulayya a fost devastată și s-a dres cu vinuri și cu muzică, asta până când a venit la putere nepotul ei, califul Amin, și i-a interzis să mai cânte la petrecerile lui, așa că s-a întors la viața poetică de curte.

OK, încă una de la Ulayya înainte să trecem mai departe. Dar nu uitați că, pentru fiecare femeie mișto din istorie despre care știm ceva, oricât de puțin, există o mulțime de alte femei despre care nu știm nimic, deși au făcut lucruri mișto și au scris poezie languroasă.

Dragostea crește când te lași greu, altfel se pierde.
Puțină dragoste neamestecată e mai bună decât orice
cocktail.

37

Sor Juana Inés de la Cruz

1651–1695

Așa cum știe orice femeie, lucrul cel mai ofensator cu putință pe care-l poate face o tânără doamnă e să fie mai isteață ca bărbații din jurul ei. Asta a fost marele păcat pe care l-a comis călugărița mexicană Juana Inés în secolul al XVII-lea, la Mexico City. Cum a îndrăznit să fie recunoscută pentru geniul ei în Spania și în Lumea Nouă, cum a îndrăznit să critice lucruri mărunte precum Biserica sau statutul femeii? Cât egoism din partea ei să producă opere de artă geniale, când bărbații erau ocupați doar să se pună bine cu Inchiziția spaniolă? Nu e de mirare că membrii clerului i-au dat vestea proastă că opera ei literară *provoca dezastre naturale*. Ne pare rău, Sor Juana. E pur și simplu dovedit științific.

Când spaniolii au ajuns prima dată în Mexicul de azi, la începutul anilor 1500, au găsit o civilizație prosperă și educată. Normal că s-au uitat la ea și au zis: „Nu merge așa", după care s-au apucat să distrugă populațiile aborigene prin combinația clasică europeană de sclavagism, boli, violuri și înfometare. Sor Juana s-a născut în Mexic în 1651. Era creolă – adică spaniolă născută în Lumea Nouă, dar și *mestiza*, adică avea strămoși amestecați, spanioli și indigeni. Făcea parte din clasa socială

privilegiată în ierarhia culturală a Noii Spanii, dar nu era bo-
gată. Mama ei, care nu s-a căsătorit niciodată cu tatăl său,
câștigase respectul comunității în urma succesului dobândit
în administrarea haciendelor, dar, până a ajuns Sor Juana la
majorat, nu mai exista altă formulă acceptabilă social pentru
o femeie singură, de statutul ei, în afară de căsătorie sau mă-
năstire. După o perioadă de relaxare la curte ca doamnă de
onoare, a ales mănăstirea.

Deși călugăria nu pare o alegere strălucită, mănăstirile de
pe vremea Juanei erau practic instituții caritabile conduse de
femei, cu o autonomie considerabilă față de Biserică. Aseme-
nea unei surorități cu mai puține sesiuni foto în rochii mini
și cu mult mai mult Dumnezeu. Juana a ajuns la mănăstirea
San Jeronimo și Santa Paula, o mănăstire elegantă unde a avut
timp și spațiu să studieze și să ridice cea mai mare bibliotecă
din America Spaniolă. În plus, ca mireasă a lui Hristos, nu
trebuia să se mărite cu niciun bărbat *IRL*, ceea ce poate fi
groaznic, așa cum știm cu toții.

Dar niciun grad de autonomie a femeilor din vremea lui
Sor Juana nu putea scăpa cu totul de ochiul atent al acelui
mare exercițiu de prostie masculină care a fost Inchiziția
spaniolă. Pentru Biserica din secolul al XVII-lea, dacă nu te
încadrai într-o foarte limitată și strictă definiție a femeii, erai
probabil vrăjitoare. Cam 75% dintre cei investigați și/sau uciși
de Inchiziție în America Spaniolă au fost femei, pentru că, se
știe, femeile sunt mai vrăjitoare decât bărbații. Dacă nu ascul-
tai de bărbații din jurul tău și nu urmai regulile religioase
stricte impuse de clerici, probabil că erai vrăjitoare. Dacă
ajungeai poetă, scriitoare sau filozoafă sărbătorită de toată
lumea, *cu siguranță* stârneai suspiciunile bărbaților. Sor Juana
era toate aceste lucruri și, desigur, a fost denunțată public de

o mână de clerici de căcat care au crezut că, și dacă nu era vrăjitoare, tot era, cel puțin, un ~scandal~ pentru Biserică.

Să fie clar: nu alerga goală de colo-colo, nu avea aventuri sălbatice, nu fuma trabuc și nu se droga în mijlocul lui Mexico City (din câte știm). De fapt, era o persoană foarte religioasă. Sor Juana credea că a fi un bun creștin și a respecta cuvântul lui Isus însemna să nu fii nenorocit. Bine, poate a scris niște poezii erotice, dar cine n-a scris, oare? Nu, ceea ce o făcea atât de ~scandaloasă~ era îndrăzneala ei de a scrie public pe subiecte seculare precum filozofia sau știința. Așa că, normal, clericii au spus: *Oh, nu, îi place știința, sigur e vrăjitoare!*

Dar lucrurile nu au stat așa dintotdeauna între Biserică și Juana. Ea s-a născut fie în 1648, fie în 1651 și, pentru o vreme, a fost comoara Bisericii. A fost un copil strălucit, care voia atât de mult să meargă la școală, încât, la numai trei ani, și-a urmărit sora într-o zi și a mințit învățătoarea că are permisiunea mamei. Știind că era o invenție, dar fiindcă era prea drăguță, învățătoarea i-a predat oricum și micuța Juana a învățat să citească înainte ca mama ei să-și dea seama ce se întâmpla. A început să scrie colinde și alte cântece religioase, care i-au adus un premiu din partea Bisericii. Când a crescut, Juana nu a putut să meargă la universitate, pentru că era femeie, așa că a început să se educe singură. Când a decis să se căsătorească cu Hristos în loc de vreun bărbat nenorocit, părea să fie un mare „câștig" pentru Biserică. Dar nu avea să treacă mult până când a început să provoace disconfort instituției bisericești, cu opiniile ei scandaloase.

Din confortul comunității ei dumnezeiești, Sor Juana a continuat să scrie poezii, satire, tratate și altele. A început să critice comportamentul clericilor și ideea că erau egali cu Dumnezeu în statut, spunând că orice individ poate avea o relație cu Dumnezeu. Reinterpreta doctrina pe care o

considera sexystă ca să se preteze mai bine egalității femeilor
în fața lui Dumnezeu. A mai spus că femeile nu erau inferi-
oare intelectual bărbaților, alt lucru care nu le-a intrat în cap
oamenilor nici în vremurile noastre haotice. A scris cantice
(imnuri) dedicate marilor femei din istorie, precum
Sf. Caterina din Alexandria. Poate cel mai tare dintre toate,
e un poem faimos numit *Hombres Necios* – „Bărbați prostă-
naci", care era despre cât de prostănaci sunt bărbații. Ca
răspuns la denunțarea ei publică, a scris că, deși Isus a fost
bărbat, tot niște bărbați ignoranți au fost responsabili de
moartea lui, la fel de ignoranți ca bărbații care o denunțau
pe ea pe nedrept, ceea ce e o jignire destul de usturătoare tbh.
„Oh, câte abuzuri puteau fi evitate pe aceste tărâmuri dacă
femeile ar fi fost mai bine educate", scria ea.

Până la urmă, Sor Juana s-a apărat într-un mod isteț de
amenințarea Inchiziției. Fiind mult mai deșteaptă decât orice
cleric din jurul ei, a scris cu argumente convingătoare că
motivul principal pentru care se exprima pe subiecte seculare
și nu pe subiecte religioase era, Doamne Sfinte, că pur și
simplu nu o ducea mintea să se apropie de teme așa impor-
tante și celeste. Da, putea învăța latina în câteva săptămâni
și putea scrie un poem epic, mistic, de proporții, de 975 de
versuri, considerat capodoperă în întreaga Spanie. Dar căpșo-
rul ei de fetiță nu era destul de bun ca să scrie despre lucru-
rile dumnezeiești pe care le prefera Biserica.

În ciuda apărării ei elocvente, Sor Juana nu putea scăpa
de tortură decât dacă semna o declarație prin care să-și
repudieze comportamentul scandalos. O declarație scrisă cu
sângele ei și pe care a fost obligată s-o semneze: „Yo, la peor
de todas", care înseamnă „Eu, cea mai rea dintre toate" sau
„Eu, cea mai rea dintre femei". (Același lucru). Biserica i-a
luat și i-a vândut imensa colecție de o mie, două de cărți,

precum și instrumentele muzicale și științifice, iar când a murit, spre 40 de ani, vindecând oameni la mănăstire, i-a ars scrierile, pentru ca ideile ei să nu arunce o pată urâtă pe istoria Bisericii Noii Spanii.

Din fericire și spre marea dezamăgire a fanilor Inchiziției spaniole, operele ei au fost redescoperite și publicate, începând cu anii 1950. În Mexicul modern, Sor Juana e considerată acum mama feminismului mexican și latin, iar în 1974, la o sărbătoare din Mexico City, a fost declarată „prima feministă din Lumea Nouă". Așa cum a scris foarte drăguț poetul Octavio Paz: „Nu e de ajuns să spunem că opera lui Sor Juana e produsul istoriei; trebuie să adăugăm că și istoria e produsul muncii ei".

38

Tarabai Shinde

1850-1910

D acă ești o lady, o doamnă, o gagică, o puicuță, o fată sau o persoană care se consideră feministă, poate ai simțit la un moment dat o furie de necontenit, o supărare justificată, o furie arzătoare și atotcuprinzătoare sau o indignare legate de acțiunile unor bărbați. Ori de câte ori vi se întâmplă asta, nu există prea multe remedii pentru durerea sufletului vostru, decât un țipăt în abis, metaforic sau nu.

În 1882, Tarabai Shinde își gestiona furia scriind o cărticică mânioasă, sarcastică, usturătoare, cu titlul *Comparație între bărbați și femei* și subtitlul *Eseu care arată cine e cu adevărat nemernic și imoral, femeia sau bărbatul?* Spoiler: răspunsul era bărbatul.

Tarabai venea dintr-o familie de elită din micuțul oraș Buldhana, acum Maharashtra, din India. Furia ei din 1882 se datora știrii că o femeie a fost condamnată la moarte prin spânzurare pentru că-și omorâse copilul avut în afara căsătoriei. Femeia era văduvă, iar văduvele nu aveau voie să se recăsătorească sau să aibă alți copii după moartea soțului. Pedeapsa femeii în cauză și discuțiile publice care au urmat puneau accentul, în general, pe imoralitatea și răutatea femeilor. Lucruri care au scos-o din minți pe Tarabai. Era sătulă de bărbați. Bărbați care se vindeau coloniștilor britanici, lideri religioși care inventau reguli opresive pentru femei, toată societatea patriarhală care le împiedica pe femei să aibă acces la educație sau să se miște libere, care le forța să intre în căsnicii groaznice. Era sătulă să nu aibă voce, sătulă de convențiile care o încarcerau în cămin, sătulă de cum se scria despre femei în romane, piese de teatru sau ziare, sătulă ca femeile să fie învinovățite pentru lucruri pe care nu le puteau controla. Așa că a scris despre toate astea în lucrarea ei polemică și înflăcărată *Comparație între femei și bărbați*, considerată una dintre primele declarații feministe, deși cine poate spune că India secolului al XIX-lea nu era plină de feministe pe care nu le-am descoperit încă? Repede, toată lumea să caute în spatele dulapurilor vechi!

OK, să ne delectăm cu câteva fragmente din opera ei. Sunt încântător de dubioase:

În fiecare zi trebuie să vedem noi și oribile exemple de bărbați cu adevărat îngrozitori și acțiunile lor pline de minciuni și păcăleli nerușinate. Și nimeni nu zice absolut nimic.", spune în introducere. „În schimb, oamenii continuă să dea vina pe femei tot timpul, de parcă tot ce e rău pe lume e vina lor! Când văd asta, mintea îmi ia foc și tremur pentru onoarea femeilor. Așa că m-am dezbărat de toată frica. Nu m-am putut opri să scriu în limbajul ăsta mușcător. De fapt, aș fi putut găsi cuvinte și mai dure să descriu cum toți bărbații se coalizează, se acoperă unul pe altul. Le-aș fi folosit în felul meu stângace. Pentru că toți bărbații sunt la fel, plini de minciuni și de păcăleli murdare.

Tarabai scrie că e „doar o femeie sărmană, fără inteligență reală" și, vorbind direct cu bărbații pe care-i acuză, vedem că sarcasmul adevărat încă funcționează, 140 de ani mai târziu:

> Cu intelecte profunde ca ale voastre nu faceți decât
> să criticați totul la fiecare nivel și să găsiți moduri
> prin care să vă lăudați între voi...

Într-un alt fragment, care pare scos din descrierea unui birou în care am lucrat eu, Tarabai pur și simplu distruge bărbații care se laudă nerușinat fără să aibă ce să demonstreze. Își condamnă compatrioții care cred că modernizează India și că se luptă cu britanicii, dar care, de fapt, nu reușesc nimic:

> ...și cine face de fapt ceva? Țineți niște reuniuni
> mărețe, unde vă prezentați în șaluri elegante și cu
> turbane brodate, băgați în voi tone de supă *supari*,
> căruțe de frunze de betel, vă dați unii altora ghirlande,
> folosiți butoaie de apă de trandafiri, apoi vă întoarceți
> acasă. Cam asta e. Asta e tot ce faceți. Adunările astea
> reformatoare ale voastre sunt o minciună de peste 30,
> 35 de ani. Ce folos au ele? Stați acolo și vă bateți pe
> spate, dar, dacă ne uităm mai atent, ce faceți valorează
> cât a cincea roată la căruță.

Așa cum știm toți, nu prea ai ce face cu a cincea roată la căruță.

Un băiat care locuia în orașul lui Tarabai și-o amintea mai târziu ca pe o bătrână arțăgoasă. Știți genul ăla de femeie care citește prea mult și nu e material moale, de cloșcă, cum ar trebui să fie o femeie. „Avea o personalitate focoasă", spunea el. (Să mori tu!) „Când vedea copii mici, îi alerga și îi lovea în spate cu bastonul." Nu se știe însă dacă acei copii pe care-i gonea Tarabai nu erau cumva niște derbedei.

Tarabai s-a expus criticii din cauza celor scrise de ea și nu a mai publicat niciodată altceva, din câte știu istoricii. Poate că zisese tot ce avea pe suflet. Poate că o mie de proto-comentatori de internet au dat buzna la ea acasă și au insistat, cu intelectele lor superioare, că, *de fapt*, a cincea roată la căruță e foarte folositoare. Oricum, femeia își încheie eseul într-o notă pozitivă, fără să îndemne deloc la alergatul copiilor: „Mă rog ca viețile femeilor din lumea asta să devină dulci până la urmă și ca fiecare să-și găsească oaza de fericire, în lumea asta sau în alta." Apoi îi mulțumește lui Dumnezeu, se semnează și se retrage din cariera ei scurtă, dar impecabilă, de scriitoare, ca să petreacă mai mult timp cu copiii din cartier.

39

Phillis Wheatley

cca. 1753-1784

Știu că despre asta e cartea, practic, dar de ce nu știe nimeni nimic despre Phillis Wheatley? De ce nu am auzit de ea înainte să mă apuc să scriu? De ce știu pe de rost filmul *South Park* din 1999, când acel milimetru pătrat de creier putea fi plin de poemele lui Phillis Wheatley? De ce nu puteam sta o săptămână mai puțin pe *Împăratul muștelor* la școală, dat fiind că știm cu toții ce de căcat sunt copiii, și să petrecem timpul ăla citind-o pe Phillis?

Ca să înțelegem importanța lui Phillis Wheatley să începem cu Thomas Jefferson, care era preocupat ca oamenii să nu știe ce importantă era Phillis Wheatley. Mai mult, în 1781, el a scris în *Note despre Statul Virginia* că Phillis Wheatley era AȘA de neimportantă încât: „Religia a putut produce o Phillis Wheatley, dar nu a putut produce un poet... Compozițiile publicate sub numele ei sunt sub demnitatea criticii."

Da, credea că opera ei era „sub demnitatea criticii", iar el, ironia sorții, se deranja s-o critice în cartea lui. „Nici măcar nu-mi PLACE de ea", a scris Jefferson înainte să izbucnească în lacrimi. „Nu mă gândesc la ea DELOC. Nu sunt obsedat de ea, VOI sunteți. Dumnezeule!", continua el, cu mucii curgându-i direct în gură. „Eu sunt singurul geniu, de-asta o să mă pună într-o zi pe bancnota de doi dolari, cea mai bună dintre toate!!! MAMIIII, VREAU UN SANDVIȘ CU BRÂNZĂ. DĂ-MI! SUNT UN GENIU!!" Sursa fricilor lui Jefferson? Phillis Wheatley era o sclavă de culoare, întâmplător și genială. Însăși existența ei amenința întreaga lui viziune asupra lumii și chiar justificarea sclaviei: presupusa inferioritate a rasei. Deci de unde venea tânăra asta așa de periculoasă?

Phillis Wheatley a fost capturată și vândută ca sclavă în Africa de Vest când avea între șapte și zece ani, apoi a ajuns la Boston pe o corabie de sclavi, în iulie 1761. (Pentru îngâmfații de pe Coasta de Est: vă reamintesc rapid că Sudul american nu a fost singurul loc care a profitat de sau a practicat sclavia.)

Phillis a fost cumpărată de un negustor bogat, John Wheatley, pentru soția lui, Susannah. Familia Wheatley a vrut să-i ofere o educație clasică. Astfel, fata a învățat engleza, latina și greaca și, în câteva luni, putea să scrie și să citească poezie, memorase Biblia și începuse să le scrie scrisori liderilor religioși.

Primul ei poem a fost publicat în 1767, pe când era doar o adolescentă. Proprietarii lui Phillis au ajutat la promovarea operei sale, introducând-o în societatea intelectuală a Bostonului. Dar hai să nu le ridicăm o statuie: chiar dacă îi predai sclavului tău latina, tot stăpân de sclavi rămâi.

Foarte curând, scrierile lui Phillis și abilitățile ei conversaționale au transformat-o într-o celebritate locală. A reușit să ajungă o persoană influentă, într-o epocă incredibilă: Bostonul la câțiva ani după Războiul de Independență. În afară de deranjul cu smiorcăielile lui Jefferson, Phillis corespunda cu diverși Părinți Fondatori, despre care elevii americani sunt învățați că trebuie divinizați.

În ciuda acceptării ei de către societatea intelectuală din Boston, familia Wheatley nu a reușit să găsească o editură pentru prima carte de poezie a lui Phillis, pentru că, ce să vezi, rasism. În schimb, Phillis a fost trimisă la Londra să se întâlnească cu un editor. Acolo l-a cunoscut, printre alții, pe Benjamin Franklin.

Phillis a ajuns la Londra la numai un an după decizia Somerset de a scoate sclavia în afara legii în Londra și în Wells, dar nu în tot imperiul, pentru că, mă rog, bogăția și existența imperiului depindeau de sclavie. Dar iat-o pe Phillis ajungând aici și devenind, dintr-o celebritate locală, una internațională. Timp în care era încă sclavă. Phillis a scris că grația cu care a fost primită la Londra „m-a umplut de mirare".

Acum, vă amintiți când am zis să nu ridicăm o statuie pentru familia Wheatley? Bun. Fiul lor, Nathaniel, i-a interzis lui Phillis să se mai întâlnească cu Benjamin Franklin, pentru că era încă sclava lor și nu voia ca Ben să-i dea idei despre libertate.

Într-un final, în același an al publicării cărții ei, 1773, Phillis a fost eliberată: „La dorința prietenilor mei din Anglia, stăpânul meu mi-a dat libertatea." Proprietarii americani fuseseră făcuți de rușine de către membrii societății engleze, ca să-și elibereze sclava.

Phillis a pus accentul pe ipocrizia revoluționarilor americani care-și doreau libertatea ca să continue să se bucure de instituția sclaviei. I-a scris odată unui preot despre această ipocrizie: „Ciudata Absurditate a Comportamentului lor, cu Cuvinte și Acțiuni diametral opuse. Ce bun e Strigătul de Libertate, ce bine merge cu Dispoziția pentru Exercițiul Puterii opresive asupra altora – cred, cu umilință, că nu e nevoie de Pătrunderea unui Filozof ca să vadă asta." O formă elegantă de secol XVIII de a le spune: „Sunteți o mână de ipocriți nenorociți."

Viața și realizările lui Phillis au influențat enorm socie-
tatea în care trăia. În scurta ei viață (a murit la 31 de ani),
a ajuns prima persoană de culoare din Americi care a publi-
cat o carte, s-a întâlnit cu Washington, pentru care scrisese
un poem omagial, și a fost omagiată la rândul ei de către
Voltaire, care îi compara scrisul cu cel al Ecaterinei cea Mare,
împărăteasa Rusiei.

Într-un poem intitulat „Imn dimineții", Phillis scrie:

Aurora salută și o mie de stele mor
Când trec pe rând prin cerurile arcuite:
Dimineața se trezește și-și întinde razele,
Pe toate frunzele luciri de safir dansează;
Zborul rasei înaripate se reia în armonie,
Aleargă ochiul luminat și mișcă pana colorată.
Voi crângi umbroși, cu înfățișarea verde
Protejați-l pe poet de ziua arzătoare.

E mult mai frumos decât gândurile despre dimineață ale
celor mai mulți dintre noi, care de obicei se rezumă la: „Taci",
„Mai lasă-mă cinci minute" sau „Dar nu vreau să merg la școală."

Fiindcă a scris texte influente despre libertate și religie, în
primii ani ai republicii americane, și pentru că s-a întovărășit
cu cei mai mari gânditori ai vremii, Phillis Wheatley poate fi
privită drept unul dintre fondatorii Americii – dacă istoria
nu i-ar fi aplicat metoda Thomas Jefferson.

Dar Phillis Wheatley *nu putea* să conteze pentru
Părinții Fondatori. *Nu putea* fi un geniu, în ciuda talentului
extraordinar pentru învățat și scris. Nu putea fi niciunul
dintre lucrurile astea fără să demonteze ideologiile de care
depindeau noile State Unite: o justificare morală pentru
sclavie, cu rădăcini în inferioritatea rasei negre, și conceptele

de libertate și de justiție pentru toți americanii, care nu se aplicau la o mare parte din populație, cea ținută în sclavie. Prin simpla ei existență, Phillis era o amenințare pentru întreg proiectul american. Cu toții ar trebui să știm mai multe despre Phillis Wheatley. Ar trebui să fie pe bancnota de 50 de dolari. În toată țara, la fiecare salariu, oameni fericiți să-și spună unii altora: „Am portofelul plin de Wheatley." În afară de faptul că sună bine, gândiți-vă numai cât l-ar enerva treaba asta pe Thomas Jefferson.

40

Nellie Bly

1864-1922

Nellie Bly e numele perfect dacă vă gândiți la o doamnă jurnalistă certăreață, pusă pe critică și insolentă, care își ține țigările după ureche și spune: „Să mor io, dom'le, prind eu știrea!." De fapt, era numele unui cântec popular din secolul al XIX-lea și pseudonimul lui Elizabeth Jane Cochran, născută în 1864 în Pennsylvania. Dar aici o să-i spunem Nellie, că e mai mișto.

Când tatăl lui Nellie a murit, nu a lăsat niciun testament pentru a doua soție și familia lor, așa că toată averea a mers la prima familie, iar Nellie și mama ei au ajuns în sărăcie. Nellie știa că trebuia să găsească o soluție prin care să-și îngrijească mama. S-a dus la școală, vrând să se pregătească pentru a ajunge profesoară, ca majoritatea femeilor ambițioase din secolul al XIX-lea (predatul era cam singura slujbă pe care o putea obține o femeie), dar nu avut bani să continue după primul trimestru. Disperată să găsească o slujbă, Nellie și-a descoperit, în sfârșit, chemarea când a citit un articol din *Pittsburgh Dispatch* intitulat „La ce sunt bune fetele", în care se spunea că femeile care muncesc sunt o „monstruozitate". Era scris de un editorialist faimos, care era probabil trist, singur și avea perciuni. Nellie a făcut ce face cineva care dă peste un fudul sexyst. Adică a scris o scrisoare la ziar spunând că tipul era un fudul sexyst și că femeile muncesc ca să supraviețuiască. Ziarului i-a plăcut la nebunie toată drama și i-au dat un post. Nellie s-a aruncat cu capul înainte în slujba visurilor ei. A scris despre condiția femeilor care munceau în fabricile din Pittsburgh și despre cât de groaznică era legislația divorțului pentru o femeie din statul Pennsylvania. Și tocmai începuse să dovedească faptul că era un jurnalist de investigație înnăscut, când editorii ei, alarmați că o doamnă scriitoare pe care o aduseseră, neatenți, printre ei, *făcea jurnalism adevărat*, au trimis-o la secțiunea pentru femei a ziarului. Din fericire, așa ceva nu s-a mai întâmplat niciodată în istoria jurnalismului, nuuuuu, niciodată...

Avuseseră dreptate să facă asta, pe bune. Fetelor nu le plac știrile grele! Le plac moda, prăjiturile și pisicuțele. Deși astea chiar sunt lucruri grozave, dacă e să fim cinstiți, Nellie nu s-a lăsat trimisă la secțiunea pentru femei. Și-a convins șefii s-o lase să transmită știri în calitate de corespondent străin în Mexic. S-a dus acolo, a scris despre viața de zi cu zi a mexicanilor, a criticat guvernul mexican, a fost dată afară din Mexic, s-a întors la Pittsburgh, iar editorii ei au luat-o cu: „Ah, ce drăguț din partea ta. Înapoi la pagina de modă!"

Simțindu-se între ciocan și nicovală, Nellie pur și simplu a demisionat, lăsând un bilet pe care scria: „Plec la New York. Aveți grijă. Bly". Oamenii nu mai demisionează ca pe vremuri...

După șase luni de șomaj cu distracții, ceea ce însemna mai puțin distracție și o grămadă de hoinărit prin New York, implorând ziarele s-o angajeze, Nellie a prins o slujbă la *New York World*, condus de Joseph Pulitzer[1].

---

[1] Ce coincidență imensă că îl chema Pulitzer și că era jurnalist!

Voia să fie jurnalistă adevărată. Voia să se dedice unor știri dificile, cu scopul clar de a îmbunătăți viețile oamenilor. Pulitzer i-a oferit o provocare de care s-a dovedit demnă: să se interneze într-o instituție de sănătate mintală faimoasă, Blackwell's Island Insane Asylum, care e aproape imposibil de pronunțat, după cum se vede. Dar cum să se interneze? Nu putea pur și simplu să intre pe ușă și să spună: „Bună, sunt groaznic de nebună, vă rog, internați-mă în frumosul vostru spital!"

În fine, erau anii 1880, când faptul că o femeie își exprima opinia era de ajuns ca să fie trimisă la „tratament". O femeie cu idei era periculoasă și trebuia vindecată, pentru siguranța ei și a publicului larg, firește. „Nu-mi rămăsese decât să-mi încep cariera ca Nellie Brown, fata nebună", a scris ea mai târziu. „Mergeam pe străzi și încercam să-mi compun privirea pe care o au slugile în picturi numite *Visare*. Expresia aia de *depărtare* îți poate da un aer de om nebun." Nellie a trebuit doar să mimeze nebunia, să pretindă că nu știa cine era, până ajungea în azil, după care putea fi iar ea însăși, ceea ce presupun că era oricum foarte deranjant pentru sensibilitățile secolului al XIX-lea.

Timp de zece zile, Nellie a trecut prin ororile azilului, cu mâncarea mucegăită, angajații cruzi și tratamentul groaznic aplicat pacienților. I se turnau găleți de apă cu gheață pe cap când „făcea baie", vedea șobolani peste tot și pacienți care erau bătuți de angajați sau legați cu sfoară. Descoperise că multe femei din azil păreau perfect sănătoase și fuseseră trimise acolo de soții lor pe motive dubioase. Până la urmă a fost externată la solicitarea ziarului, iar articolul pe care l-a scris a stârnit o imensă indignare publică. Apoi a scris o carte despre această experiență, numită *Zece zile la nebuni (Ten Days in a Madhouse)*, în care își exprima bucuria că, drept urmare a muncii sale, „orașul New York a primit, pentru îngrijirea nebunilor, cu un milion de dolari pe an mai mult decât înainte". Astăzi, banii ăstia înseamnă vreo 25 de milioane.

În 1889, în vederea realizării altui reportaj, cu mult mai distractiv, Nellie s-a hotărât să bată recordul personajului lui Jules Verne, Phileas Fogg, din *Ocolul lumii în 80 de zile*. A reușit în 72 de zile și s-a întors în uralele mulțimii de oameni din New York. (Apropo, dacă cineva vrea să mă plătească să bat acest record, aș fi bucuroasă să încerc.)

Nellie făcea un tip de jurnalism cu totul nou. Ca femeie într-o industrie a bărbaților, mergea sub acoperire acolo unde colegii ei bărbați nu puteau. În mod evident invidioși, unii dintre ei, care cu siguranță aveau perciuni din ăia de tot rahatul, îi denigrau munca, numind-o „senzaționalistă". Clar, fraților. Sunteți importanți și deștepți, sigur știți despre ce vorbiți.

Orice ați crede despre senzaționalism și oricât de nașpa v-ar sta părul, nu se poate nega că stilul de reportaj al lui Nellie atrăgea foarte mulți cititori, devoala nedreptăți întunecate și teribile și producea schimbări reale. Dacă ăsta nu e jurnalism adevărat, atunci care e?

41

Elizabeth Hart

1772-1833

$\mathcal{E}$lizabeth Hart, cunoscută şi ca Elizabeth Hart Thwaites, după ce şi-a tras-o cu bărbatul ei, a fost una din două surori excepţionale care au trăit la finalul secolului al XVIII-lea şi începutul secolului al XIX-lea în Antigua, insula din Caraibe.

Cele două surori erau femei libere, de rasă amestecată, cu un oarecare statut social, care au trăit cu puţin înaintea sfârşitului sclaviei în Caraibele britanice. Ambele s-au căsătorit cu bărbaţi albi, metodişti, deci aveau şi soţi asortaţi. Au lucrat în educaţie şi în asistenţă socială, au fondat societatea Refugiul Femeilor pentru femeile sclave sau libere care aveau nevoie de ajutor şi au condus mai multe şcoli. Toate astea, din 1810 până în 1830. Şi, desigur, ambele iubeau metodismul. Pur şi simplu, nu se mai săturau de biserica metodistă. Serios, cine ar putea?

Ce ştim despre surorile Hart vine, în mare parte, din scrisorile pe care i le-au scris unui preot metodist despre cât de mult iubeau metodismul (distracţia clasică a surorilor Hart). În scrisorile lor vorbeau despre răul sclaviei, denunţau concubinajele şi viaţa grea a sclavelor.

Însă motivul pentru care capitolul ăsta e despre Elizabeth şi nu despre sora ei mai mare, Anne, e că Anne pare un mic agent antidrog, în timp ce Elizabeth e mai plină de păcate, deci mai interesantă. Păcatele lui Elizabeth, detaliate în scrisoarea de unsprezece pagini trimisă preotului, cuprind:

1. Și-a pus la îndoială credința în tinerețe.
2. A fost atrasă de carnal. (Cine nu?)
3. S-a bucurat de „companie, conversație și Cărți care nu erau despre Gloria Domnului".
4. S-a bucurat de „farmecele Muzicii".
5. A dansat.
6. A trecut prin nebunia generală a tinereții.

Dansul pare să fi fost o reală slăbiciune pentru Elizabeth, care avea sentimente de vinovăție când îl asculta pe un preot englez venit în Caraibe să vorbească despre Isus. A spus că s-a simțit „rușinată de comportamentul ei în timpul predicii doctorului... în care acesta menționa mai ales consecințele păcătoase ale dansului". Oh!

Elizabeth părea totodată să aibă o alură de *emo* și a scris un poem despre călătoria ei spirituală chinuită de după moartea altui misionar, un domn McDonald, de care poate că îi plăcea și despre care putem presupune că era atrăgător:

Angajamentele mele solemne sunt în zadar
Promisiunile mele goale ca aerul
Legămintele le voi dezonora din nou
Și voi cădea în disperarea eternă.

Între timp, sora ei mai mare, Anne, nu scria nimic despre chemările cărnii. Dacă avea, s-au pierdut în nisipul timpului. Sau poate era, pur și simplu, drăguță și plictisitoare.

Dincolo de dragostea interzisă pentru dans, conversații bune, cărți nedumnezeiești și companie a lui Elizabeth, ea și sora ei au scris multe pledoarii împotriva stereotipurilor rasiale din vremea lor. Elizabeth spunea în scrisoarea ei că sclavii nu erau nici inferiori, nici degenerați și că doar sufereau sub tirania sclaviei. În afară de scrisori, surorile au mai scris istorii, biografii, manifeste și polemici împotriva sclaviei. Erau printre primele scriitoare africane din Caraibe.

Cele două surori au fost primii educatori pentru oamenii negri liberi sau sclavi din Antigua și și-au folosit toată energia ca să le amelioreze acestora viața pe insulă. Amândouă erau într-o poziție socială oarecum precară, încercând să fie acceptate în societatea metodistă într-o vreme în care căsătoria interrasială la creștini era încă tabu. Ele au mai pledat pentru dreptul femeilor de culoare libere, ca ele, de a primi roluri de conducere în biserica metodistă, subliniind cât de potrivite ar fi fost pentru a predica dincolo de diferențele rasiale din insulă.

Elizabeth a murit în 1833, iar sora ei plicticoasă, Anne, în 1834. Putem doar să presupunem că amândouă huzuresc acum în raiul metodist, unde poate că Anne a fost convinsă să încerce dansul, iar Elizabeth s-a reîntâlnit cu misionarul de care îi plăcea în secret, domnul McDonald.

42

Jovita Idár

1885-1946

Când rangerii texani ai armatei SUA au venit la ziarul unde lucra Jovita Idár, în 1913, au dat de niște necazuri neașteptate.

În urma apariției unui editorial în ziarul *El Progreso*, care critica intervenția președintelui Woodrow Wilson în revoluția mexicană, rangerii hotărâseră să închidă redacția și să-i distrugă birourile și tipografia. Din păcate pentru ei, Jovita le-a stat în cale, pe deplin conștientă de faptul că voiau să facă o ilegalitate. (Notă pentru orice președinte/partid interesat: să distrugi ziare care au spus lucruri urâte despre tine e ilegal de ceva vreme.) Așa încât Jovita s-a așezat la intrare, a refuzat să se dea la o parte și i-a trimis în plata Domnului.

A doua zi, dimineața devreme, când ea nu era acolo, rangerii s-au strecurat și au spart ușa, au distrus tiparnița cu un baros, au spart ferestrele și au împrăștiat hârtiile pe podea. Dar s-a dovedit că nu poți opri o femeie ca Jovita să spună ce vrea, chiar dacă distrugi o tiparniță și împrăștii niște hârtii pe jos, ca un bebe supărat: familia Idár a făcut curat, și-a reparat lucrurile și a continuat să scoată și mai multe ziare.

Jovita s-a născut în 1885, în Laredo, Texas. Familia Idár era formată din profesori, activiști și, mai ales, jurnaliști de investigație care sapă după noroi. Dacă nu știați expresia, a săpa după noroi înseamnă exact ceea ce credeți: să scoți la iveală noroi despre oamenii de la putere și despre instituții. Pentru o familie mexicano-americană din Texas era periculos să expui rasismul și nedreptățile economice îndreptate împotriva familiei și a comunității tale.

Ziarul familiei se numea *La Crónica* și avea drept misiune declarată „dezvoltarea industrială, morală și intelectuală a cetățenilor mexicani din Texas". Era condus de tatăl Jovitei, genul de om pe care l-am putea numi „pilonul comunității". Dacă are noroc, orice comunitate are un pilon. Jovita, tatăl și frații ei scriau despre cele mai grave probleme ale *mexicanilor texani*, de la segregare până la linșaje. Jovita a preluat conducerea ziarului după moartea tatălui.

Când nu era ocupată cu investigațiile sau cu statul în ușă ca să sperie polițiști vânjoși, Jovita făcea și lobby pentru o educație mai bună a mexicanilor americani. Într-un stat în care marile puteri din agricultură voiau ca micuții *mexicano-texani* să le lucreze câmpurile, nu să învețe să citească, școlile pentru ei erau la pământ, iar profesorii erau plătiți mizerabil. Din fericire, în America de azi, inegalitatea în sistemul de educație a fost eradicată demult![1] Iar profesorii din învățământul de stat sunt remunerați regește![2]

Jovita credea că soluția pentru un sistem de educație mai bun pentru *mexicano-texani* nu era asimilarea completă în școlile de albi, ci o instrucție de înaltă calitate în școli bilingve,

---

[1] Nu s-a întâmplat.
[2] Nu sunt plătiți mai bine.

de engleză și spaniolă, ca elevii să-și poată învăța și păstra cul-
tura, limba și istoria.

Altă activitate importantă a familiei Idár a fost organizarea
Primului Congres Mexican, care a avut loc la Laredo, în 1911:
reuniunea activiștilor din tot Texasul, pentru a vorbi despre
drepturi umane și civile. În urma acestui congres a apărut
Liga Femeilor Mexicane, cu Jovita președinte, organizație care
derula acțiuni caritabile pentru dezvoltarea educației și
combaterea sărăciei.

„Femeile trebuie să încerce mereu să aibă cunoștințe utile,
pentru timpurile moderne, să-și lărgească necontenit orizon-
tul", scria Jovita. Ea credea că femeile trebuie educate ca să
ajungă mai influente în toate industriile, nu să-și petreacă
viața „trăind în minciuni, bârfe și basme lugubre", oricât de
distractiv ar fi.

Jovita a luat parte la Revoluția Mexicană din 1910, lucrând
ca infirmieră pentru La Cruz Blanca – o organizație asemă-
nătoare cu Crucea Roșie. De altfel, a fost infirmieră volun-
tară și pentru Crucea Roșie Americană, în timpul Primului
Război Mondial.

Deci, pe lângă faptul că era genială și curajoasă, Jovita era
și profesoară, jurnalistă, infirmieră, lider pentru comunitatea
ei și cam orice altceva vă trece prin minte ca sprijin pentru
comunitate. Înainte de moartea ei, din 1946, a fondat
grădinițe gratuite și a continuat să editeze și să publice
numeroase publicații. Mai mult, ca un monstru de soție ce
era, și-a amânat nunta ca să se concentreze pe nașterea unui
nou ziar, *Evolución*.

Cât despre rangerii texani, nu i-au mai distrus niciodată
vreo tiparniță. Ar fi fost la fel de futil ca încercarea de a o da
la o parte din ușă.

43

Louise Mack

1870–1935

Ca multe femei din cartea asta, jurnalista și prozatoarea australiană Louise Mack a scris opere care rămân și azi atât de deștepte și de fermecătoare, încât cuvintele ei te umplu de pornirea de a străbate timpul și spațiul doar ca să-i fii prieten. În realitate, ea era prietenă bună cu Ethel Turner, altă scriitoare australiancă faimoasă, care scria și cărți pentru copii. Cele două femei se vor sprijini, se vor întrece și se vor îndemna una pe alta spre lucruri tot mai mărețe, toată viața lor, pe parcursul unei prietenii profund intime și intense. Găsiți-vă un prieten bun care să facă la fel pentru voi.

Louise s-a născut în 1870, la Hobart, Tasmania, într-o familie pe cât de mare, pe atât de săracă. Deși era incredibil de deșteaptă, Louise își petrecea atât de mult timp la liceu făcând un ziar al școlii, distrându-se cu prietenii și scriind poezii de dragoste neîmpărtășită, încât nu a intrat la universitatea pe care și-o dorea.

Așa că s-a angajat guvernantă, slujbă pe care o ura. „Predatul e oribil", scria ea. „Îți înmoaie buclele și coloana vertebrală, îți murdărește unghiile și îți stârnește o atitudine de dispreț combinată cu proastă dispoziție". Când nu preda, și deci nu i se îndreptau buclele, Louise își petrecea timpul liber scriind sau trăgând cu urechea la conversații străine, pentru a găsi personaje noi pentru poveștile ei. În 1896 și-a publicat primul roman, *Pământul e rotund (The World is Round)*. Era o satiră la adresa societții din Sydney, ceea ce a făcut ca lucrurile să fie puțin ciudate între ea și prietenii ei mai eleganți. Așa că a decis să meargă la Londra, să încerce să ajungă scriitoare.

În lunga călătorie cu vaporul din Australia la Londra, Louise le-a scris rudelor scrisori hilare, despre cât de dezamăgită era de plicticoșenia celorlalți pasageri, în condițiile în care se așteptase, dimpotrivă, la mari intrigi și conversații interesante, și despre cum toți se înnebuneau unii pe alții în șirul nesfârșit al săptămânilor pe apă. „E a treia săptămână a călătoriei și acum se devoalează cel mai clar urâțenia rasei umane", scria ea. „De câte ori trec una pe lângă alta, femeile își zâmbesc. Fără excepție. Curând, lucrul ăsta se tocește de tot, rămâne doar o apăsare dureroasă a buzelor. Înveți să-ți fie lehamite de când le vezi că se apropie." Oamenii care lucrează în birouri cunosc fenomenul ăsta.

Când vaporul s-a oprit la Napoli, Louise a coborât pe uscat și a reușit să rateze plecarea. A urmat o fugă nebună după vapor până la Marsilia, unde acesta avea să acosteze din nou. Louise s-a bucurat de aventura de a fi singură și fără niciun ban într-o țară străină: „Singură printre toți italienii ăstia. Euforia unui astfel de moment e ceea ce caută orice călător adevărat. Fără ceva de genul ăsta, poți foarte bine să stai acasă. Dar, cu așa ceva, lumea poate fi un loc glorios."

Când a ajuns la Londra, Louise s-a îndrăgostit imediat de oraș. Își scria scrisorile către familie detaliindu-și aventurile și spunând că nu-i vine să creadă că e așa de norocoasă să se afle la Londra:

Iată-mă la Londra!

Sunt chiar eu?

Mergând pe High Holborn

Fără nicio grijă?

Trecând prin Fleet Street,

Plimbându-mă pe Strand,

IATĂ-MĂ LA LONDRA!

Acum înțeleg.

Mai multe, mai târziu. Cu dragoste,

Lou din Londra

Louise voia să fie o scriitoare bună. Una importantă. Genul de scriitoare despre care hipsterii din viitor, de la o petrecere într-o casă Dalston[1], vor vorbi în timp ce-și rulează o țigară din tutun „natural". Dar mai trebuia să-și plătească și facturile.

Așa că, în timp ce aștepta să afle dacă i se va publica al doilea roman, Louise – singură, dar nu solitară la Londra – și-a făcut curaj și a cerut o întrevedere cu editorul de ficțiune de la o editură importantă, Harmsworth Press. După săptămâni petrecute doar în lumea romanului său, palidă și abia având bani de mâncare, Louise arăta, o spune chiar ea, ca „o fantomă". Prea slăbită să parcurgă drumul lung și prea săracă să-și permită un taxi spre interviu, a rugat portarul să-i spună taximetristului că nota o va plăti chiar editorul, apoi a fugit în clădire înainte să i se pună întrebări. Din fericire, i s-a oferit șansa să câștige niște bani pentru o serie de povești în foileton, cât mai atractive pentru public.

---

[1] Instalație a artistului argentinian Leandro Erlich, creată pentru festivalul de arhitectură de la Londra, din 2013, și constând din doi pereți de casă aranjați în așa fel încât să ai impresia că oamenii se urcă fără probleme pe pereți (n. red.).

Deși știa că scria un gunoi absolut, Louise s-a dovedit genială scriind echivalentul unor telenovele de azi. Acum, că avea ce să mănânce și cu se să se îmbrace, arătând și simțindu-se mai puțin ca o FANTOMĂ, datorită banilor, Louise a primit vestea grozavă că romanul ei, *O fată din Australia la Londra (An Australian Girl in London)* (adică scriitura ei aia bună), va fi publicat. A avut parte de o primire excelentă din partea criticii. „Dacă toate fetele din Australia sunt ca Louise Mack", scria un cronicar, „cu cât vin mai multe la Londra, cu atât va fi mai bine pentru Londra și pentru lumea întreagă". Reușise să se impună ca scriitoare adevărată, deși cititorii încă se băteau pe foiletoanele ei de povești, pe care a continuat să le scrie plimbându-se nervoasă prin apartament, dictându-i unei secretare mii de cuvinte de intrigi ridicole pe zi.

După o aventură de șase ani în Italia, unde a fost angajată la un ziar englezesc și a retrăit ce însemna să fie *singură printre italieni*, Louise s-a întors la Londra în 1910 și a domnit în continuare ca Regina *romance*-ului. Poveștile ei groaznic de proaste au fost publicate în *Daily Mail* și *Daily Mirror*, apoi traduse în franceză, italiană și germană.

Când a izbucnit războiul, în 1914, a venit vremea ca Louise să arate că poate fi o cu totul altfel de scriitoare: corespondent de război. S-a dus la editorul ei de la Harmsworth și a cerut să fie trimisă pe front. El a acceptat, considerând că femeile pot arăta „perspectiva umană" asupra războiului, o replică încă familiară multor jurnaliste de azi.

S-a dovedit că incredibilul ei curaj și dorința de a-și asuma riscuri mari au dus la mult mai mult decât o „perspectivă umană" asupra războiului, fiindcă a transmis din zone de unde colegii ei bărbați fugiseră de frică (ceea ce e de înțeles). Louise a reușit să treacă dincolo de liniile germane, riscând o moarte sigură dacă era descoperită. Louise e unul dintre singurii doi corespondenți de război care au ajuns și au fost martori la bombardarea orașului Aarshot, din Belgia, de către trupele germane. „Cred că sfârșitul lumii ar arăta cam așa", a scris ea apoi despre această experiență.

Apoi, în Antwerp, Louise lua notițe cu stiloul pe hârtie în timp ce bombele cădeau peste oraș. „Când e vorba de frică și curiozitate, în 99 din 100 de cazuri, curiozitatea câștigă", zicea ea, descriind nevoia de a scrie în asemenea circumstanțe. „Nu ești insensibil pentru că ești curios... ești curios pentru că ești în viață... pentru că ai dreptul să vezi și să auzi toate lucrurile minunate, toate terorile și toate minunile care compun existența umană. Să nu-ți pese, să nu vrei să vezi sau să știi, asta înseamnă o duritate dincolo de mântuire."

În timp ce forțele germane se apropiau de Antwerp, Louise s-a întâlnit cu trei corespondenți englezi care au implorat-o să plece cu ei. A decis să nu o facă, apoi s-a deghizat în servitoare belgiană chiar la hotelul pe care germanii aveau să-l ocupe curând. Așa că a lucrat în spatele barului din sala de mese, unde auzea adesea germanii victorioși discutând și așa își putea completa povestea. Când unul dintre ofițeri a fost curios ce e cu servitoarea tăcută, care nu putea vorbi fără să-și arate identitatea, belgienii din hotel, care o protejau, au închis-o în baie toată ziua următoare.

Până la urmă, deghizată în soția belgiană a unuia dintre aliații de la hotel, a mers țanțoșă prin tot holul alături de el și copiii lui, până afară, la o mașină care avea s-o ducă într-un loc sigur.

Povestea întregului chin, *Experiența unei femei în Marele Război (A Woman's Experience in the Great War)*, a fost publicată în 1915 și rămâne o poveste de război terifiantă. Ceva complet diferit de *romance*-urile ridicole pe care le scria ca să poată trăi, la Londra. Din fericire pentru Louise Mack, putea să scrie cam despre orice voia.

Beatrice Potter Webb

1858-1943

*A*cest capitol nu e despre Beatrix Potter, mult iubita autoare a lui *Peter Iepurașul*, ci despre Beatrice Potter Webb, o socioloagă extrem de importantă. Da, știu, scuze! Dar suntem aici să învățăm niște lucruri adevărate, nu despre o adorabilă creatură a pădurii, ci despre studiul empiric al sărăciei.

Beatrice s-a născut în 1858, în Gloucestershire. Era a opta din cele nouă fiice ale unui magnat din transportul feroviar. Oare puteai fi un părinte victorian bogat dacă nu erai magnat din transportul feroviar? Nu. Beatrice a mai avut un frate care a murit de mic, lăsând în urmă o mamă devastată de durere, care nu își dorise, de fapt, decât un băiat. Beatrice era adolescenta *emo* a familiei, se distra ascunzându-se de rude și citind munți de cărți, acompaniată doar de pisică. Așa cum facem toți. Nu i-a plăcut *Jane Eyre*, s-a plâns că „ideea despre dragoste a autoarei e o pasiune febrilă, aproape desfrânată" – ceea ce e partea cea mai frumoasă a cărții, iar asta spune ceva despre personalitatea lui Beatrice.

Viitorii soți ai numeroaselor surori se vor referi la familia lor ca la „un monstruos regiment de femei" – versiunea de secol XIX a unei găști de fete. Într-o vreme în care se credea că femeile nu ar putea fi deștepte pentru că uterul stă în calea creierului, Beatrice și surorile ei au primit o educație frumoasă. Însă Beatrice nu era lipsită de îndoieli atunci când încerca să învețe singură matematici și științe avansate: „De ce ar trebui ca eu, o broscuță amărâtă, să mă apuc să încerc să devin profesionistă?" Pe Beatrice o mai dispera și absurditatea pieței de căsătorii care se deschidea în fiecare sezon de socializare, iar surorile ei se măritau una câte una.

Cât despre viața amoroasă a lui Beatrice, ea a făcut Alegerea: alegerea între un hăndrălău masiv și un bărbățel deștept, dar subțirel. Hăndrălăul masiv era Joseph Chamberlain, viitorul politician faimos și tată al viitorului prim-ministru celebru Neville Chamberlain. Era cu 20 de ani mai bătrân decât Beatrice și a aruncat-o într-o lume plină de neprevăzut. Ea a spus că stârnise în ea „o bătălie mortală între intelectual și senzual", haha! În continuare *emo*, a mai spus că faptul de a-l fi cunoscut a fost „catastrofa vieții ei". Dacă Beatrice Potter Webb ar fi trăit în 2005, și-ar fi vopsit părul negru, și-ar fi întins bretonul pe față și și-ar fi ascuns ochii sub un centimetru de dermatograf.

Pe de altă parte, mai era și Sidney Webb. V-ați dat seama din numele ei de familie cine i-a câștigat inima, probabil. Grație jurnalului lui Beatrice, ținut cu o precizie fanatică, ne bucurăm de câteva înțepături arhaice savuroase legate de aspectul fizic al lui Sidney, învechite până la perfecțiune, timp de un secol. Ei i se părea că „trupul lui mic de mormoloc, pielea nesănătoasă, vorbirea în dialect, sărăcia, toate îi erau împotrivă". Dar era o snoabă și, până la urmă, și-a dat seama că hăndrălăul Joseph își controla prea mult rudele femei, așa că l-a ales pe Sidney. În cele din urmă, „mă mărit doar cu capul lui". Auci! Însă presupun că e o alegere bună, având în vedere că, atunci când îmbătrânim și ne sfrijim cu toții, nimeni nu rămâne hăndrălău, în schimb poți continua să porți conversații frumoase.[1]

Au trebuit să aștepte să moară tatăl ei ca să se căsătorească, pentru că măritișul ei cu cineva dintr-o clasă inferioară ar fi fost prea mult pentru magnat. Într-una dintre scrisorile lor fierbinți de dragoste, Beatrice îi scria lui Sidney că „durata și valoarea unei relații depind de conștiința ambilor că se pot înălța moral și intelectual din ea". Uau! Se poate face mai cald de-atât pe-aici?

Bine, trebuie să vorbim despre creierul lui Beatrice ca să nu am probleme cu fantoma ei, pentru că mă distrage povestea vieții amoroase lipsite de picanterii. Pe scurt, nene, tipa era mare rău! Fata avea un creier mare de tot, vă spun. Și el la fel! Avea un creier imens pe un corp de mormoloc. Au avut un parteneriat adevărat, în ciuda diferențelor de personalitate (Sidney era relaxat și obișnuia să-i zică: „Ține-ți firea, domniță" de câte ori ea ajungea prea *intensă*, într-un mod drăguț.) Erau ca un *think tank*[2] de două persoane care primea la cină intelectuali, oameni aflați la putere și politicienii zilei. Nu au avut copii (ce surpriză!), dar au fost părinții a 18 cărți lungi și a multor altora mai scurte. „Oare cărțile pe care le-am scris împreună valorează pentru comunitate cât ar fi valorat niște copii?", se întreba Beatrice în jurnal.

Beatrice și Sidney au făcut multe lucruri impresionante. Și-au petrecut luna de miere făcând cercetare despre sindicatele din Irlanda pentru o istorie imensă pe care au scris-o împreună, una dintre zecile de cărți-copii. Voiau să fondeze o universitate nouă și modernă, într-un centru urban,

---

[1] Mamă și iubitule, vă rog, nu interpretați.

[2] Grup de experți convocat de obicei de guverne în situații speciale, pentru a-și da cu părerea și a veni cu idei referitoare la respectiva situație (n. red.).

care să nu fie o irosire de spațiu precum Oxbridge, așa că au fondat London School of Economics, un loc în care bogații merg și azi să cheltuie mulți bani pe masterate atunci când nu știu ce să facă cu viețile lor. Au pus în mișcare Societatea Fabian, unul dintre incubatoarele socialismului britanic, și au făcut din Partidul Laburist ceva mai puțin prost decât era. „Partidul Laburist există și trebuie să lucrăm cu el", se plângea Beatrice în modul ei tipic, numindu-l „un lucru amărât, dar al nostru". De bine, de rău, au fondat și *The New Statesman* și au făcut eforturi pentru o educație mai bună pentru londonezii de toate vârstele. Clement Atlee își amintește de ei cu mândrie: „Milioane trăiesc și azi vieți mai pline și mai libere datorită muncii lui Sidney și a lui Beatrice Webb."

Când a ajuns la Londra, ca toate fetele bogate, Beatrice și-a făcut începuturile prin acțiuni de caritate în East End. Așa a ajuns la concluzia că nu munca de caritate, ci politicile riguroase de științe sociale și socialismul pot îmbunătăți viețile săracilor londonezi. Pe Beatrice o interesau cooperativele, care nu erau niște supermarketuri drăguțe, de mărime medie, ci un soi de sindicate pentru consumatori mai mult decât pentru producători. Parte dintr-o comisie regală de cercetare pentru combaterea sărăciei, Beatrice a scris o opinie – în dezacord cu a majorității – despre un venit minim național, schița, practic, a viitorului sistem de securitate socială.[1] Spunea că un astfel de sistem „ar asigura un nivel național minim pentru o viață civilizată, accesibil tuturor sexelor și claselor, adică destulă hrană și educație pentru cei tineri, salariu pentru cei capabili de muncă, tratament pentru cei bolnavi și un ajutor modest, dar sigur pentru cei cu dizabilități sau bătrâni". După cum vedeți, Beatrice era o socialistă înfocată.

---

[1] *Wellfare State* – „Statul bunăstării", care își protejează cetățenii (n. red.).

La început, nu a susținut dreptul femeilor de a vota, crezând cu tărie în ceea ce ea numea democrație economică. Lăuda rolul femeilor în noua Rusie Sovietică, unde, așa cum au scris ea și *iubi* într-una dintre cărțile-lor-copii, „emanciparea nu era considerată pur și simplu retragerea unei dizabilități legale", adică drepturi individuale pentru femei, ci „abolirea economică și gospodărească a subjugării femeilor". (Pentru mai multe informații despre ce însemna asta, vedeți paragraful din capitolul despre Alexandra Kollontai, în care se abolește unitatea familiei.) Cei doi Webb s-au ocupat, până la urmă, de problema reprezentării politice a femeilor în Marea Britanie, în care vedeau o luptă împotriva „unui capitalism esențial masculin", pe măsură ce mișcarea se extindea dincolo de primele sale reprezentante bogate.

Cei doi Webb se simțeau captivi între două sisteme: le displăcea și capitalismul de stil american necontrolat, despre care Beatrice a scris în 1913, în *New Statesman*, că va duce „la înarmări tot mai mari, la războaie periodice pline de distrugere cum lumea nu a mai văzut", deci clar ceva rău; dar le displăcea și natura distructivă a bolșevismului din Rusia. Totuși, în mod fundamental, erau colectiviști interesați de reforme radicale, iar la mijlocul anilor 1920 au vizitat Uniunea Sovietică și au scris cam o mie de pagini de propagandă despre cât de grozavă era, cu titlul: *Comunismul sovietic: O nouă civilizație? (Soviet Communism: A New Civilisation?)* Faptul că îl sprijineau pe Stalin (cel puțin până la pactul cu naziștii) le-a adus dezaprobarea unor facțiuni ale stângii britanice care nu era așa de entuziasmată de epurări și de gulag. Cei doi au murit înainte ca „Statul bunăstării" britanic să prindă viață, după război. Dar, dacă nu ar fi fost ei, asta nu s-ar fi întâmplat. Ei au ajutat la modelarea oamenilor, ideilor și partidului care l-a creat.

Oricum, dacă tot mai vreți să citiți despre Beatrix Potter și creaturile pădurii, îi găsiți opera în toate librăriile. Eu o să mă opresc înainte să fiu bântuită intelectual de cei doi Webb, furioși că le-am interpretat greșit fructele marilor creiere.

45

Julia de Burgos

1914-1953

O să observați că sunt multe poete în cartea asta. Chestia cu poezia e că nimeni nu te poate opri s-o scrii. Poți să fii sărac, poți să fii marginalizat, poți să fii captiv la tine acasă, poți să fii privată de educație pentru că ești femeie, dar nimeni nu te poate opri să compui poezie. Poate doar dacă vine la tine când ești în mijlocul unui gând poetic și strigă: „BUUUU!". Oricine poate fi poet, dar nu oricine poate fi un poet bun. În ceea ce o privește pe Julia de Burgos, ea e considerată astăzi una dintre cele mai mari poete din istoria Americii Latine și cea mai importantă poetă de secol XX din Puerto Rico. Și totuși, a murit la numai 39 de ani, o anonimă în New York, și a fost înmormântată într-un câmp-cimitir pentru oameni neidentificați, de obicei săraci.

Julia s-a născut în 1914, în orașul Carolina din Puerto Rico, și era cea mai mare din treisprezece copii. Familia ei a suferit groaznic din cauza sărăciei și a malnutriției, iar șase dintre frații ei au murit. A ajuns învățătoare în 1935 și voia să facă un doctorat, dar nu-și putea permite. În schimb, s-a dus la Old San Juan, în 1936, și a început să publice poeme în ziare și în reviste. Poeziile ei vorbeau despre independența

statului Puerto Rico, despre imperialismul american, despre
statutul nedrept al femeilor. De asemenea, a scris poeme și
eseuri pentru marșurile Partidului Naționalist Portorican.

Puerto Rico a suferit enorm în anii 1930 din cauza Marii
Depresiuni, care a început în SUA odată cu căderea Bursei, din
1929, și s-a întins în întreaga lume, băgând totul într-o Mare
Depresie. Insula era mistuită de proteste și greve, inclusiv greve
ale femeilor. În 1936, Julia a publicat poemul „Es Nuesta la
Ora" (*E ora noastră*), care făcea apel la muncitorii portoricani
să se unească în lupta împotriva imperialismului SUA.

Julia a plecat de pe insulă în 1940, s-a mutat la New York,
unde a locuit și muncit în Harlem, alături de artiste și activiste
afro-americane. Julia însăși avea descendență africană. A scris
pentru ziarul naționalist portorican *Pueblos Hispanos* din
New York, dar, până la urmă, s-a mutat la Washington și a
lucrat ca secretară în administrație. Într-o zi, niște agenți FBI
au venit s-o chestioneze despre ce scria la *Pueblos Hispanos*. Ea
a negat că ar avea simpatii stângiste și le-a spus: „*Pueblos Hispa-
nos* a ajuns prea comunist. Eu nu vreau decât să văd Puerto
Rico independent și liber." A fost concediată în aceeași zi,
pentru că, deși a spus că era anti-comunistă, tot era prea
stângistă pentru gusturile anilor 1950, când, dacă nu erai
genul cu gărduleț alb căruia îi place să tragă cu arma în
plăcinte cu mere, erai un socialist suspect.

Julia s-a mutat înapoi la New York, unde a suferit de depre-
sie și de alcoolism, așa că și-a petrecut ultimii ani în spital.
Odată, a completat un formular de spital și, la ocupație, a
pus „scriitoare". Dar un angajat a șters și a înlocuit cu
„amnezică". Însă scrierile i le puteau șterge, oare? Clar, nu.
Operele Juliei au fost fundația pentru viitoarele poete și
feministe portoricane și latine. Unul dintre ultimele ei poeme,

„La revedere din Insula Bunăstării", anticipează moartea ei
departe de Puerto Rico şi se termină aşa:

Trebuie să fie de aici,
Uitat dar nu schimbat,
Printre alţi tovarăşi de tăcere,
Adânc în Insula Bunăstării,
Adio-ul meu către lume.

46

Marie Chauvet

1916-1973

E timpul să mai adăugăm un Bărbat Foarte Rău la lista
mentală tot mai lungă a Bărbaților Foarte Răi din Istorie.
Da, e nasol că trebuie să ne gândim la Bărbați Foarte Răi
într-o preafrumoasă carte ca asta, dar, de multe ori, ca să
înțelegem o Gagică Foarte Tare, trebuie să știm cât de Răi au
fost Bărbații Foarte Răi din viața ei.

Iar Bărbatul Foarte Rău din capitolul acesta e François
Duvalier din Haiti. Haiti e faimos pentru că a fost prima
republică independentă cu cetățeni de culoare. Haitienii sclavi
au preluat controlul de la francezi în 1804 (O MIE OPT SUTE
PATRU), cu mai bine de o jumătate de secol înainte de
Războiul Civil American. Duvalier a apărut la un secol după
revoluția și independența Haitiului. Porecla lui, Papa Doc, îl
face să pară mai degrabă un îndrăgit proprietar de pizzerie
din vreun orășel decât un dictator brutal. Dar asta a fost: un
dictator brutal rămas în istorie pentru teroarea cu care a
condus Haiti, din 1957 până în 1971.

Acest căcat cu ochi și-a nenorocit cetățenii cu o violență ie-
șită de sub control. A format o forță miliținească de voluntari

și huligani locali, *Tonton Macoute*, care primeau grațieri auto-
mate pentru orice crime comiteau în serviciul lui. Ideologia
lui Duvalier, dacă un monstru poate avea altă ideologie din-
colo de „a fi un monstru", se baza pe resentimentul popular
al țării față de cei de rasă mixtă, elita cu piele mai albă, pe
care a declarat-o inamicul statului, încercând astfel să-și jus-
tifice autoritarismul. Însă oricine putea cădea victimă violenței
arbitrare a forțelor sale. Figuri religioase, cluburi sportive,
scriitori, artiști și educatori, toți trăiau cu amenințarea per-
manentă a cenzurii, hărțuirii sau asasinatului.

Acum știți cu ce se confrunta romanciera Marie Chauvet.
Născută în 1916, Marie Chauvet era membră în elita de rasă
mixtă din Haiti. A găzduit adunări de poeți importanți la
casa ei din Port-au-Prince și a scris romane cu teme despre
rasă, clasă și gen. Operele ei criticau atât corupția societății
de elită din care făcea parte, cât și brutalitatea guvernului
care i se opunea – deci, practic, îi enerva pe toți.

Marie și-a scris cea mai importantă operă în 1968: *Amour,
Colère et Folie*, care se traduce prin „Dragoste, Furie și Nebunie".
Era o critică tulburătoare la adresa violenței și a totalitaris-
mului regimului Duvalier, așa că, desigur, aceasta a pus-o în
mare pericol.

Mai țineți minte ultima dată când ați tulburat voi apele?
„Hm, mai bine nu-i spun unchiului Martin că a zis ceva sexyst.
Nu aș vrea să jignesc pe nimeni. Mai bine o las așa." Acum
imaginați-vă că luați decizia opusă, nu doar că îi faceți
observație unchiului Martin, întregii familii și grupului de
prieteni, dar și unui dictator care nu ar ezita să vă omoare.
Asta era Marie Chauvet dispusă să facă pentru credințele ei.

„Sunteți liberi să urlați din toți plămânii dacă vedeți vre-
odată manuscrisul ăsta", a scris despre *Dragoste, Furie, Nebunie*.

„Puteți spune că sunt indecentă, imorală. Puteți să mă umpleți de epitete mușcătoare dacă asta vă face fericiți, dar nu mă veți mai intimida vreodată."

Și-a trimis lucrarea celei mai șic feministe de rit vechi, Simone de Beauvoir, care i-a dat binecuvântarea, iar asta a făcut ca manuscrisul să fie acceptat de o editură prestigioasă din Paris. De aici încolo, lucrurile ar fi trebuit să meargă foarte bine. Totul ducea spre transformarea lui Marie Chauvet într-o celebritate mondială, dacă nu ar fi existat un anume Bărbat Foarte Rău din istorie.

Familia lui Marie era terifiată de consecințele publicării romanului ei într-un regim care îi putea omorî pe toți pentru mult mai puțin decât o denunțare vocală a cruzimii politice. Așa că soțul lui Marie, Pierre, a convins-o să cumpere de la editură tot tirajul *Dragoste, Furie, Nebunie* de îndată de a fost publicat și să le interzică s-o mai tipărească vreodată. Ea a fost de acord. Familia ei – care deja îi văzuse pe cei dragi torturați, închiși, uciși sau făcuți dispăruți de Duvalier – a distrus toate exemplarele cărții, în afară de câteva copii ascunse la Paris și în alte părți.

După toate astea, Marie a decis să divorțeze și s-a mutat la New York, unde s-a recăsătorit și a scris mai multe romane. *Dragoste, Furie, Nebunie* nu a mai fost publicată decât în 2005, la mulți ani după moartea ei, din 1973.

Duvalier a murit în 1971, după o domnie de 24 de ani plini de tortură și opresiune. A fost succedat de fiul său la fel de groaznic, care a condus țara până ce o revoltă populară l-a făcut să fugă în 1986.

Fiți atenți! Cartea asta e plină de planuri imposibile și oportunități ratate pentru femei care meritau mai mult. Oriunde dați peste o astfel de frustrare în povestea unei femei, luați o pauză și arătați pumnul spre cer, cu furie și dezamăgire.

Țipați într-o pernă, ca o zână sălbatică. Strigați la un trecător: „NU AȘA TREBUIA SĂ FIE!". Apoi, vă rog, reveniți-vă și continuați pentru că, dacă Marie Chauvet nu a renunțat după ce i s-a distrus cea mai mare lucrare, ci a continuat să scrie, voi clar nu aveți nicio scuză să renunțați la nimic.

47

Zabel Yesayan

1878-1943

Zabel Yesayan e un alt exemplu de femeie strălucitoare care a trăit într-un loc și într-o vreme când să fii inteligentă și să ai păreri erau cele mai periculoase lucruri. De fapt, a reușit să trăiască nu doar într-unul, ci în două astfel de locuri, în scurta ei viață.

Zabel era o armeancă născută în 1878 în Istanbul, Turcia. Și-a publicat prima poezie într-un ziar săptămânal, când avea 16 ani, iar până la 17 se hotărâse că avea să fie scriitoare profesionistă. Și asta a făcut. Atât a fost. Nu a urmat un deceniu de *uhm* și *ahm*, de mari proclamări despre romanul „care îi stătea pe creier". Pur și simplu s-a pus pe treabă.

Când Zabel pornea la drum, a fost avertizată de Sprouhi Dussap, prima romancieră armeancă. „Când doamna Dussap a auzit că voiam să intru în domeniul literaturii, m-a avertizat că drumul unei femei spre a fi scriitoare avea mai mulți spini decât lauri. A spus că societatea noastră era încă intolerantă față de femeile care apăreau în public și voiau să-și găsească locul. Ca să depășesc acest obstacol, trebuia să depășesc mediocritatea. Succesul vine ușor la un bărbat educat, dar mizele sunt mult mai mari pentru o femeie intelectuală."

Zabel s-a dus în Franța să studieze literatura și s-a măritat cu un pictor, la 19 ani, așa cum se face când te muți în Franța. S-a întors însă la Istanbul fără soțul ei și împotriva voinței lui, ca să continue să-și construiască acolo reputația de scriitoare. Ce-a găsit la întoarcere a fost prima dintre marile tragedii la care Zabel avea să asiste în viața ei. Refugiații armeni fugeau de masacrele din Adana (în sudul Turciei de acum), la Istanbul. Zabel a decis să meargă la Adana, să vadă cu ochii ei ce se petrecea acolo, iar ce a găsit a consemnat în cartea *Printre ruine*. Distrugerea totală a orașului a schimbat-o și nu va fi ultima dată când va vorbi despre crimele otomanilor împotriva armenilor.

Fiind un intelectual armean important, mai ales unul care reclamă public crimele împotriva poporului său, Zabel știa că era în pericol. În 1915, primul an de genocid armean care avea să coste 1,5 milioane de vieți curmate de partidul turc de la putere, Comitetul pentru Uniune și Progres, ea a avut o interacțiune periculoasă cu un oficial turc. Pe când ieșea dintr-o clădire, a fost întrebată dacă era Zabel Yesayan. „Nu", a răspuns ea liniștită, „e înăuntru", apoi a fugit și s-a mutat în Bulgaria.

Din Bulgaria s-a dus înapoi în Franța și și-a găsit de muncă la un ziar armean. Aici a început sarcina groaznică de consemna ce se întâmpla acasă, de a strânge mărturii despre marșurile morții, despre deportările și distrugerile care aveau loc în țară, de la refugiații armeni care reușeau să scape. Zabel a scris sub pseudonim masculin, îngrijorată de soarta familiei rămase la Istanbul. A spus în scrisori că munca asta aproape a înnebunit-o, dar că, fără ea, istoria, oricât de oribilă, s-ar fi șters. Chiar și așa, guvernul turc neagă până în ziua de azi genocidul armean, de aceea mărturiile culese de ea sunt cu atât mai puternice.

În 1932, Zabel a fost invitată să fie conferențiar la Universitatea de Stat de la Erevan, din Armenia, care devenise parte din URSS. Avea mari speranțe pentru viața din Armenia, dar, din nou, istoria cea îngrozitoare a ajuns-o din urmă. În 1934, Moscova a organizat primul Congres al Scriitorilor Sovietici, unde s-au strâns scriitori din toată URSS, ce avea scopul neoficial de a-i permite lui Stalin să vadă pe care dintre ei trebuia să stea cu ochii. A participat și Zabel și, în ciuda entuziasmului inițial pentru proiectul sovietic, a ajuns pe lista de căcat a lui Stalin. Câțiva ani mai târziu, acesta a început să persecute activ personalități literare armene, arestând scriitori și familiile lor. Zabel era din nou în pericol.

Până la urmă, Zabel a fost arestată și aruncată în închisoare, unde nu avea voie să citească ziare sau cărți, nici să asculte radio, așa că a organizat saloane literare, în care vorbea despre literatura franceză din memorie, așa cum se face. Nu se știe exact când și unde a murit în timpul încarcerării, dar a lăsat în urmă zece cărți, nenumărate scrisori și articole și, bineînțeles, mărturiile pe care le-a adunat despre genocid.

Pentru Zabel, scrisul era un act profund politic, iar romanele ei vorbeau despre locul femeii în societate, printre alte nedreptăți. „Literatura nu e un ornament sau o decorațiune frumoasă", explica ea, „ci o armă măreață sau un instrument de luptă împotriva tuturor lucrurilor pe care le consider nedrepte."

48

Surorile Mirabal

Patricia Mercedes Mirabal Reyes 1924-1960
Bélgica Adela Mirabal Reyes 1925-2014
María Argentina Minerva Mirabal Reyes 1926-1960
Antonia María Teresa Mirabal Reyes 1935-1960

*A*u fost patru surori Mirabal, deci partea asta e despre patru femei. Deci, de fapt, cartea cuprinde mai mult de o sută de femei, ceea ce ne arată din nou că femeile nu se pricep la mate. Minerva, Patria și Maria Teresa Mirabal și-au dat viețile în lupta împotriva dictatorului dominican Rafael Trujillo, care a condus țara oficial și neoficial din 1930 până în 1961. A patra soră, Dedé, a decis să nu ia parte la activitățile lor radicale. Și, dacă vreți cumva s-o criticați pentru asta, aveți grijă să trăiți mai întâi o vreme într-o dictatură brutală.

Trujillo, care avea o mustață stupidă de Hitler și un cap gras și rotund, a fost cadet în armată înainte să ajungă comandantul armatei dominicane, apoi președinte. SUA ocupaseră Republica Dominicană între 1916 și 1924 în numele „stabilității", așa cum au ocupat Irakul și Afganistanul și acum sunt foaaaarte stabile. Când Trujillo a ajuns președinte, în 1930, SUA îl plăceau pentru că nu era comunist și se gândeau că era, cum se zice, puternic și stabil. Cum arăta stabilitatea sub

Trujillo? Răpiri, dispariții, crime, violuri. Știți, toate chestiile alea stabile care sunt preferabile... cui? Ah, da, comunismului. Regimul lui Trujillo a fost groaznic pentru femei. Obișnuia să trimită „Căutători de frumuseți" prin țară ca să găsească femei pe care să le oblige să meargă la petrecerile lui sau, când nu îi ieșea cum voia, să le răpească. Fii atent, dacă-ți trimiți subordonații să-ți găsească femei, nu doar că faci ceva greșit, dar ești și un prădător sexual.

Într-o zi, a treia ca vârstâ și cea mai fioroasă dintre surorile Mirabal, Minerva, a fost descoperită și obligată să meargă împreună cu surorile ei la o petrecere cu Trujillo. Trujillo i-a făcut avansuri, iar ea l-a refuzat. Fiindcă făcea parte din școala de gândire care spune că, dacă ești vedetă, ți se trece cu vederea, Trujillo a continuat să se țină după ea. Și ea ce a făcut? Ei bine, legenda spune că l-a plesnit peste față. Și nu era orice față: era ca o bucată de șuncă veche, tăiată dintr-un porc care-și urăște viața. Era fața unui dictator care omora oameni pentru mult mai puțin.

Minerva și surorile ei au plecat în noaptea aia, dar Trujillo avea sa se răzbune ulterior, băgându-le tatăl la închisoare și torturându-l, apoi, timp de încă un deceniu, va căuta să se răzbune pentru ego-ul lui rănit. Făcuse din surorile Mirabal dușmanii lui pe viață.

Minerva și surorile ei avuseseră parte de o educație rezonabilă, de clasă mijlocie, li s-a permis chiar să meargă la universitate într-o vreme când așa ceva nu se făcea, fiindcă, știm cu toții, femeilor care merg la universitate le vin idei mărețe despre asasinarea dictatorilor și despre revoluții socialiste. Chestii foarte instabile, pentru care mai ales Minerva va avea un interes deosebit.

Când Minerva s-a întors la al doilea an de Drept după incidentul cu pălmuța de la petrecere, a aflat că nu mai avea voie la ore decât dacă ținea un discurs despre cât de măreț era Trujillo - genul de chestie meschină la care numai un bărbat care arată ca o șosetă murdară și uzată s-ar preta. Până la urmă i s-a permis să-și termine cursurile, dar nu i s-a permis să practice avocatura. Altădată, pe când Minerva și mama ei stăteau la un hotel, au fost închise în cameră și li s-a spus că nu au voie să mai plece până ce Minerva nu se culcă cu Trujillo. Ați auzit vreodată ceva mai patetic? Dar presupun că te aștepți la asta de la un bărbat cu personalitate de nevăstuică nervoasă și excitată. Minerva și mama ei au evadat.

Minerva se cam săturase, așa că a pornit, normal, o mișcare ca să-l dea jos pe dictator. Maria Teresa și soțul ei s-au alăturat rapid, la fel și Patria, după ce a văzut masacrul din 14 iunie, când expatriații dominicani au încercat să se întoarcă pe insulă și să preia puterea, dar au fost uciși. Patria, care avea sentimente amestecate despre activitățile surorilor sale mai mici, a știut atunci că trebuia să facă orice ca să elibereze țara. „Nu ne putem lăsa copiii să crească în acest regim corupt și tiranic", a spus ea într-o cuvântare celebră. „Trebuie să luptăm împotriva lui și sunt dispusă să renunț la orice, inclusiv la viață, dacă e nevoie."

Femeile și-au numit acțiunea „Mișcarea de la 14 iunie", în memoria masacrului, iar numele de cod al surorilor era Las Mariposas – „Fluturii". Se adunau cu toatele la masa din casa Patriei și planificau acțiuni de sabotaj, precum și asasinarea lui Trujillo cu o bombă, la un târg de vite unde acesta urma să participe.

Undeva pe parcurs cineva a fost șarpe și le-a pârât la autorități. Surorile au fost arestate și băgate la închisoare. Dar pentru Trujillo, nu dădea bine să le țină așa, până la urmă nu erau decât simple soții și mame, așa că, în timp, le-a dat drumul, dar i-a păstrat pe soții lor. I-a mutat într-o închisoare din pustietate, ca să le atragă în capcană. La finalul lui 1960, în drum să-și vadă soții, mașina femeilor a fost oprită, iar ele au fost bătute până la moarte. Cadavrele le-au fost așezate la loc în mașină, iar aceasta a fost împinsă de pe o stâncă, astfel încât să pară un accident. Dar oamenii nu erau proști. Dintre toate crimele comise de Trujillo timp de decenii întregi, aceasta a stârnit opinia publică împotriva lui și i-a pecetluit soarta. Nici măcar SUA nu-l mai plăceau pe Trujillo, oricât de stabil ar fi fost. Dar, să fie clar, nu a fost stabil deloc. Moartea Mariposelor a stârnit furia femeilor dominicane și, în mai 1961, Trujillo a fost asasinat în mașina lui, de către un grup de bărbați dominicani. Au făcut-o cu arme provenite de la și aprobate de CIA, când SUA se săturase, în sfârșit, să-i susțină regimul criminal.

Dedé, sora care a supraviețuit, a luat copiii surorilor ei și și-a petrecut restul vieții, până a decedat, în 2014, spunându-le povestea. În 1999, UN le-a comemorat declarând 25 noiembrie Ziua Internațională pentru Eliminarea Violenței Împotriva Femeilor. Unii dintre copiii celor patru surori fac parte acum din Guvernul Republicii Dominicane.

49

Mary Wollstonecraft

1759-1797

Sunt două lucruri de discutat când vine vorba de Mary Wollstonecraft: mintea ei filozofică extraordinară și faptul că și-a tras-o prin toată Europa. O să începem cu politica și cu filozofia, apoi trecem la chestiile despre sex, așa cum cere Dumnezeu.

Mary Wollstonecraft s-a născut în Spitalfields, Londra, în 1759. Provenea dintr-o familie de clasă mijlocie, dar tatăl ei teribil de abuziv a băut puținii bani ai familiei, lăsându-le pe Mary, pe mama ei și pe cei șase frați într-o situație precară. Mary era al doilea copil, iar fratele ei, Edward, era preferatul mamei, căruia i s-a permis să meargă la școală mai mulți ani decât lui Mary. Mary era deranjată de poziția privilegiată a fratelui, și pe drept cuvânt, din moment ce pe ea o certau pentru aceleași calități: „Asta e forța prejudecății: ceea ce numesc spirit și isteţime la el, la mine consideră că e o îndrăzneală ce trebuie reprimată crud." Părinți, nu reprimați cu cruzime isteţimea fiicelor voastre! Vă rog, nu faceți asta!

Mary și surorile ei au fost nevoite să meargă la muncă pentru a întreține familia, dar singurele ocupații accesibile pentru femei la vremea aia erau de căcat. Puteai fi învățătoare, puteai fi guvernantă, ca să crești gunoaiele de copii ai bogaților, sau puteai să coși. Și cam atât. Mary nu era deloc bună de guvernantă, nici de învățătoare, așa că, atunci când ea și surorile ei au deschis o școală de fete la Newington Green, Londra, n-a mers bine și au închis-o la scurt timp. Astăzi, pe locul școlii este un Pokéstop, deci iată măcar o veste bună.[1;2]

Revenind, mai era un mod prin care o femeie putea face bani în secolul al XVIII-lea: din scris. Mary și-a luat o slujbă la periodicul cu nume plicticos, *Analytical Review*, unde scria de toate, de la articole de călătorii la satiră sau politică. Și-a publicat prima carte în 1787, *Gânduri despre educația fiicelor (Thoughts on the Education of Daughters)*, și era atât de mulțumită de asta, încât i-a scris așa surorii ei într-o scrisoare: „Sper că nu ai uitat că sunt Autoare." (Sunt destul de sigură că numai pentru lauda asta de sine merită să scrii o carte.) Până în anii 1790, ajunsese cea mai cunoscută scriitoare politică din Europa. A ajuns faimoasă rapid, după o replică aspră dată scriitorului conservator Edmund Burke referitor la cartea sa, *Reflecții despre*

---

[1] Salutare, locuitori din viitor ai Pământului. Dacă, după propoziția asta, vă întrebați ce e un Pokéstop, vă rog înțelegeți că, pentru o scurtă perioadă, în vara lui 2016, a existat un joc numit PokémonGo, la care lumea ținea extrem de mult. Și, în acest joc, un Pokéstope este locul unde poți aduna chestii pentru misiunea ta, ca să prinzi creaturile numite Pokémoni, totul într-o realitate augmentată, suprapusă lumii reale. După câteva luni, însă, oamenii s-au plictisit, așa cum se plictisesc de toate, și și-au abandonat Pokémonul în vidul cyberspațiului, acolo unde merg să moară toate aplicațiile mofturoase. Aceste Pokéstopuri nefolosite, ca școala lui Mary, marchează acum acest univers mort, plin de morminte, milioane de creaturi pierdute care se ofilesc și expiră, abandonate de stăpânii lor odinioară devotați. Totuși, Mary era destul de gotică, cred că i-ar fi plăcut.

[2] OK, practic, nu era gotică în sensul de literatură gotică, care poate fi văzută exact ca o reacție la acest gen de „rațiune" pentru care Mary era faimoasă. Dar, cu certitudine, *emo* tot era.

revoluția franceză (Reflections on the Revolution in France). Ea critica apologia aristocrației franceze, cu care dăduse de pământ în volumul *În apărarea drepturilor omului (Vindication of the Rights of Men)*. Era o aprigă apărătoare a Revoluției Franceze, cel puțin în anii de început, înainte ca revoluția s-o ia pe arătură cu decapitările. Mary a surprins cu mult optimism spiritul vremii: „Rațiunea și-a arătat, în sfârșit, frumosul chip... Și va fi imposibil pentru mâna întunecată a despotismului să-i mai ascundă strălucirea." Deodată, Mary era mult mai mult decât fondatoarea unui Pokéstop: era unul dintre cei mai importanți filozofi, într-o perioadă ticsită de filozofi importanți.

Adunați-vă și spuneți odată cu mine: FEMEILE AU FOST ACOLO ÎN ISTORIE! AU FĂCUT LUCRURILE PE CARE LE FĂCEAU ȘI BĂRBAȚII! ELE AU INVENTAT LUMEA! Nu există niciun motiv pentru care să nu învățăm despre Mary Wollstonecraft așa cum învățăm la liceu despre Jean-Jacques Rousseau și Thomas Paine și toți ceilalți iluminiști nasoi care erau prietenii și contemporanii ei, ale căror nume le-am tocit înainte de examene și apoi le-am uitat. Ar fi trebuit s-o avem de memorat pentru ca apoi s-o uităm și pe Mary Wollstonecraft. Și ea merită să le fie predată plictisiților de 17 ani care nu se gândesc decât cum să și-o tragă unii altora, dar măcar ar rămâne cu o vagă amintire a numelui ei. Pentru că asta e educația. Asta și-ar fi dorit Mary, dar nu, sigur că nu învățăm copiii că femeile pot fi și chiar au fost figuri intelectuale importante. Fetelor le pot veni idei și pot crede că și ele sunt incredibil de deștepte. Ar fi haos total.

Cea mai importantă carte a lui Mary e, fără îndoială, *În apărarea drepturilor femeii*[1]. Gânditorii iluminiști se gândeau

---

[1] Ed. rom. Mary Wollstonecraft, *În apărarea drepturilor femeii*, traducere de Adina Cocea, Ed. Herald, București, 2017 (n. ed.).

numai la apărarea lucrurilor. „Femeile civilizate din acest secol, cu câteva excepții, vor cu disperare doar să inspire iubire, deși ar trebui să nutrească o ambiție mai nobilă și să impună respect prin capacitățile și virtuțile lor." Mary Wollstonecraft nu ar fi fost fana televiziunii cu reality show-uri din secolul XXI. Doar dacă ar fi vreo emisiune în care femeile se bat în virtuți intelectuale și, în loc să câștige un bărbat musculos pe nume Brooks, ar câștiga un post de profesor. S-ar putea numi, să zicem, *Burlăcița de Arte*.

În apărarea drepturilor femeii a fost bestseller internațional, iar soțiile gentlemenilor și-o pasau de la una la alta și îi dezbăteau ideile că, hei!, poate femeile sunt și ele oameni, iar dacă par „slabe și amărâte" o fi pentru că așa le face societatea. Dar nu toate femeile erau fane ale criticii de gen făcute de Mary. O scriitoare evanghelică, Hannah More, explica într-o scrisoare de ce nu a citit-o: „E ceva fantastic și absurd chiar în titlu... Nu există animal mai îndatorat să fie subordonat prin bună purtare decât femeia". Bine așa, Hannah!

Alți detractori deplângeau felul în care arăta Mary, fiindcă, așa cum știm, felul în care îți faci părul spune despre tine dacă ești un scriitor bun sau nu. Mary purta haine simple, nu din cele la modă, și își lăsa părul liber pe umeri, iar pentru asta au numit-o unii „filozoafa șleampătă", ceea ce azi ar fi un nume grozav de utilizator Tumblr.

Mary ținea cel mai mult la egalitatea pentru toți, nu doar între sexe, ci și între clasele sociale. Odată cu declinul sistemului feudal și cu ascensiunea capitalismului în Anglia, Mary avertiza asupra „tiraniei bunăstării, care e chiar mai exasperantă și mai perversă decât cea a rangului".

Unele dintre cele mai înțepătoare jigniri din cariera ei au fost îndreptate către Rousseau, a cărui filozofie a rațiunii o admira, dar ale cărui idei despre femei nu i le putea tolera. Rousseau credea că femeile erau înclinate natural spre servitudine și născute „ca să se supună bărbatului și să suporte nedreptatea din mâna lui". Trebuia numai să ne uităm la jucăriile copiilor, pe care desigur că și le-au ales singurei, fără vreun indiciu de la societatea din jur despre ce ar trebui să le placă, ca să vedem ordinea naturală a lucrurilor: „Băieții vor mișcare, zgomot, tobe, mașini; fetele preferă lucrurile frumoase, care pot fi folosite pentru costumare: oglizi, bijuterii, lucruri fine, mai ales păpuși. Păpușa e jucăria specială a fetelor; asta arată aplecarea naturală către munca vieții ei." Da, exact de asta fetele ajung mame și băieții ajung toboșari.

Tot el sugera, cu magnifica lui rațiune, că femeile trebuie educate numai cât să poată îngriji bărbații acasă și, poate, cine știe, să facă o minimă conversație la cină. Altfel, ele trebuie să se bazeze exclusiv pe strălucirea soților. „Ca să argumentez în stilul lui Rousseau", răspundea Mary, „dacă bărbatul ajunge la un anumit nivel de perfecțiune a minții atunci când trupul îi ajunge la maturitate, poate ar trebui, pentru ca un bărbat și o femeie să fie ca unul, ca ea să se bazeze numai pe înțelegerea lui; iar grațioasa iederă care se agață de stejarul care o susține va forma o gaură în care puterea și frumusețea lumii să fie egal de evidente. Dar, din păcate, soții și prietenii lor sunt deseori ca niște copii mari; nu, grație unei depravări timpurii, rari sunt bărbații maturi, iar dacă orbii conduc alți orbi, nu trebuie să se coboare cineva din Ceruri să ne spună care va fi rezultatul..." Asta era o jignire extrem de usturătoare pentru cercurile iluministe de secol XVIII.

MDA, A VENIT MOMENTUL PENTRU SEX!

Ați auzit deja că Mary Wollstonecraft era o „filozoafă șleampătă". Se pare că era și destul de libertină – cel puțin după standardele clasei de mijloc engleze de secol XVIII. Serios, marele scandal din jurul ei era că a avut ceva de genul trei iubiți în total și poate o iubită, deci noi, boarfele moderne, cum am putea s-o judecăm?

Prima mare iubire a lui Mary a fost Henry Fuseli, care are nume de paste, dar a fost un bărbat. Un bărbat însurat, nici mai mult, nici mai puțin. S-au cunoscut în 1788. El era pictor și scriitor, ceea ce ar fi trebuit să fie un mare semnal de alarmă, dar Mary a fost îndrăgostită nebunește de el, trei ani. Neputând să mai trăiască fără Henry, Mary i-a cerut soției lui, Sophia, să locuiască cu ei și să fie „soția lui spirituală". Sophie, uf, n-a vrut, așa că Mary s-a mutat în Franța singură, așa cum face oricine cu inima frântă, și și-a făcut prieteni radicali.

Revoluția Franceză era în plină desfășurare, erau anii distractivi când se umpleau închisorile, nu chiar anii tulburi plini de ghilotinări. Mary l-a cunoscut pe căpitanul american Gilbert Imlay, s-a îndrăgostit din nou și a rămas cu burta la gură. Pe măsură ce lucrurile ajungeau tot mai ghilotinoase, însă, Gilbert a plecat din Franța „cu afaceri" și a lăsat-o pe Mary, acum gravidă, să se descurce singură. A născut, și-a numit copilul Fanny (*lol*) și i-a scris cu mândrie prietenei sale că „Fetița mea începe să sugă așa de BĂRBĂTOS, că tatăl ei o și vede scriind partea a doua din *Drepturile femeii*." Mișto zis.

Deși toată treaba cu lăsatul singură când era gravidă ar fi trebuit să fie alt semnal de alarmă, inima știe ce vrea, iar inima lui Mary îl voia tot pe căcănarul ăsta de Gilbert. Acesta a trimis-o într-o călătorie în Scandinavia, ca să rezolve niște drame de familie pentru el, iar ea s-a dus bucuroasă, dar, când s-a întors la el, la Londra, l-a găsit cu altă amantă. Nu mai avea ce să facă decât să se arunce de pe un pod în Tamisa, dar, din fericire, a fost salvată.

Al dracu' Gilbert! Măcar lui Mary i-a ieșit din asta o operă literară minunată, *O scurtă rezidență în Suedia, Norvegia și Danemarca (A Short Residence in Sweden, Norway, and Denmark)*, o colecție de scrisori ficționale în care își detalia suferința și disperarea. Până la urmă, Mary își va găsi egalul în William Godwin, filozof și istoric. S-au întâlnit la o cină și s-au certat rău de tot

despre religie. La cinci ani de la acea întâlnire tensionată, Mary
s-a înființat cu tupeu la el acasă, ca să discute despre un roman
de Rousseau. Au devenit amanți, și-au scris scrisori erotice, care
erau în mare parte despre cum roșeau și probabil prea înecate în
aluzii și metafore ca să excite cititorii de secol XXI. Dar pentru
ei a funcționat, iar Mary a rămas din nou gravidă. S-au căsăto-
rit, șocându-și toți prietenii, care nici nu știau că ea nu se
căsătorise cu Gilbert ăla care făcea umbră Pământului degeaba.

Cei doi erau cum nu se poate mai fericiți, se bucurau de
compania celuilalt, se jucau cu primul copil al lui Mary și se
angajau în dispute intelectuale sau orice îi făcea să roșească
așa de des. Totul s-a terminat prea repede, însă, pentru
că Mary a născut și a murit de la o infecție. William a fost
devastat și i-a scris unui prieten: „Nu mă mai aștept câtuși de
puțin să mai cunosc fericirea vreodată." Ce bine ar fi fost dacă
s-ar fi găsit unul pe altul mai devreme ca să aibă mai mult
timp, în locul anilor pierduți cu Gilbert! Ce bine ar fi fost
dacă îngrijirea femeilor nu ar fi fost de căcat, atunci și acum!

După moartea ei, William i-a publicat memoriile lui
Mary, inclusiv chestiile scandaloase despre sexualitatea ei
~emancipată~. De îndată ce puritanii au pus mâna pe ele,
s-au folosit de libertatea ei sexuală ca dovadă că sufragetele,
avocatele drepturilor femeilor și femeile, în general, erau
niște târfe. Așa că Mary a fost dată la o parte de către
activiștii pentru drepturile femeilor mai conservatori din
secolul al XIX-lea, cărora *cei trei iubiți în total* li se păreau
prea scandaloși. Dar, în secolul al XX-lea, niște femei mai
curajoase au ridicat-o din nou la rang de eroină. Fiica lui
Mary Wollstonecraft, numită cu multă imaginație Mary
Wollstonecraft Godwin, a crescut și a scris *Frankenstein*, sub
numele ei de căsătorie, Mary Shelley. Ce păcat că cele două
Mary nu s-au cunoscut niciodată cu adevărat!

50

Ida B. Wells-Barnett

1862-1931

*C*hestia cu Ida B. Wells e că a făcut nu una, două sau trei fapte mărețe în cei 68 de ani de viață, ci vreun miliard. Fiecare dintre aceste un miliard de realizări ar fi trebuit să fie de ajuns ca să-i asigure faimă și glorie eterne, și totuși, nici în ziua de azi jurnaliștii din America nu au tatuate cuvintele IDA BELL WELLS-BARNETT pe tot corpul, așa cum ar trebui. Deci putem spune din nou că o femeie genială nu a avut parte de reputația meritată în istorie.

Ida Wells s-a născut în 1862, în Mississippi. Părinții ei, James și Elizabeth Wells, și-au câștigat libertatea după Războiul Civil și s-au implicat în politica republicană din Sudul emancipat. (Țineți minte că, în acel moment din istoria SUA, Partidul Republican era interesat de reconstruirea Sudului și de extinderea drepturilor foștilor sclavi. Nu ca în ziua de azi, când se concentrează pe înarmarea fetușilor.)

Imediat după Războiul Civil a venit o vreme extrem de promițătoare pentru negri din Sud, care, deodată, s-au trezit în centrul vieții politice, reprezentând majoritatea votanților. Cu mare energie, oamenii liberi precum părinții Idei au început să facă eforturi pentru a-și lua în primire rolul de cetățeni deplini, după secole în care li se negase însăși umanitatea, darămite dreptul de vot. Părinții Idei au făcut campanii pentru ca negrii să fie aleși în posturi publice și și-au încurajat cei opt copii să profite la maximum de educație. Mai târziu, Ida avea să spună că datoria lor de copii „era să mergem la școală și să învățăm tot ce puteam".

Datoria Idei avea să se complice în 1878, când și-a pierdut părinții și un frate din cauza febrei galbene. Familia extinsă plănuia să separe frații și să o dea la orfelinat pe una dintre surorile ei, Eugenia, care era paralizată de scolioză, dar Ida a spus că părinții lor „s-ar întoarce în mormânt dacă ar ști cum le sunt împrăștiați copiii". Așa că, la 16 ani, o vârstă la care singura grijă a unei fete ar trebui să fie cum să-și ascundă coșurile de băiatul care-i place, Ida și-a asumat responsabilitatea să aibă grijă de toți.

A mințit despre câți ani are ca să primească o slujbă la o școală, la vreo zece kilometri de casă, dar, după câțiva ani de program obositor cu naveta, a decis să se mute cu familia la Memphis, Tennessee, unde a continuat să lucreze ca învățătoare.

În 1884, viața Idei se va schimba pentru totdeauna. Călătorea într-un vagon pentru doamne, cu trenul de la Memphis la Woodstock, Tennessee, cum făcuse de multe alte ori. Taxatorul a venit la ea și a rugat-o să plece din vagonul care era plin de femei albe și să se așeze într-un vagon mai prost. Ida a refuzat. El a încercat s-o forțeze, așa că ea a făcut ce trebuia și l-a mușcat de mână. Taxatorul a fugit ca să aducă ajutoare. Până la urmă, a fost nevoie de trei bărbați adulți ca s-o scoată pe Ida din vagon, în timp ce restul pasagerilor ovaționau.

Sigur că Ida a fost scandalizată de incident, dar ce a făcut mai departe e dincolo de orice imaginație: a decis să dea în judecată compania feroviară. Și, stupefiant, a câștigat. Era în extaz și a scris despre experiența ei într-o publicație baptistă numită *Calea vieții* în care le cerea negrilor să se lupte pentru drepturile garantate de legile din epoca Reconstrucției, pentru ca astfel să le cimenteze. Era prima sa intrare în lumea jurnalismului activist, dar nu avea să fie și ultima.

Pe măsură ce treceau anii de la finalul Reconstrucției, albii au început să lupte tot mai aprig împotriva progreselor negrilor din Sud. Printre tacticile lor se numărau fraude electorale pe față, găsirea de noi metode „legale" ca să-i priveze de drepturi, instituirea segregării și linșarea celor care, pretindeau ei, comiteau crime. În 1883, cu un an înainte de incidentul pe tren al Idei, Curtea Supremă a SUA a anulat Legea Drepturilor Civile din 1875, care garanta, printre alte protecții, tratamentul egal al afro-americanilor în spații publice printre care și transportul în comun. Schimbând această lege Curtea Supremă spunea că cetățenii privați, afacerile sau organizațiile PUTEAU discrimina după rasă.

Cazul Idei a fost primul exemplu de persoană de culoare care contesta această decizie fiindcă fusese discriminată de o companie de transport. Faptul că a câștigat amenința legalitatea segregării în sfera privată, așa încât Curtea Supremă din Tennessee a intervenit și i-a anulat victoria la o judecătorie mai mică. Ida a fost răvășită. Asta era o dovadă clară că nu va exista niciun fel de justiție pentru oamenii de culoare din Sud. Nu mai putea avea încredere în sistem.

Dar lupta Idei nu se terminase. Și-a dublat implicarea ca jurnalist activist și a început să scrie un editorial săptămânal pentru *Calea Vieții*, sub pseudonimul Iola. Scrierile ei politice extrem de curajoase au ajuns atât de populare încât erau preluate de aproape două sute de publicații conduse de oameni de culoare din toată țara. Poate că a pierdut procesul, dar a ajuns să aibă acum o platformă de opinie.

„Are mult curaj", scria unul dintre editorii Idei. „E deșteaptă ca o capcană de oțel și n-are chef de șmecherii." A nu avea chef de șmecherii cred că e echivalentul anilor 1880 pentru a nu da o ceapă degerată. În același timp, editorii bărbați de la *Washington Bee* o descriau astfel: „o pedantă remarcabilă și talentată, de un metru jumate, destul de bine proporționată și cu un discurs bun". Ceea ce presupun că, pentru anii 1880, echivalează cu a spune că era o bunăciune. Ida le avea pe toate: destul de bine proporționată și fără chef de șmecherii. De asemenea, părea să aibă o resursă de energie inepuizabilă, pe care avea s-o folosească până la ultima picătură ca să lupte pentru drepturile oamenilor de culoare și ale femeilor.

În timp ce se agrava reacția albilor împotriva Reconstrucției, creștea și notorietatea Idei ca jurnalistă, dar asta nu însemna că nu mai întâmpina niciun obstacol. Un expozeu al școlii segregate din Memphis avea să ducă la concedierea ei ca învățătoare de către Consiliul pentru Educație din Tennessee. Din nou, a fost devastată, dar s-a ridicat de jos și a dedicat mai mult timp jurnalismului. A început să fie invitată să țină conferințe și discursuri în toată țara, devenind o figură importantă pentru circuitul drepturilor femeilor și câștigând prestigiu național pentru scrierile ei despre rasă.

Ida înțelegea bine potențialul jurnalismului de a duce la schimbări politice. Munca ei n-a avut niciodată un impact mai mare ca în 1890 când a cercetat, denunțat și analizat fenomenul linșajului în creștere din Sud. S-a decis să se ocupe de asta când trei prieteni i-au fost linșați brutal, în 1889. Un grup de proprietari de magazine albi atacaseră magazinul negrilor, supărați că le luau clienții. Bătaia s-a sfârșit cu mulți bărbați albi răniți. Prietenii Idei au fost arestați și, înainte să fie judecați, o mulțime de albi au dat buzna în pușcărie, i-au luat, i-au torturat și bătut, apoi i-au spânzurat.

Îndurerată și furibundă, Ida a scris în presa de culoare că negri trebuie să plece din Memphis, un oraș în care viața lor nu valora nimic. Mii dintre ei i-au urmat sfatul, slăbind economia locală. Totodată, Ida a organizat un boicot eficient al transportului în comun din oraș. Pentru că, atunci când Ida spunea ceva, ceilalți o urmau.

A început apoi să se documenteze pentru cel mai ambițios proiect al ei. A călătorit prin tot Sudul și a cercetat 728 de linșaje din deceniul anterior. Așa a înțeles că linșajul era o formă de control social. Lucrarea ei a provocat o furtună, dovedind că cele mai multe „crime" pentru care fuseseră linșați negri, mai ales acuzația că ar fi violat femei albe, erau inventate. „Cu cât studiam mai mult situația, cu atât eram mai convinsă că sudistul nu a depășit niciodată supărarea că negrul nu mai e jucăria și sursa lui de venit."

Ida călătorea când s-a publicat articolul despre linșaj și a aflat că sediul ziarului a fost distrus într-un incendiu. A primit amenințări că avea să fie așteptată la gara din Memphis dacă încerca să se întoarcă. Știa că nu mai putea reveni în Sud, așa că a rămas unde era, la New York. În 1892, a câștigat sprijinul a două sute cincizeci de femei de culoare cu statut social, care s-au strâns pentru un eveniment caritabil la New York's Lyric Hall ca să strângă fonduri pentru publicarea lucrării ei despre linșaj – o broșură cu titlul *Ororile Sudului: Legea linșajului în toate fazele ei. (Southern Horrors: Lynch Law in All its Phases.)* Printre acele femei se număra și Frances E.W. Harper, despre care veți citi mai departe.

Chiar și după toate astea – amenințări cu moartea, omorârea prietenilor săi, trauma alienării de o țară care, pentru o vreme, în anii 1870, păruse atât de promițătoare

pentru familia ei și pentru toți oamenii de culoare liberi –,
Ida B. Wells, fiind Ida B. Wells, a mers mai departe. S-a dus
la Londra și a format prima societate engleză anti-linșaj.
Făcea de râs SUA în presa internațională pentru tratamen-
tul aplicat oamenilor de culoare și a transformat linșajul
din ceva ce sudiștii albi puteau „justifica" drept retribuție
pentru crime imaginare în ceva dezbătut internațional,
public și foarte politizat. Un articol de opinie din
The New York Times o denunța ca pe „o minte defăimătoare
și nesimțită" pentru criticarea Statelor Unite. Sigur că da,
New York Times.

Totodată, Ida a organizat acțiuni pentru alegători în
Chicago, nefiindu-i frică să se murdărească pe mâini. Pleda
pentru drepturile negrilor din Arkansas, care fuseseră
încarcerați pentru revoltă în timpul unei greve, și a reușit să-i
elibereze. A co-fondat National Association for the Advan-
cement of Colored People, NAACP, care funcționează și azi.
L-a cunoscut chiar și pe președintele McKinley și i-a spus că
e un nenorocit. Cu fix aceste cuvinte.

În 1895, Ida s-a căsătorit cu Ferdinand L. Barnett, un
avocat cu aceeași mare dragoste pentru inițiale de mijloc
puternice, și a devenit Ida B. Wells-Barnett. A fost printre
primele femei din țară care și-au păstrat numele de fată după
căsătorie – chestie pentru care femeile și-o iau până în ziua
de azi, deci imaginați-vă ce tupeu era acum un secol. Se pare
că prietena ei, reformatoarea pentru drepturile femeilor
Susan B. Anthony, a judecat-o că s-a căsătorit, spunând că
mariajul îi va lua din timpul dedicat activismului. Dar se pare
că Idei nu-i păsa prea tare de temerile lui Susan B. Anthony.

Ida B. Wells a făcut foarte multe la viața ei. A avut victo-
rii nemaivăzute, dar a trecut și prin tragedii și înfrângeri
crunte. Însă nu a renunțat niciodată. Niciodată nu a zis, pur

și simplu: „Gata, am terminat" și nu s-a așezat pe covor cu
ochii în tavan. Mă rog, poate a mai făcut și asta, dar momen-
tele de acest gen nu intră în biografii. Și, dacă s-a întâmplat
uneori ca Ida să se simtă incapabilă să meargă mai departe,
s-a remontat mereu și s-a întors la treabă.

51

Frances Ellen Watkins Harper

1825-1911

rances Elizabeth Watkins Harper era bună la aproape tot ce făcea. Născută în 1825, în Baltimore, din părinți liberi, s-a aflat mereu de partea dreaptă a istoriei și, pentru asta, scrierile și poezia ei ar trebui predate la orice școală din America. Poate cineva să aranjeze asta? Minunat.

Frances a ajuns orfană devreme și a fost crescută de mătușa și de unchiul ei, educatorul și aboliționistul William Frances, care i-a insuflat un profund sentiment al dreptății pe care l-a purtat în inimă toată viața. A publicat prima carte de poezie în 1845, numită *Frunze de pădure (Forest Leaves)*. În 1854, a publicat altă carte de poezie, cu un titlu mai puțin isteț, dar destul de potrivit: *Poeme pe subiecte diverse (Poems on Miscellaneous Subjects)*. A fost un bestseller și a transformat-o într-o celebritate.

Unul dintre cele mai cunoscute poeme este „Îngroapă-mă într-un pământ liber", din 1858, și începe așa:

Fă-mi mormânt oriunde vrei,

Pe o câmpie sau pe un deal;

Fă-l printre cele mai umile morminte,

Dar nu într-un pământ unde oamenii sunt sclavi.

Bun, e momentul pentru un adevăr șocant. În secolul al XIX-lea și după el, sufragete albe importante, precum Susan B. Anthony și Elizabeth Cady Stanton, se luptau ca să obțină drept de vot pentru femei, dar, pentru asta, recurgeau la mizerii rasiste. În ciuda acestui fapt, Frances a reușit să ajungă pe poziții importante în organizații de sufragete dominate de femei albe, precum Asociația Națională pentru Dreptul de Vot al Femeilor.[1]

Tensiunile legate de rasă au ajuns la un punct culminant în dezbaterile despre votarea celui de-al 15-lea Amendament la Constituție, care ar fi extins dreptul de vot și pentru bărbații de culoare. Stanton, Anthony și majoritatea femeilor albe sufragete se opuneau oferirii de drepturi altor bărbați fără să obțină și votul pentru femei.

Aceste sufragete albe spuneau că aveau destulă maturitate și, deci, meritau dreptul de vot pentru că erau mai dezvoltate evoluționist decât toți oamenii de culoare. O teorie populară în biologia și în științele sociale ale vremii spunea că dezvoltarea oamenilor de la tinerețe la maturitate oglindea avansul speciei ca întreg. Teoria postula că bărbații albi ajung la maturitate și independență (deci la dreptul de vot) la 21 de ani, în timp ce femeile albe și toți oamenii de culoare nu ajungeau niciodată la acest grad de maturitate evoluționistă.

---

[1] Apropo, Frances credea cu tărie în prohibiția alcoolului și era o membră de vază a Uniunii Femeilor Creștine pentru Abstinență. Așa că puneți deoparte paharul vostru rece și răcoritor, dacă cumva vă bucurați de unul acum, așa cum fac eu.

În loc să considere că oricine credea în teoria asta era un idiot total și incurabil, sufragetele albe ca Stanton și Anthony argumentau că, în această linie de gândire, femeile albe erau totuși la fel de evoluate ca bărbații albi și mult mai evoluate decât toți oamenii de culoare.

Frances, pe de altă parte, respingea teoria și spunea că toți oamenii, conform principiilor democratice și creștine, erau cu adevărat egali și meritau drepturi egale. Frances nu voia să abandoneze oamenii de culoare și să pună în pericol trecerea celui de-al 15-lea Amendament, de dragul unei ideologii rasiste care ar da mai multă putere femeilor albe. „Când era vorba de rasă", scria Frances, „abandonam problema secundară a sexului slab". În schimb, îi critica și pe bărbații de culoare care pledau pentru propriile drepturi și se aliau cu bărbații albi în detrimentul femeilor de culoare. „Nu e nicio onoare să dai mâna politic cu oameni care biciuiesc femei și le fură copiii", a scris în *Anglo-African Magazine* în 1859.

Dezbaterea din jurul celui de-al 15-lea Amendament a dus la o ruptură în Asociația Americană pentru Drepturi Egale, în care Frances era membru fondator și care avea drept obiectiv să obțină dreptul de vot pentru toți oamenii de culoare și pentru femei. Harper și aliatele ei vor fonda Asociația Americană pentru Drepturile Femeilor, iar Stanton și Anthony vor fonda Asociația Națională pentru Drepturile Femeilor.

Iată un citat din Frances pe care toată lumea e bine să-l aibă în mânecă atunci când aude prostii rasiste sau sexyste – ceea ce este iminent, pentru că lumea e rea: „Toți suntem legați unii de alții în marele mănunchi al umanității, iar societatea nu-i poate călca în picioare pe cei mai slabi și mai vulnerabili membri ai săi fără să aducă un blestem asupra propriului suflet."

Profunda credință a lui Frances Harper în egalitatea tuturor oamenilor, indiferent de rasă, de clasă sau de sex, era ceva revoluționar la acel moment. În zilele noastre, egalitatea dintre oameni e, din fericire, evidentă pentru cei mai mulți oameni. Mai puțin poate pentru unchi decrepiți de pe la reuniuni de familie, ultimul segment demografic care să accepte vreo idee nouă. Data viitoare când vă confruntați cu vreun unchi decrepit, amintiți-vă de Frances și, orice ați face, încercați să rămâneți de partea bună a istoriei.

52

Ethel Payne

1911-1991

*E*thel Payne s-a născut în 1911 și a crescut la Chicago, visând să ajungă scriitoare. A urmat cursurile serale ale școlii de jurnalism de la Northwestern și, în 1948, s-a angajat ca animatoare la un club pentru soldați americani din Japonia. A ținut un jurnal cu observațiile ei despre experiența soldaților de culoare într-o armată segregată – generalul Douglas MacArthur ignorase un ordin executiv de la președintele Harry Truman, care ceruse desegregarea forțelor armate. Ethel i-a arătat unui reporter de la *Chicago Defender* textele pe care le scria din Japonia. Cei doi au scris împreună un articol despre infanteriștii de culoare și, când Ethel s-a întors în SUA, a fost angajată de *Defender*, al cărui motto era foarte la obiect: „Prejudecata de rasă în America trebuie distrusă".

Ethel a lucrat de la Washington, drept corespondent pentru *Defender*, între 1950 și 1960, ajungând cunoscută drept „Prima Doamnă a presei de culoare", scriind din prima linie a mișcării pentru drepturi civile. Fiind unul din numai trei reporteri de culoare cu acreditare la Casa Albă, Ethel a avut ocazia să le pună direct întrebări dificile președinților, pe teme de drepturi civile, și își plănuia cu atenție întrebările, astfel încât aceștia să nu le poată evita. Odată, l-a întrebat pe președintele Eisenhower dacă intenționa să interzică segregarea în transportul interstatal, lucru care ar fi stat în puterea guvernului federal. După cum vă puteți imagina, Eisenhower nu a fost mulțumit de întrebare, iar răspunsul lui de bărbat-bebeluș a ajuns știre națională: „Zici că trebuie să ai sprijin administrativ", a zis el supărat. „Administrația încearcă să facă ce crede că e decent și just în țara asta, fără scopul de a sprijini în mod special vreun grup anume." A fost un moment *all lives matter*[1] tipic pentru anii 1950 și președintele a fost extrem de criticat pentru el. Eisenhower, care luptase în războaie dar se temea de o reporteră de culoare, pur și simplu nu a mai chemat-o niciodată. Secretarul de presă chiar a încercat să-i revoce acreditarea și să găsească niște noroi despre ea. Nu avea ce – singura ei problemă era că întreba niște rasiști cât de rasiști erau. Întrebările ei directe și neîncetate pe teme „sensibile" i-au adus, desigur, reputația de „reporteriță agresivă", ceea ce e interesant, având în vedere că atunci când jurnaliștii albi pun întrebări directe înseamnă că „sunt bun la ceea ce fac" și sunt răsplătiți cu whisky și cu promovări.

Ethel Payne a fost prima femeie de culoare care a comentat la televiziunea și radioul naționale, iar Kissinger a numit-o „femeia aia care mă face praf pe CBS". Pe parcursul carierei sale a călătorit în toate colțurile lumii; a făcut reportaje despre trupele de bărbați de culoare din Războiul din Vietnam; i-a intervievat pe Nelson Mandela, Martin Luther King Jr. și JFK. Era reporter, dar Ethel se dedica în întregime ideii că scopul ei ca jurnalist era profund legat de activism, așa cum a explicat într-un interviu dat cu câțiva ani înainte să moară și citat

---

[1] Slogan folosit în SUA pentru criticile aduse mișcării Black Lives Matter (n. tr.).

într-un articol din *Washington Post* din 2011, „Ethel Payne, «Prima Doamnă» a presei de culoare punea întrebările de care toți fugeau":

Îmi mențin credința fermă și nestrămutată că presa de culoare e o presă de propagandă și că eu, ca parte din acea presă, nu-mi pot permite luxul să fiu neutră... Când ajungem la chestiuni care îi afectează pe ai mei, mă declar vinovată, deoarece cred că eu sunt un instrument al schimbării.

Femei care purtau pantaloni și aveau hobby-uri groaznice

53

Annie Smith Peck

1850-1935

Ştiinţa spune că există o mică, dar importantă parte din creier care instruieşte explicit fiinţa umană să fie terifiată de margini de prăpastie, stânci ascuţite, pante abrupte de gheaţă, alunecoase şi aproape verticale, crevase zimţate sau furtuni mortale. Este ceva ce a asigurat supravieţuirea speciei noastre.

Lui Annie Smith Peck, însă, pare că-i lipsea această parte a creierului, aşa că a ajuns celebră la sfârşitul secolului al XIX-lea şi începutul secolului XX pentru că se căţăra pe munţi cu înălţimi mortale, îi râdea morţii în faţa îngheţată şi alte ~chestii de fete~.

Născută la Provence, în Rhode Island, în 1850, într-o familie destul de elegantă, tânăra Annie şi-a petrecut primii ani studiind cu acribie clasicii, pupându-se cu iubitul ei de vis Will (salutări calde lui Will) şi fiind o fană obsedată a tinerei sufragete Anna E. Dickinson, care făcea tururi prin ţară ţinând conferinţe despre cum femeile chiar sunt bune la multe lucruri.

Până la urmă, Annie a vrut să meargă la universitate, ca fraţii ei mai mari. Din păcate, însă, erau anii 1870, o vreme când marii domni ai cunoașterii și ai științei credeau cu tărie, în felul lor logic și rațional, că educația superioară pentru femei putea duce la infertilitate și morți precoce. O carte foarte populară, din 1873, scrisă de Edward H. Clarke, un profesor de la Harvard cu puță cică mare și importantă, spunea că femeilor care merg la universitate „li se închid deschiderile uterine pentru sânge, ținând otrava înăuntru și apoi lasă să se scurgă viața din ele". Scuze, fetele, dar e știință, cică.

Dacă Annie nu ar fi fost femeie, ci o ființă cu o logică înaltă, poate că ar fi urmat sfaturi înțelepte și importante venite de la un puță-friptă. Însă ea a perseverat, în ciuda amenințărilor bărbaților atât de învățați, și i-a scris președintelui universității din Michigan, care, din 1870, începuse să primească femei, ba chiar să le trateze ca pe egali. A fost acceptată și s-a distrat studiind clasicii.

După universitate Annie a fost din nou avertizată de pericolele la care se expune o ~lady~ dacă se tot mută prin țară după posturi de predare, mai ales dacă pleacă în Europa să-și continue studiile, ceea ce ea își dorea foarte tare. Mama ei îi spusese că o tânără care călătorește singură în Europa poate părea o târfă, dar Annie a răspuns: „Am trăit destul ca să depășesc ideea că acțiunile mele trebuie să satisfacă numeroșii mei prieteni și cunoștințe." Mâzgăliți asta peste un apus și postați pe Instagram, prieteni.

Să trecem acum la munții ucigași.

Fiind o persoană căreia îi plăcea în aer liber, Annie a prins gustul urcatului pe munte după ce a descoperit nu doar că era bună la asta, ci și că urcatul era excelent pentru *umorile* ei. A început să se cațere pe munți moderat de ucigași, precum Shasta din California sau Matterhorn din Germania. A stârnit interesul presei deoarece spera că-și va putea crește faima și trăi din conferințe după fiecare cățărare.

În respectivele conferințe, se adresa unei audiențe formate din doamne și domni șic, arătându-le poze din călătoriile ei și descriind priveliștile minunate din munți, precum și „abisurile de adâncime necunoscută unde o alunecare de doar câțiva centimetri poate însemna un adio priveliștilor plăcute de pe pământ".

Uite cum stă treaba. Toți avem punctele noastre forte. Annie putea urca pe munți periculoși cu mâinile și picioarele amorțite și aproape înghețate, își păstra calmul la altitudini tulburătoare și avansa constant, în ciuda iminenței unei morți teribile. Iar eu una pot să mă țin de la pipi chiar foarte mult timp.

Annie, mereu prima la PR, și-a făcut un renume așa de mare, încât media exagera uneori înălțimile munților pe care urca sau spunea că era prima femeie care reușea, deși nu era. (Încă niște exemple de *FAKE NEWS* despre care auzim atâtea în ultima vreme.) Annie nu făcea mereu eforturi mari să-i corecteze, preferând să-și crească notorietatea și, deci, eligibilitatea pentru turnee de conferințe. Puteți s-o judecați dacă vreți, dar aveți grijă mai întâi să urcați voi cel puțin 6 500 de metri pe gheață și pe zăpadă. Apoi aveți voie.

Normal, cățăratul pe munte era treabă de hândrălăi pe vremea lui Annie. Ca și acum, presupun. Pe parcursul carierei sale, Annie se va confrunta cu bărbați care se vor îndoi de reușitele ei sau le vor subestima. În vreme ce multe cluburi de cățărat sau societăți cu alte activități în aer liber includeau femei, altele, precum Clubul Alpin Britanic, nu primea femei, nici măcar unele cu mari realizări, ca Annie. „Mi s-a spus că prezența doamnelor le-ar strica cina", a scris Annie despre club. Ceea ce are sens. Prezența unei femei la masă ar duce inevitabil la isterie și la moartea prematură a tuturor, desigur.

Și mai șocant pentru sensibilitățile de secol XIX a fost un portret foarte popular cu Annie în costum de cățărat – purtând pantaloni ca o BOARFĂ DE RÂND. Această alegere vestimentară a făcut ceva vâlvă într-o vreme când femeile din America erau efectiv arestate dacă purtau pantaloni. Ceea ce, din nou, are sens. Imaginați-vă cum e să aflați că femeile au două picioare, nu unul singur, ca un trunchi de copac, ascuns de o fustă înfoiată. Da, totul avea sens în secolul al XIX-lea.

Cea mai faimoasă ascensiune a lui Annie a avut loc în 1908, când a ajuns pe vârful nordic al impozantului munte Huascarán din Peru, unde, împreună cu echipa ei, au atins recordul carierei sale, 6 654 metri (adică înălțimea la care trebuie să ajungi ca să ai voie s-o vorbești de rău pe Annie). Această altitudine i-a adus recordul de înălțime la bărbați și la femei din întreaga emisferă vestică. Și a reușit asta la primăvăratica vârstă de 58 de ani.

Annie și-a consemnat toate aventurile pe munte fără echipamentele de fițe pe care le folosesc tații când merg la camping o noapte. Printre rezervele pe care le avea după ea se numărau șosete de lână, o mască de lână cu o mustață desenată și batoane de ciocolată. A spus că ciocolata era absolut esențială pentru ascensiuni. Păi, nu-i așa, doamnelor?! Nu, serios, chiar e bună pentru răul de înălțime.

După reușita de la Huascarán, Annie s-a gândit o vreme să încerce să doboare recordul de altitudine mondial, dar o altă femeie avea să ajungă acolo înainte: Fanny Bullock Workman. Nu, nu e un nume inventat pe loc[1]. A fost odată ca niciodată, prin 1800, când doi părinți s-au uitat la fetița lor și și-au spus „Hei, arată ca o Fanny Bullock."

---

[1] Comicul involuntar al numelui vine din sensul informal al cuvintelor *fanny* (fofoloancă) și *bullock* (testicule) (n. tr.).

Paranteză: în 2011, prietena mea cea mai bună, Emily, și cu mine (bună, Emily!) am decis să nu le mai spunem altor femei curve. Acum, de câte ori suntem tentate să facem asta, luăm o pauză, tragem aer în piept, calm, și spunem: „Sigur e o drăguță." Fiindcă Emily citește cartea asta (să faci bine să citești cartea asta, Emily!) o să spun pur și simplu că Fanny Bullock Workman trebuie să fi fost o persoană minunată. Poate cea mai minunată. Fanny era cu zece ani mai tânără decât Annie și venea dintr-o familie mult mai bogată și cu relații mai bune. În timp ce Annie trebuia să se chinuie să strângă fonduri pentru fiecare călătorie, Fanny și soțul ei mergeau pe cele mai înalte vârfuri din lume cu cel mai bun echipament și cei mai buni ghizi. Auzind estimările lui Annie că ajunsese undeva între 6 700 și 7 300 pe Huascarán, Fanny s-a apucat să angajeze o echipă de ingineri care să „triangu-leze" (*idk*, folosiți matematica) înălțimea exactă a muntelui numai ca să demonstreze că ceea ce spunea Annie era *FAKE NEWS*. Fanny a cheltuit echivalentul a 300 000 de dolari ca să dovedească faptul că Annie nu era Regina Ascensiunii, ci că ea, drăguța de Fanny, era Regina.

Dar lui Fanny nu i-a ajuns să cheltuie sume enorme de bani ca să trianguleze munți. Nuu, Fanny asta era o nesătulă. Era de modă veche, pe stilul Regina George[1]. S-a apucat și să o vorbească de rău pe Annie în presă, în legătură cu felul în care arată și, desigur, cum poartă pantalonii ăia, ca o femeie ușoară. Un reporter a notat că Fanny „a sugerat cu un zâmbet subtil de dispreț că cea care a urcat pe Anzi (adică Annie a noastră) se cățăra invariabil în ștrampi". Fanny a adăugat: „Nu am simțit niciodată nevoia să mă dispensez de fustă." OK, Fanny, OK. Bine. Sunt sigură că erai o drăguță.

---

[1] Personaj antipatic din musicalul *Mean Girls* (n. red.).

Când Annie a aflat că Huascarán chiar erau mai joși decât munții Aconcagua – pe care Fanny urcase cu jegosul de bărbatu-său – răspunsul ei a fost rece ca gheața:

Mereu am sperat ca Huascarán să se dovedească cel mai înalt munte din lumea vestică, dar se pare că Aconcagua e mai înalt. Dar oricine se poate cățăra pe ăla. E ca o plimbare prin parc. Nu sunt stânci. Nu sunt ghețari.

După asta, Fanny a lăsat-o în pace.

Al doilea mare rival al lui Annie a fost Hiram Bingham, un bărbat elegant de la Yale, despre care se spune c-a fost inspirația pentru *Indiana Jones*. Hiram dezaproba femeile alpinste, mai ales femeile alpiniste de vârstă mijlocie în ștrampi, ca Annie, așa că a decis să o întreacă urcând un vârf mai înalt ca Huascarán, și anume Coropuna din Peru. Annie se gândea și ea tot la același munte. Așa cum urla titlul din *The New York Times*: „DOAMNA PECK CUCEREȘTE ÎNĂLȚIMILE: Huascarán nefiind cel mai înalt munte din Americi, îl va găsi pe cel mai înalt și va sta pe el."

Sigur că Hiram era prea orgolios să admită că se afla în competiție directă cu o femeie mai bătrână cu 25 de ani decât el. I-a scris așa soției: „Sigur că nu ne întrecem pentru Coropuna, dar ea așa crede, ceea ce e amuzant." Hahaha, da, foarte amuzant, dragă Hiram. Sunt sigură că erai un drăguț.

Annie și Hiram au plecat în grabă din New York spre Peru și au ajuns chiar pe același vapor, ceea ce a dus, cu siguranță, la o călătorie profund stânjenitoare. După o cursă prin America de Sud care probabil va inspira următoarele filme *Indiana Jones*, Annie și echipa ei au urcat primii muntele. Ea a pus un steag aproape de vârf pe care scria:

VOT PENTRU FEMEI. Putea la fel de bine să fi scris SUGE-O, HIRAM. Annie și-a petrecut ultimii ani implicată direct în mișcarea sufragetelor. Ca expertă cu experiență în relații pan-America, voia să fie diplomat în țările sud-americane, dar, normal, pe atunci femeile nu puteau fi diplomați. Din fericire pentru ea, la bătrânețe, a început să petreacă timp cu o gașcă de femei obraznice precum Amelia Earhart, care spune că Annie a fost inspirația ei. Earhart a scris despre Annie: „Nu fac decât să calc pe urmele celei care a făcut pionierat într-o vreme când era o dovadă de curaj numai să pui pe tine pantaloni bufanți când făceai alpinism."

Annie va face ascensiuni până la 82 de ani, apoi, după o viață întreagă de călătorii și explorări, trăind mereu după motto-ul că „acasă e unde mi-e hoitul", a murit la 84 de ani. Pe mormântul ei din Providence scrie: AI ADUS O GLORIE IEȘITĂ DIN COMUN FEMEILOR DIN TOATE TIMPURILE.

54

Jean Batten

1909-1982

*D*acă ați mers vreodată cu avionul, probabil știți că aparatele astea nu au niciun sens. Cum se ridică ele de pe sol? Cum știu încotro s-o ia? Cum rămân în aer? Sunt așa de grele... Iar astea sunt doar câteva dintre întrebările la care omenirea nu va putea răspunde niciodată.

Dar nimic din toate astea n-a deranjat-o pe Jean Batten, aviatoarea ultra-fermecătoare a anilor '30, din Noua Zeelandă, care a stabilit mai multe recorduri mondiale pentru zborurile ei solo pe distanțe lungi în jurul lumii. Jean s-a născut în Rotorua, Noua Zeelandă, în 1909. Era o muziciană și o balerină talentată, dar tot ce-și dorea, de fapt (ca toate adolescentele), era să piloteze avioane. Așa că s-a mutat cu mama ei la Londra ca să intre în Clubul Avioanelor, să învețe să zboare și să afle cum se face că avioanele rămân în aer.

Jean și mama ei se concentrau exclusiv pe scopul lor: Jean să atingă notorietatea internațională zburând peste oceane în cutiuțe de oțel, aflate mereu în pericol. Și să facă asta păstrând totodată o imagine plină de eleganță. Despre cam câtă eleganță vorbim? Ei bine, Jean își lua trusa de machiaj în micile avioane, ca să aibă mereu rujul pregătit pentru camere când ateriza după vreo ispravă eroică. Jean ar fi fost un fenomen pe Instagram în ziua de azi, iar mama ei ar fi fost mereu prima la comentarii.

Prima mare reușită a lui Jean a fost să bată recordul lui Amy Johnson, aviatoarea britanică, prima femeie care a zburat solo din Marea Britanie până în Australia. Jean voia să facă același lucru, dar mai rapid. La prima încercare a zburat direct într-o furtună de nisip și a început să se învârtă teribil, dar a reușit cumva să iasă și să aterizeze în siguranță undeva lângă Bagdad. Când s-a întors în aer, a luat-o de la capăt ca și când n-ar fi fost aproape să moară și a dat peste ALTĂ furtună de nisip, care, de data asta, a obligat-o să aterizeze în Belucistan, adică Pakistanul de azi. În acel moment, avionul ei era bucățele și motorul părea să fi cedat complet. S-a prăbușit lângă Karachi, dar a reușit să iasă la timp, cu machiajul impecabil, se zice.

Să vă spun ceva despre avioanele de la 1930: Jean zbura cu un avion numit Gipsy Moth. Dragii babei, ăsta nici măcar nu era complet ermetic! Ați fost vreodată pe autostradă și a trebuit să ridicați geamurile pentru că vântul era prea puternic? OK, imaginați-vă că pilotați prin mai multe furtuni de nisip fără acoperiș la avion, singuri, spre Australia. Și, în plus, fără vreun mod de a comunica cu cineva de la sol. Și, în plus, rujul să vă stea impecabil.

După prima încercare nereușită, în loc să decidă că solul era chiar drăguț, Jean s-a hotărât să mai încerce o dată. La a doua încercare, ignorând avertizările de a nu încerca să zboare contra unui vânt puternic deasupra Mării Mediterane, a rămas și fără benzină. Știa că era doar vina ei și a spus că în acel moment s-a gândit: „Un mormânt de ape e ceea ce merit." Dacă asta merita, nu asta a primit. A aterizat forțat în suburbiile Romei, fără să-și rupă măcar vreun os, și a găsit un gentleman italian și gentil, care i-a împrumutat o pereche de aripi ca să zboare înapoi la Londra.

Cu toate astea, Jean s-a gândit că i-ar plăcea mult să mai încerce o dată. Până la urmă, încă nu era suficient de faimoasă internațional. Așa că, în 1934, a reușit să zboare din Marea Britanie până în Australia trecând printr-un muson în Burma, în mai puțin de 15 zile – depășind deci recordul lui Amy cu patru zile și jumătate. Acum deținea recordul mondial și era un fenomen de presă. Știrea zilei în *Daily Express* era: „FATA CARE A ÎNTRECUT TOȚI BĂRBAȚII". Ca să mențină viu interesul presei și al sponsorilor, Amy a făcut tururi prin Australia și Noua Zeelandă cu o pisicuță pe nume Buddy.

Următoarea ispravă a lui Jean a fost să ajungă prima femeie care a zburat peste Atlanticul de Sud. Apoi, în 1936, a reușit în mod incredibil să facă primul zbor aproape direct din Marea Britanie până în Noua Zeelandă. Astăzi, un zbor Marea Britanie-Noua Zeelandă e cam prea lung, dar cel puțin apuci să vezi niște filme sau să frunzărești partea de cosmetice din catalogul duty-free. Jean, în schimb, trebuia să rămână absolut concentrată pe tot parcursul zborului acestuia dificil, dacă nu voia să cadă în gol spre moarte. Cel puțin, de data asta pilota un avion cu acoperiș.

Ultima parte spre Noua Zeelandă era cea mai periculoasă, și anume traversarea dintre Marea Tasmaniei, Australia și Noua Zeelandă. „Dacă pic în mare", spunea ea, „să nu zboare nimeni să mă caute". Era o traversare de 1 940 de kilometri, cu doar un ceas și o busolă ca să se ghideze. Totuși, era o navigatoare așa de bună că a reușit să aterizeze la 91 de metri de unde își propusese.

În concluzie, Jean Batten era o nebună care a scăpat de moarte din nou și din nou pilotând avioane minuscule prin furtuni periculoase, situație în care cei mai mulți dintre noi am face pe noi de frică. Însă Jean era o femeie prea fermecătoare ca să facă un lucru atât de nefermecător, cum e să faci pe tine de frică.

Și mai e un lucru pe care îl veți observa menționat despre Jean oriunde veți vedea sau veți citi ceva despre ea: dincolo de zborurile ei nebunești, solo, în avioane ca niște conserve, Jean Batten e faimoasă și pentru că a cucerit mulți bărbați, le-a luat banii ca să-și cumpere avioane, le-a prăbușit, le-a returnat bărbaților bucățelele de avioane, apoi i-a părăsit. Lucrul ăsta și faptul că a ajuns retrasă și a murit singură, fără să se mărite vreodată, sunt mereu finalurile – rușinoase – ale poveștilor despre viața ei. Criticii lui Jean vor puncta faptul că era prea vanitoasă, prea distantă și prea crudă cu bărbații care o iubiseră. Și că îi păsa totuși prea mult de rujul ei.

Un bărbat i-a dat economiile lui de-o viață, patru sute de lire, ca să-și cumpere primul avion. Voia s-o ia de nevastă și, în mod evident, credea că așa au căzut de acord, dar ea l-a refuzat. O scurtă notă pentru cititorii mei gentlemeni: dacă îi dați cuiva patru sute de lire ca să-și cumpere un avion, nu e obligatoriu să vă ia apoi de bărbat.

Jean iubea pilotajul. Iubea „drogul amețitor al vitezei, libertatea de a hoinări pe glob". Dacă ea voia să fie ținută minte și îndrăgită ca o legendă, eu propun să facem exact asta. Poate că e un argument deja obosit, dar sincer, oare istoria i-ar purta pică unui bărbat pentru vanitatea de a-și dori să fie o legendă? Am judeca un bărbat drept rece și am spune că merită să moară singur în loc să-l ținem minte ca un holtei romantic și enigmatic, dacă ar fi nefericit câteva iubite la 20 de ani?

Adevărul e că Jean s-a măritat o dată cu un coleg aviator pe nume Beverley Shepherd. Dar, într-o zi, avionul lui a dispărut. Jean s-a urcat în al ei și a plecat să-l caute, dar degeaba. Unele persoane din avion supraviețuiseră, dar nu și Beverley.

Jean își amintea că citea știrile: „Am cumpărat un ziar și m-am forțat să citesc. Era de parcă mi-aș fi înfipt singură un cuțit în inimă." Mai târziu, s-a îndrăgostit de un pilot RAF. A murit și el, în al Doilea Război Mondial, același război care i-a încheiat ei cariera de zbor.

Nu i se permite unei femei să fie rece după așa ceva? Sau femeile trebuie să continue să zâmbească până în groapă? Chiar și marile aventuriere trebuie domesticite, ca să câștige bunăvoința istoriei?

Stați, nu plecați! Veniți înapoi! Am terminat cu scandalul. Aproape. Ce vreau să spun e că, dacă Jean era nesimțită, hai s-o lăsăm să fie nesimțită. Nimănui nu-i pasă că Winston Churchill era un nenorocit. Atâția bărbați din istorie au fost probabil niște nenorociți, dar ne amintim de nesimțirea lor drept un mod de a nu le păsa de nimic, o repudiere romantică a convențiilor sociale care i-ar fi dat înapoi de la marile lor isprăvi.

OK, deci asta e Jean. I-ați auzit povestea și, dacă vreți s-o criticați că nu s-a măritat cu niscai bărbați care au luat decizii financiare proaste, vă rog să faceți asta după ce stabiliți un record mondial și reușiți să aterizați în timpul unei furtuni de nisip. Apoi, sunteți liberi să spuneți ce vreți.

55

Qutulun

cca. 1260–1306

*D*acă sunteți vreodată la o petrecere și începeți să vorbiți cu cineva necunoscut, poate cineva pe care vreți să-l impresionați, dar nu știți deloc ce să spuneți, îi puteți povesti despre Qutulun. Reacția lui vă va spune dacă merită o secundă în plus din timpul vostru.

Qutulun a fost o prințesă mongolă care a trăit între 1260 și 1306 și iată care era treaba cu ea: orice bărbat care voia s-o ia de nevastă trebuia mai întâi s-o învingă în luptă corp la corp. Dacă acesta câștiga, *YOLO*, Qutulun se căsătorea cu el. Dacă pierdea, trebuia să-i dăruiască fetei 100 de cai. Nu mai e nevoie să spun că, în ani de zile, această politică a lui Qutulun i-a adus herghelii nenumărate de cai încântători și că stepele mongole erau pline de resturile ego-urilor masculine făcute praf. Până la urmă, Qutulun a decis să se așeze la casa ei: deși evident că nimeni n-a învins-o în lupta corp la corp. La un moment dat, fetele rămân fără spațiu pentru cai, știi ce zic?

Ceea ce știm despre Qutulun vine în mare parte de la un tip care a inventat Excursia de Vară prin Asia cu Rucsacul în Spate după Facultate, apoi Lăudatul cu Asta pentru Restul Vieții: Marco Polo. El spunea că Qutulun „avea membrele așa de bine făcute și era așa de înaltă și de puternică, încât putea fi luată drept un gigant". Dar cât putem crede din povestea asta e greu de zis, pentru că știți bine cum sunt bărbații și poveștile lor de călătorie.

Qutulun era fiica lui Qaidu, care domnea peste Chagatai Khanate, o parte a Imperiului Mongol. În acele zile, reginele și prințesele mongole erau foarte active în politică și în bătălii, deși, ca femeie, Qutulun nu avea acces la tron. Totuși, ea a rămas foarte implicată în politică după moartea tatălui ei, ca sfătuitor și general al fratelui ei Orus, până când acesta a fost înfrânt și a început decăderea întregii familii.

Lăsând asta la o parte, nu-i așa că povestea lui Qutulun ar face o comedie romantică perfectă, în care Jennifer Aniston s-ar bate cu Ryan Gosling până la moartea lui, apoi ea ar pleca triumfătoare, călare pe armăsarii lui glorioși? „Se pare că doar asta o să călăresc în noaptea asta", spune Qutulun uitându-se spre camera de filmat, „acest armăsar fantastic". Apoi face cu ochiul și călărește spre apus.

Luați legătura cu mine, Hollywood! Am avut destule povești despre bărbați albi neimpresionanți care ies cu gagici superbe. Dați-ne un blockbuster cu o prințesă care face lupte corp la corp, vă rugăm!

56

Pancho Barnes

1901–1975

*P*ancho Barnes a fost un pilot cascador care bea mult, înjura de mamă, făcea multă dragoste, dobora avioane și, în timpul războiului, a avut un club în deșertul Mojave care poate a fost, poate n-a fost, focar de prostituție. Pancho s-a născut cu numele de Florence Leontime Lowe, în 1901, și a crescut într-un conac de treizeci și două de camere din sudul Californiei, copleșită de bogăție și privilegii sociale. Ce fac oamenii cu treizeci și două de camere? Mai cunosc alți treizeci și doi de oameni? Sau cele mai multe sunt pline de cutii cu eseuri vechi de la școală pe care nu le aruncă pentru că „cine știe"?

Orice ar fi făcut în alea treizeci și două de camere, Pancho prefera să-și petreacă timpul pe-afară, călărind, apoi învățând să piloteze avioane, ceea ce știm că e ambiția adevărată a oricărei fetițe. Bunicul ei era inventator și unul dintre fondatorii California Institute of Technology, cunoscut azi drept CalTech, un loc unde studenții merg luându-și adio de la soare pentru totdeauna, se retrag în laboratoarele lor și se transformă în oameni-cârtiță în numele științei. Pancho nu a fost niciodată suficient de „Florence" și porecla vine de când un prieten a greșit numele tovarășului lui Don Quijote, Sancho. Oricum, Pancho a rămas.

Pancho trebuia să fie o fată bună, religioasă, de societate, așa că a fost măritată cu un soț ca o cârpă udă, reverendul C. Rankin Barnes. În noaptea nunții, au încercat ceva, după care bunul reverend a anunțat: „Nu-mi place sexul. Mă angoasează. Nu văd care-i treaba cu el. N-o să mai facem." Și asta a fost tot. Din fericire, însă, zilele sexuale ale lui Pancho nu se terminaseră, fiindcă a avut o serie de amanți și de aventuri sălbatice prin toată zona Los Angelesului. Toate au fost grozave, mai puțin aia cu tipul care i-a furat avionul.

Când Pancho a învățat să zboare, instructorul i-a spus: „Am avut alte treizeci și trei de eleve până acum și niciuna nu a zburat solo", adică fără instructor lângă ele, gata să preia controlul dacă lucrurile o luau în jos la propriu. „Am fost puțin descurajat", spunea el, „dar, dacă vrei să înveți, presupun că va trebui să încerc."

Pancho i-a dovedit ratatului că se înșela și nu doar că a învățat repede să zboare solo, chestie despre care spunea că a fost „unul dintre marile momente din viața mea", ci a ajuns pilot cascador pentru Hollywood în anii 1930, pentru filme precum *Hells Angels*. A început ca dublură în industria filmului, apoi a fost asistentă de scenarist și îngrijitoare de animale; își închiria caii pe care îi învățase să fugă pe lângă trenuri în timp ce cowboy-ii le săreau în spate. De fapt, Pancho însăși a fost dublură din când în când pentru actorii-cowboy lași. (Dacă e să fim cinstiți, probabil că nici eu n-aș vrea să sar dintr-un tren în mișcare pe un cal.) În același an, Pancho a înființat Asociația Piloților din Filme, primul sindicat dedicat profesiei sale, pe care l-a făcut pentru că o enerva cât de puțin erau plătiți ea și ceilalți piloți cascadori ca să-și rațe viețile la filmări.

Pancho a zburat prin tot sud-vestul și în Mexic, unde era plătită cu zece dolari pe zbor dacă lua aventurieri și îi plimba puțin. Odată, ca să scoată din minți un instructor care venise s-o verifice în timpul zborului pentru carnetul de pilot, Pancho a oprit motorul în mijlocul zborului ca să-l sperie și să-i demonstreze că are cunoștințe de zbor mult mai avansate decât ale lui. A ajuns repede faimoasă ca „lady pilot" – ceea ce e ca și cum ai fi pilot, dar nu ești bărbat. A participat la competiții de zbor pentru femei, inclusiv prima cursă pentru femei din 1929, denumită Derby-ul Pufului de Pudră. A concurat cu Amelia Earhart, care i-a ajuns rivală după ce Pancho a numit-o pilot „marginal", în cartea ei. În 1930, Pancho a bătut recordul de viteză în aer al Ameliei. Femeile sunt femei, mereu una împotriva celeilalte, geloase pe vitezele altora de zbor.

Pancho a dat de dificultăți în timpul Marii Depresiuni din anii 1930, ca mai toată lumea. A cumpărat o proprietate în deșertul Mojave și a deschis acolo un club care a ajuns cunoscut ca Happy Bottom Riding Club. În timpul celui de-al Doilea Război Mondial, colegii piloți ai lui Pancho și amicii ei de la Hollywood veneau în deșert, unde lăsau la o parte rangul și ierarhia militară și se relaxau, în timp ce Pancho le servea alcool. Odată, după ce a auzit că veneau agenții federali după ea, Pancho a îngropat o grămadă de alcool de contrabandă din Mexic în deșert, iar o furtună de nisip a ascuns locul pentru totdeauna. Vești bune pentru oricine locuiește pe lângă deșertul Mojave și are nevoie de o scuză pentru o căutare de comori.

Totodată, Pancho le punea la dispoziție clienților clubului tinere starlete aspirante de la Hollywood, ceea ce i-a adus acuzația că, de fapt, ținea un bordel. A răspuns punând următorul anunț în club:

NU SUNTEM RESPONSABILI PENTRU
NEBUNIILE CARE SE POT PETRECE AICI.
TUTUROR NE PLAC NEBUNIILE,
DAR E TREABA FIECĂRUIA ȘI E UNA
FOARTE VECHE.

Alt critic al ei, Bill Bridgeman, a spus în cartea lui că locul
era condus de o „femeie extrem de urâtă și de bătrână".
Conform biografiei *Doamna care l-a domesticit pe Pegas (The
Lady Who Tamed Pegasus)*, ea i-ar fi dat un răspuns usturător:
„Urâtă pot să accept, dar extrem de urâtă e prea mult. Îl prind
eu pe nenorocitul ăla când îmi scriu cartea. Problema cu Bill e
că se ținea mereu după una dintre fetele mele și nu putea s-o
prindă. M-a rugat să-l ajut și să pun o vorbă bună, ca să zic așa.
I-am zis că e un bărbat în toată firea și că n-ar trebui să aibă
nevoie de ajutor când aleargă după fete. S-a supărat foarte tare
și, de atunci, e tot supărat." Totuși, Pancho a rămas *chill* și a
admis că: „Bill e un pilot al dracu' de bun și, după ce o să-l
mușc bine de tot de cur pentru ce-a zis, o să râdem de toate și
totul va fi bine." Se pare că a mai zis și asta despre criticii care-i
țineau lecții de morală referitor la clubul ei: „Ne distrăm mai
bine într-un weekend decât ratații ăia în toată viața lor."

De altfel, Pancho era destul de relaxată în tot ce făcea.
Odată, a candidat pentru un post în Consiliul Local din LA,
o cursă pe care a pierdut-o, deși, în după-amiaza alegerilor, își
scrisese numele pe cer. Ce voiau mai mult de la un candidat?
Despre oponentul ei, Burron Fitts, a spus: „Îl tachinam pe Burron
pentru că roșea așa de ușor."[1] Dar nu a deranjat-o prea tare

---

[1] Trebuie să readucem în viața noastră cuvântul „a tachina". Puteți
face un efort să aruncați cuvântul ăsta în conversații cel puțin o dată pe
săptămână? Mulțumesc.

că a pierdut, a spus că nu lua nimic prea în serios, cu atât mai puțin politica. Poate că intrase în cursă numai ca să-și scrie numele pe cer.

Liderii militari nu erau prea fericiți că exista Happy Bottom Club, așa că, până la urmă, autoritățile au încercat să preia terenul pentru o bază aeriană. Pancho avea să ducă o lungă bătălie la tribunal ca să conteste încercarea lor, ceea ce a devenit parte din „Lupta pentru Mojave", dar, în mod misterios, clubul a ars complet înainte ca ea să câștige. Nu a fost niciodată reconstruit, iar terenul aparține azi Bazei Aeriene Edwards – ceea ce, dacă ne gândim mai bine, poate face căutarea alcoolului de contrabandă mai dificilă.

57

Julie D'Aubigny

1670/1673-1707

Julie D'Aubigny a trăit în secolul al XVII-lea, în Franța, iar printre interesele ei se numărau trecerea bărbaților prin sabie și aventurile cu bărbați și femei sexy, probabil nu toate în același timp.

Tatăl ei a fost secretarul unui membru important al curții lui Louis al XIV-lea, contele d'Armagnac, care se ocupa de caii regelui. Dacă se ocupa totodată și de oamenii regelui sau să-l repare pe Hopa Mitică[1] nu se știe. Istoria e plină de pedofili, așa că, atunci când tânăra Julie avea 13 sau 15 ani, a ajuns amanta lui Armagnac, ceea ce e scârbos.

Julie a fost educată de tutori regali, deci a primit o educație neobișnuită pentru o fată de statutul ei. Știm că tatălui îi plăceau săbiile și femeile, dar identitatea mamei sale s-a pierdut în istorie. Pasiunea pentru săbii (ca și cea pentru femei, așa cum vom vedea) a trecut și la Julie, iar tatăl ei a insistat ca fata să învețe scrima, pentru autoprotecție sau

---

[1] O glumă cu trimitere la un cântec de leagăn: *All the king's horses and all the king's men. Couldn't put Humpty together again* („Toți caii regelui și toți oamenii regelui/Nu puteau să-l repare pe Hopa Mitică") (n. tr.).

poate doar fiindcă era mișto. Julie e descrisă ca având o perso-
nalitate aprigă, așa cum se spune de obicei despre femeile care
pur și simplu au personalitate.

După vreo doi ani de scârboșenii, Armagnac i-a găsit lui
Julie o cârpă de bărbat, Jean Maupin, al cărui nume de familie
va fi, mai târziu, numele ei de scenă, La Maupin. Dar Julie nu
avea de gând să stea cuminte în căminul familial. Cam la cinci
minute după căsătorie, s-a îndrăgostit de un spadasin,
Henri de Seranne, care a dus-o pe sus la Marsilia, unde spunea
că avea o proprietate. Însă, odată ajunși la Marsilia, sau poate
chiar pe drum, Henri s-a întors spre ea și i-a spus: „Hei, gagico,
știi când am zis că am o proprietate la Marsilia? Voiam să
spun că de fapt NU am o proprietate la Marsilia." Doamne-
lor, dacă bărbatul vă spune că are o proprietate la Marsilia,
verificați de două ori înainte să luați bilete de avion!

Deci, în loc să se bucure de o viață liniștită de proprie-
tari, cei doi s-au apucat de muncă, dând spectacole de scrimă
și concerte pentru bani. Adesea, Julie se îmbrăca în bărbat,
pentru că era mai practic, dar și pentru că arăta *super*. Odată,
la un spectacol de scrimă, un lacheu din mulțime a strigat
că el e sigur că Julie e bărbat, că nu are cum să fie femeie.
Povestea spune că Julie i-a dovedit că se înșela arătându-și
imediat decolteul. Uneori trebuie să faci orice poți ca să
închizi gura unui bărbat.

Norocul celor doi s-a schimbat când au fost acceptați la
Academia de Muzică din Marsilia, ceea ce i-a propulsat de
la lumea teatrului de ocazie la lumea muzicienilor și artiștilor
oficiali, pe care bogații dădeau bani ca să-i vadă. Julia, însă,
va da cu piciorul acestei oportunități ca să fugă după fustele
unei tinere numite Cecilia Bortigal, care probabil că venea
din Bortugalia. Părinții Ceciliei au observat temători curtea
pe care i-o făcea Julie prețioasei lor Cecilica, așa că au

trimis-o la mănăstire ca s-o protejeze de ea însăși și de amenințarea lesbianismului. Dar și-au luat-o în bot, pentru că mănăstirile sunt *pline* de femei.

Hotărâtă s-o salveze pe frumoasa ei Cecilia, Julie s-a dus la mănăstire și a spus că vrea cu adevărat să fie călugăriță. Că îl iubea pe Isus și toate alea. Că voia să se mărite cu el și că, mdap, de-aia era acolo. Odată ajunsă înăuntru, Julie a plănuit o EVADARE NEBUNEASCĂ, în care trebuia să ducă TRUPUL MORT al unei CĂLUGĂRIȚE DECEDATE RECENT în camera Ceciliei, apoi să ÎI DEA FOC, pentru ca toată lumea să creadă că Cecilia murise. Și apoi, să fugă în lume, peste zidurile mănăstirii, triumfătoare că sunt împreună până se vor plictisi și se vor despărți. Să arzi un cadavru și să evadezi dintr-o mănăstire e ceva ce cu greu poate fi depășit când vine vorba de o relație normală. Planul lor a fost descoperit, iar Julie a fost acuzată de toate crimele odioase de care avusese nevoie pentru evadare.

Așa că fata a fost pe fugă o vreme, nevrând să fie acuzată pentru Incidentul cu Arderea unei Călugărițe, și a stat ascunsă în mai multe orașe din Franța. Însă versiunea ei de a sta ascunsă presupunea cântări, scrimă și încăierări. Odată, pe lângă Tours, s-a bătut cu trei bărbați într-o tavernă, iar pe unul l-a înjunghiat în umăr. N-are nimic, că au ajuns amanți după asta.

Într-un final, Julie a vrut să se întoarcă la Paris. Din fericire, vechiul ei amic pedo, Armagnac, care era prieten cu regele, a aranjat să fie achitată. Grație unor pedo sus-puși, Julie s-a întors la Paris și a obținut o audiție la Opera din Paris alături de iubitul de atunci, Gabril-Vincent Thervenard. Când el a fost acceptat, a spus că nu vine decât dacă o iau și pe prietena lui sexy, ciudată, cu sabie. Așa că au intrat amândoi și astfel a început ascensiunea ei în lumea operei.

Să ne oprim puțin și să ne gândim la viețile noastre plicticoase. Da. Uau. OK, să continuăm.

Personalitatea *focoasă* a lui Julie s-a manifestat în continuare în anii ei de faimă și aventuri erotice. Odată, a fost asaltată de un tenor din compania de operă care se credea mare căcat. Ca să regleze scorul, a ieșit noaptea îmbrăcată în bărbat și l-a provocat la duel, pe care l-a câștigat, așa că s-a ales cu ceasul și cu tabachera lui. El nu a recunoscut-o, ceea ce e destul de ridicol, oricât de bărbătești i-ar fi fost hainele, iar a doua zi, la muncă, a spus că fusese amenințat de o gașcă de bărbați periculoși. Și atunci Julie i-a zis: „Surpriză, boule!." Și a scos ceasul și tabachera.

Dar cel mai spectaculos duel al lui Julie a avut loc la balul de la Palais-Royal, în 1696. Îmbrăcată, ca de obicei, ca un bărbat la patru ace, Julie se legăna pe lângă o tânără marchiză, poate chiar o săruta, când trei pretendenți ai tinerei au venit să-i apere onoarea și au provocat-o pe Julie la duel. Iar ea le-a zis: „OK, ne vedem afară, *LOL*", după care, grațios, i-a rănit sau chiar i-a omorât pe galanții pretendenți ai marchizei. Apoi s-a întors agale la bal și le-a strigat tuturor: „Hei, cineva să le cheme un doctor cretinilor", apoi s-a dus la Bruxelles și a stat liniștită o perioadă. Uneori, trebuie să te sustragi dintr-o situație prea fierbinte până se mai răcoresc lucrurile.

Julie a petrecut câțiva ani culcându-se cu diverși prin toată Europa, mai ceva ca un copil de bani gata în anul de după facultate, până a trecut destul timp de la incidentul de la bal ca să se întoarcă liniștită la Paris și pe scenă, în 1698. Faima nu-i scăzuse absolut deloc, ba chiar atinsese noi culmi. A primit 41 de roluri și a jucat pentru rege și toată nobilimea. Când vreun bărbat le vorbea de rău pe celelalte artiste, Julie își trecea spada prin el. Era o prietenă bună.

Lucrurile mergeau foarte bine, când s-a îndrăgostit din nou. De data asta, de marchiza de Florensac. Au fost fericite împreună câțiva ani, până când aceasta a murit pe neașteptate, iar Julie a fost devastată. Era așa de nefericită după moartea marchizei, că s-a retras de pe scenă spre o viață, oricât de neașteptat sună, de rugăciune și remușcare.

A murit câțiva ani mai târziu, în 1707, la 37 de ani. Probabil că atunci, în sfârșit, s-au simțit în siguranță toți bărbații pe care îi găurise de-a lungul vremii.

58

Lilian Bland

1878-1971

Sunt o mulțime de doamne în paginile astea care s-au bucurat de plăcerea eternă de a zbura în avioane mici și periculoase, deci trebuie să ne oprim și să o recunoaștem pe cea care se pare că ar fi fost prima femeie care a zburat vreodată, Lilian Bland.

Lilian s-a născut în Kent, în 1878, dar, când avea 20 de ani, s-a dus să locuiască cu tatăl ei văduv în Carnmoney, acum parte din Irlanda de Nord. Avionul pe care și l-a construit singură se numea Efemeroptera și era cam la fel de delicat ca musculița care-i dă numele. Când a reușit să-l ridice de pe sol, a ajuns până la nouă metri în aer și a zburat o jumătate de kilometru, înainte să rămână fără gaz și să aterizeze. Asta poate că nu pare cine știe ce pentru noi, cei de pe sol, dar cu siguranță e mai sus decât am reuși să ne ridicăm cu un avion construit cu mâinile noastre.[1]

Lilian a prins gustul morții sigure când a zburat ca pasager cu iubitul ei pilot, care nu o lăsa să preia comanda, ceea ce e

---

[1] Doar dacă nu cumva chiar știți să faceți asta. Și, dacă da, fantastic! Bine, așa. Hai să fim prieteni.

un mare semnal de alarmă, doamnelor! Apoi l-a rugat pe pilotul Louis Bleriot, care zburase peste Canal, din Franța în Anglia, să-i fie pasager o vreme. Și el a spus nu, așa că Lilian a înțeles că, dacă voia să se azvârle în aer către siguranța unei accidentări teribile, trebuia s-o facă singură, și s-a apucat să-și construiască Efemeroptera, în 1909. La început, era doar un planor fără alimentare, apoi a instalat un motor de 20 de cai putere, care nu par destui pentru a ridica o fată spre cer. Fiindcă întârzia să ajungă rezervorul de petrol, și-a improvizat unul dintr-o sticlă de whisky și a folosit trompeta acustică a mătușii sale surde ca să canalizeze lichidul.

Ce o face minunată pe Lilian Bland nu sunt numai zborurile ei de pionierat, ci și modul în care nu dădea absolut doi bani pe nimic în viața ei de zi cu zi. S-a născut într-o familie înstărită, așa cum se cuvine, să fim serioși, dacă vrei să te apuci de hobby-ul de prăbușit avioane doar pentru distracție. Dar nu era nici pe departe vreo lady elegantă. Lilian purta pantaloni – ÎNCĂ UNA! DAR SUNAȚI LA POLIȚIE ODATĂ! –, trăgea cu pușca, fuma, practica artele marțiale, bea, juca jocuri de noroc, călărea, dar NU ca doamnele, într-o parte pe șa, și se delecta cu câte o înjurătură din când în când.

Tatăl ei era așa de speriat de zborurile ei că, așa cum fac tații de un anumit statut, s-a oferit să-i cumpere o mașină. Din păcate pentru el, era și o șoferiță nesăbuită. A ajuns să fie comerciant de mașini pentru Ford, precum și fotograf și jurnalistă, ceea ce e mișto, dar nu la fel de mișto ca pilotarea avioanelor.

Până la urmă, s-a mutat în Canada cu soțul ei, care îi era și văr, pentru că de ce să nu rămână în familie? A murit la 92 de ani, în 1971, o vârstă surprinzător de înaintată pentru cineva care nu dădea doi bani pe nimic.

59

Lotfia Elnadi

1907-2002

*D*a, știu că sunt o mulțime de fete care pilotează avioane în paginile astea, dar eu tot nu pot să înțeleg cum de avioanele stau în aer și sunt super impresionată de femeile care nu numai că și-au dat seama cum se face, dar au reușit asta singure. Deci, iată încă una.

Lotfia Elnadi s-a născut la Cairo, în 1907. Când era tânără, a citit despre școala de pilotaj locală și a știut că asta era pentru ea. A învățat să zboare în numai 67 de zile, și-a plătit taxele lucrând ca secretară pentru școală și a ajuns prima femeie cu carnet de pilot din Africa și din Orientul Mijlociu. Tatăl ei a înnebunit la început, căci ea îi spusese că merge la un grup de studiu, de două ori pe săptămână – scuza clasică folosită de majoritatea ca să meargă să se mozolească cu iubiții și iubitele –, când, de fapt, ea mergea la școala de piloți. Dar i-a trecut repede, când a văzut ce faimă internațională căpătase.

Pe la 80 de ani, Lotfia a dat un interviu pentru revista de aviație *Ninety-Nine News: Magazine of the International Women Pilots*, în care a vorbit despre primul ei zbor solo, din 1933, extrem de mediatizat, care s-a petrecut într-un efemeropter, adică un biplan deschis: „Nu doar că am dat câteva ture pe deasupra piramidelor din deșertul Egiptului, dar m-am băgat și printre ele. Chiar mă dădeam mare, nu-i așa?" Uite ce e, oricine ar ști să facă asta ar fi chiar idiot să nu se dea mare. Și, din fericire, era un pilot foarte talentat, pentru că ar fi fost foarte jenant să dai chix în cel mai important loc din țara ta.

„Aveam un așa sentiment de libertate totală", explica Lotfia. „Efemeropterul cu carlinga deschisă însemna că vântul îmi zbura pe față. Zburam din pură plăcere", spunea ea – la fel cum zboară oamenii azi cu Ryanair: din pură plăcere. Prima persoană pe care a luat-o cu ea în zbor a fost tatăl ei. După zbor, el a spus că „fusese înspăimântat, dar apoi a decis că e pe mâinile fiicei sale", își amintește Lotfia. „Știa că, dacă ne prăbușeam, ne prăbușeam împreună, așa că s-a relaxat și s-a bucurat de zbor." Sigur, e reconfortant într-un fel. Poate?

Lotfia a ajuns o celebritate națională, a zburat peste toată țara și în susul și în josul Nilului. Odată, a trebuit să aterizeze forțat în mijlocul deșertului, din cauza unei defecțiuni la motor. A fost găsită de niște beduini, care au dus-o pe un măgar să caute ajutor. Până la urmă, a trebuit să renunțe la pilotat din cauza unei răni, dar nu înainte să câștige medalii și onoruri drept Prima Doamnă a cerurilor egiptene.

Da, au fost mulți piloți printre femeile din cartea asta. Dar e ceva deosebit de seducător în acest simbolism: luptau împotriva sexysmului și a stereotipurilor ca să aibă posibilitatea să zboare la propriu de pe fața acestui iad și să-și ia viețile în mâini.

Doamnelor, trebuie să învățăm toate să zburăm, înainte să ajungem independente. Ne vedem la școala de pilotaj – spuneți-le părinților că mergeți la un „grup de studiu", funcționează de fiecare dată!

Femei care s-au luptat cu imperii și cu rasiști

60

Regina Nanny
a cimarrón-ilor

cca. 1686–1755

*U*neori e greu să afli prea multe despre viața unei femei de
acum sute de ani, mai ales când referințele istorice despre
ea sunt scrise de rasiști pe care i-a bătut de nu s-au văzut. Așa
e și cu regina Nanny a *cimarrón*-ilor Windward. Cele mai multe
referințe scrise despre viața acestui incredibil lider jamaican
vin de la soldații coloniali britanici cu care ea s-a luptat la
începutul secolului al XVIII-lea. Dar există destulă istorie
orală care se adaugă cronicilor britanice nesigure, așa că putem
afla mai multe despre minunata regină Nanny.

Jamaica a fost colonizată de spanioli în 1509, la scurt timp
după „descoperirea" ei, în 1494, de unul dintre cei mai nenorociți
bărbați din istorie, Cristofor Columb. La 150 de ani de la
venirea lui, poporul aborigen arawak fusese aproape exterminat
de colonizatori, care, între timp, începuseră să aducă pe insulă
sclavi din Africa de Vest. Când britanicii au invadat Jamaica
pentru a o lua de la spanioli în 1655, cei mai mulți spanioli au
plecat spre Cuba și alte părți, dezamăgiți că insula nu avea aur.
Între cele două puteri coloniale, poporul pus în lanțuri

de spanioli a evadat spre libertate în munții și pădurile din Jamaica. „Maroon"[1] e un cuvânt folosit prima oară de britanici, în 1730, ca să descrie aceste comunități de sclavi liberi evadați.

Cimarrón-ii liberi au supraviețuit trăind din bogățiile insulei, dar și din atacurile asupra plantațiilor britanicilor, care veniseră în Jamaica pentru plăcuta experiență colonială a sclaviei și exploatării, dar nu au avut parte decât de nopți în care li se furau armele, mâncarea și vitele. Prezența cimarrón-ilor a inspirat și a incitat la revolte și dezertări de pe uriașele și brutalele plantații de zahăr; nimic nu instiga la revolta sclavilor mai mult decât succesul altor revolte de pe plantațiile vecine. Cei scăpați li se alăturau cimarrón-ilor, așa încât comunitatea lor creștea.

Oficialii britanici scriau întruna în Anglia că lucrurile nu mergeau bine deloc și că cimarrón-ii „se dovedeau ca niște spini și pietre în coastele noastre". Un guvernator britanic, D'Oyley, care era un om alunecos (v-ați prins?), a încercat să-i facă pe cimarrón-i să renunțe la raidurile lor, oferindu-le 20 de acri de persoană (pe pământul pe care deja îl locuiau), precum și libertatea (pe care și-o obținuseră singuri). Unii coloniști albi pur și simplu au părăsit insula de tot, însă majoritatea au rămas și au adus sute de mii de alți sclavi în Jamaica, timp de aproape încă un secol.

Însă comunitatea cimarrón-ilor Windward, care trăiau pe partea estică a insulei, a reușit să rămână liberă și s-a luptat cu britanicii – Marea Britanie este acum o țară irelevantă, dar, la acel moment, era cea mai puternică din lume – timp de 83 de ani. Regina Nanny a fost unul dintre cei mai importanți lideri militari și politici ai lor.

---

[1] Cuvânt derivat din originalul spaniol cimarrón, care înseamnă „sălbatic, neîmblânzit" (n. red.).

Nanny s-a născut în anii 1680, în Imperiul Asante, Ghana de azi, și a fost probabil transportată în Jamaica drept om liber sau a ajuns liberă la scurt timp după sosire. Se pare că un soldat britanic, căpitanul Philip Thicknesse, un grăsuț, a întâlnit-o și a zis că purta o ghirlandă de cuțite la brâu, „dintre care sunt sigur că multe au fost trecute prin carne și sânge de om". Oare era chiar ea? Nu e clar. Totodată a numit-o și „scorpie bătrână", deci probabil că soldatul nu e de încredere când vine vorba de femei. Oricum, realizările lui Nanny au rămas în istoria orală, în vreme ce de Thicknesse nu știm nimic.

În primul rând, ca tactician militar, Nanny și-a instruit luptătorii să folosească *abengul*, un corn de vacă. Folosind un cod secret, *cimarrón*-ii puteau să-și transmită informații la distanțe foarte lungi. Aceste mesaje, trecute din deal în deal, însemnau că *cimarrón*-ii se puteau pregăti pentru atacul britanicilor cu până la șase ore înainte, în vreme ce aceștia se apropiau încet, nu puteau comunica la distanță și se îngrămădeau prin păduri cu hainele lor roșii ca niște hoarde de idioți vizibili de peste tot.

Odată ce ajungeau, idioții dădeau de alt dezavantaj: un oraș cu o singură intrare îngustă, așa încât, oricât de multe trupe veneau, trebuia să intre pe un singur rând, ca la o coadă de idioți care stau unul în fundul celuilalt să intre la supermarket. Nanny se gândise la forme de camuflaj atât de eficiente, încât se putea întâmpla ca un soldat britanic să-și agațe haina în copac, iar copacul să se dovedească a fi un luptător pe cale să-l omoare. Camuflajul, o bună instrucție și metodele de comunicare la distanțe lungi erau numai trei dintre instrumentele strategiei ei de apărare.

Până la urmă, *cimarrón*-ii Windward au semnat un tratat cu britanicii, în schimbul unei porțiuni de pământ imense și al dreptului de a fi lăsați dracului în pace (până azi!). E un exemplu remarcabil de rezistență, chiar dacă într-o țară mică, pe o insulă unde demonii britanici coloniști loveau cu toată puterea.

O ultimă legendă despre Nanny zice că putea să prindă gloanțe. Se spune că, la semnarea tratatului cu britanicii, Nanny a prins gloanțe din aer și le-a spus: „Luați astea, prieteni, căci acum e pace, deci sunt liberă să vă arăt că numai gloanțele de la El o pot atinge pe Nanny" și a arătat spre ceruri. Dacă sunteți plicticoși și vreți altă teorie care să explice legenda, poate că Nanny recicla gloanțe, dar asta nu e la fel de tare, deși, cu siguranță, e mult mai practic.

În orice caz, în Moore Town[1] de azi, rezidenții lasă pahare de apă la memorialul lui Nanny și încă folosesc următoarea propoziție de câte ori cineva începe să facă scandal: „Bunica Nanny nu prindea gloanțe doar pentru tine."

---

[1] Oraș jamaican locuit de populația *cimarrón* (n. red.).

61

Njinga a Angolei

cca. 1583–1663

*N*jinga a fost regină în Ngongo și Matamba, adică Angola de azi, în sudul Africii, și trebuie să spun din nou că nu există niciun motiv pentru care să nu fi auzit despre această incredibil de strălucitoare și puternică regină din istorie. Niciun motiv non-rasist, în orice caz. Cronicarii europeni și alți inamici din secolul al XVII-lea au descris-o ca pe un personaj negativ, un tiran însetat de sânge, ceea ce e foarte amuzant, având în vedere că ei erau ocupați să fie niște nenorociți de comercianți cu sclavi, nu? De asemenea, iertați-mă, dar cine dracu' nu era tiran la 1600?

Dar fiți atenți, Njinga era așa de tare, că nu știu nici de unde să începem. Nașterea ei. S-a născut în 1583 și, din copilărie, a fost antrenată de tatăl ei, liderul (ngola), în arta guvernării și a războiului, alături de fratele ei, Mbandi. Când fratele ei a ajuns noul conducător, Njinga a părăsit regatul, fiindcă era văzută drept rivală și, oricum, nu prea se înțelegeau. E posibil ca, până la urmă, să-l fi omorât. Dar, în fine, cui îi pasă, ajungem și acolo.

Înainte să moară (RIP), Mbandi își chemase sora înapoi și o făcuse emisar la portughezi, care erau în zonă și erau puși

pe nenorociri. Mbandi voia să negocieze cu ei un soi de tratat
de pace care să asigure independența Ngongo. Iar Njinga a fost
la modul „OK, frate" și, în 1622, s-a dus să negocieze cu guver-
natorul portughez și să trăiască unul dintre momentele absolut
memorabile din viața ei. S-a dus împodobită cu haine frumoase
și bijuterii, însoțită de domnișoarele ei de la curte, ca să desco-
pere că nenorocitul de portughez, care stătea pe un tron acope-
rit de catifea și brodat cu aur, pusese un covor pentru ca Njinga
să stea la picioarele lui.

Având în vedere că scopul Portugaliei era ca Ngongo să se
supună complet, Njinga a calculat că așa ceva nu dădea deloc
bine, mai ales pentru o viitoare regină. Așa că i-a făcut semn
uneia dintre femeile de curte să se așeze în patru labe și să fie
scaunul ei pe parcursul multelor ore de negociere. Mișcarea
asta a avut efectul scontat. Au ajuns cu greu la un tratat care
menținea independența Ngongo, pe care bineînțeles că portu-
ghezii nu l-au onorat și au continuat să prăduiască și să facă
raiduri în satele lor, precum și să ia sclavi. Dar Njinga refuzase
să se supună conducerii portugheze în Ngongo.

A cedat într-o singură privință, făcând o mișcare diploma-
tică isteață: a acceptat să fie botezată și convertită la catoli-
cism. Mizele portughezilor în regiune erau clare: să recruteze
noi creștini și să răpească oameni ca să-i facă sclavi și să-i ducă
în Americi, așa cum Isus le dictase explicit creștinilor buni.
Dacă Njinga putea spune că era catolică, putea cere sprijin
politic împotriva portughezilor direct la Roma. Chiar fusese
sinceră în „convertirea" ei? Asta e o treabă între Njinga și
Dumnezeu, să-i lăsăm în pace.

Dacă tot vorbim despre chestii între Njinga și Dumne-
zeu, se cam poate ca ea să fi avut de-a face cu omorârea frate-
lui ei, dar totodată se poate ca el să se fi sinucis. Se poate
ca ea să-i fi omorât și fiul. Cine poate ști cine pe cine a

omorât? Oricum, problemele lor începuseră demult. Ideea e că Njinga a fost aleasă regină de către curte și a păstrat independența Ngongo, apoi a regatelor Matamba, în fața portughezilor, rămânând la putere într-o formă sau alta din 1646 până la moartea ei, din 1663. Până la bătrânețe a condus armata în atacuri de hărțuire a portughezilor. Practic, portughezilor le-a mers tare prost cât a fost ea la conducere. A recucerit pământuri, iar cei luați în sclavie fugeau pe teritoriul ei. A făcut alianțe cu olandezii și cu regatul Congo, ca să-i excludă pe portughezi, și a fost acceptată drept conducător creștin oficial de către Papă, ceea ce a îngreunat lucrurile pentru dușmanii ei.

Să vorbim și despre cum era Njinga ca regină. Uneori se îmbrăca în haine de bărbat și, ca atâția alții, era fana bărbaților și a femeilor tinere, romantic vorbind, așa că, firește, avea un soi de harem. Dar a trebuit să renunțe la el într-una dintre negocieri, pentru că un bun catolic era obligat să renunțe la concubini și să aleagă doar unul pentru căsătorie. Pff, bine. Așa că a ales un bărbat mult mai tânăr și foarte sexy și s-a căsătorit cu el.

Moartea ei a surprins poporul. Pur și simplu, era unul dintre acei oameni de la care te așteptai să nu moară niciodată, ca bunica mea. Dar legenda ei încă e vie în Angola și în alte locuri unde oamenii erau sclavi, ca Brazilia, Cuba sau chiar SUA, pentru că, printre primii sclavi aduși în Virginia, se numărau cei prinși de pirații britanici de la comercianții portughezi care îi luaseră din Ngongo-ul lui Njinga.

62

Rani Chennamma

1778-1829

Chennamma a fost Rani, adică regina, din Kittur, sudul Indiei, în secolele XVIII-XIX. Când era mică, a fost învățată tot ce ar trebui învățate și fetițele din ziua de azi: să călărească, să tragă o săgeată drept în pieptul dușmanului și, dacă asta nu merge, să-l distrugă prin luptă cu sabia. Toate acestea le vor folosi mult în viață fetițelor.

Când tânărul fiu al lui Rani Chennamma a murit, au apărut britanicii și au încercat să preia controlul asupra Kitturului. Ea a încercat să adopte un moștenitor care să continue succesiunea soțului, dar britanicii au spus că nu era legal, conform unei legi de căcat inventate pe loc. De fapt, cam așa erau toate legile pe care britanicii le foloseau ca să le ia puterea conducătorilor legitimi din toată India, până când au dat cu adevărat de dracu', așa cum vom vedea în capitolul despre Rani din Jhansi.

Britanicii au încercat s-o expulzeze pe Rani Chennamma și pe fiul ei adoptiv. Iar ea le-a spus un mare „Duceți-vă dracu'!" și a încercat să mențină Kitturul independent. Așa că a pornit la război cu britanicii, care au atacat cu 200 de oameni și au încercat să confiște bijuteriile statului. Vedeți voi, de-asta toate fetele trebuie învățate să folosească sabia și arcul cu săgeți: Rani Chennamma era pregătită. Forțele ei au omorât colectorii britanici și i-au luat ostatici pe ofițeri. Sincer, la ce se așteptau? Ea a acceptat să-i elibereze dacă se cade la pace; britanicii însă nu s-au ținut de cuvânt vreodată, așa că au strâns alte forțe armate și au continuat să lupte.

Când Rani Chennamma a fost capturată și omorâtă, locotenentul ei a continuat să lupte până a fost și el capturat și omorât. Rani Chennamma a fost prima, dar nu cea din urmă femeie care s-a ridicat împotriva colonialismului britanic. Moștenirea ei, aia de a le spune britanicilor să se ducă dracului, cuvintele și acțiunile ei au fost duse mai departe de următoarea noastră luptătoare fermecătoare, Rani din Jhansi.

63

Lakshmibai, Rani din Jhansi

1828-1858

*L*akshmibai, cunoscută și ca Rani (regina) din Jhansi, e probabil cea mai faimoasă femeie indiană care a opus rezistență colonialismului britanic în India, deși, așa cum am văzut, nu a fost prima. Adesea e descrisă așa cum și-a petrecut mare parte din viață: călare, împodobită de bijuterii și mânuind o sabie imensă.

În 1853, când soțul lui Lakshmibai, maharajahul, a murit, statul Jhansi era amenințat cu anexarea de către britanici. Guvernatorul general al Indiei coloniale de atunci, marchizul de Dalhousie, un puțoi șic, instituise ceva numit Doctrina Caducului[1]. Era practic o versiune formalizată a aceleiași legi care îi pusese frână lui Rani Chennamma în capitolul anterior. Însemna că, dacă liderul unui stat indian independent murea fără moștenitor, britanicii puteau, pur și simplu, să preia conducerea (deși multe dintre aceste state princiare erau deja marionetele lor). Înainte ca soțul lui Lakshmibai să moară, acesta adoptase un băiat, Damodar Rao, și insistase în fața

---

[1] *Doctrine of Lapse*, în lb. engleză (n. red.).

britanicilor că el era moștenitorul de drept și că Lakshmibai
trebuie să conducă până ajunge băiatul la maturitate.

Însă Dalhousie a văzut o oportunitate aici și a refuzat să
recunoască adopția lui Damodar Rao, a anexat Jhansi, a colec-
tat profiturile de pe pământuri și a scos-o pe Lakshmibai din
palat. Aceasta a fost furibundă. Jhansi fusese un regat prieten
cu britanicii, autonom, dar loial. Având în vedere acest lucru,
Lakshmibai a angajat un avocat australian excentric,
John Lang, și, într-o seară din 1854, cei doi au discutat de la
șase până la două dimineața cum să scrie un apel care să facă
trimitere la multele acorduri semnate anterior între britanici
și Jhansi. Mai târziu, avocatul a descris cel mai important
aspect din colaborarea cu Lakshmibai felul în care arăta
aceasta: „Trebuie să fi avut o față fermecătoare la tinerețe și
chiar acum avea șarm, deși, conform ideii mele despre
frumusețe, era prea rotundă." Mai taci dracu', John, și rămâi
la avocatura ta.

Fiind un nenorocit, Dalhousie a respins apelul, iar
Lakshmibai s-a revoltat împotriva „violării grosolane a
credinței și onoarei britanice". Jhansi a capitulat oficial în fața
britanicilor în 1854, când domnia acestora în India era tot
mai autocrată și ignora tot mai tare religiile și obiceiurile
locale. După decenii de opresiune, tensiunile au crescut până
la punctul de fierbere din 1857, când un zvon s-a răspândit
ca un glonte, anume că în armata indiană se aduseseră puști
noi cu gloanțe care trebuiau mușcate de soldați, unse cu
grăsime de vacă și porc, lucru care i-a deranjat atât pe soldații
hiduși, cât și pe cei musulmani. Britanicii nu se așteptaseră
ca trupele lor „loiale" să se revolte, dar au făcut-o, pornind
ceea ce a rămas în istorie drept Rebeliunea Indiană din 1857.

Lakshmibai era preocupată înainte de toate de autonomia
Jhansi, deci chiar și în timpul luptelor, ea încerca să facă

aranjamente diplomatice cu britanicii. A sporit apărarea orașului și a recrutat 15 000 de soldați, pe care inițial intenționa să-i folosească în ajutorul britanicilor împotriva rebelilor. Dar, în haosul revoltei, a rămas cu conducerea Jhanis, așa că orașul și regina lui au profitat de ocazie pentru a cere independența din nou. Așa că a strâns tone de mâncare și muniție și a cerut chiar să fie golit de copaci terenul din jurul fortului astfel încât, atunci când britanicii aveau să vină, să se prăjească la soare, ca atâția pensionari britanici prin Spania. A început să se îmbrace ca o luptătoare, dar încă se mai împodobea cu diamante și perle, pentru că era regină, până la urmă.

Curând, britanicii au ajuns sub conducerea lui sir Hugh Rose, alt aristocrat. Au tras cu tunul în zidurile cetății, iar Lakshmibai a călărit printre trupele ei, care rezistau atacului folosind niște puști antice. Fără să primească ajutor, Jhansi a căzut pe mâna britanicilor și a fost distrus. Versiunea mai bună a poveștii spune că Lakshmibai a scăpat sărind călare peste zidurile cetății, cu fiul ei în spate, dar e mai probabil să fi fugit pur și simplu în noapte.

Lakshmibai a fost ucisă, până la urmă, în 1858, într-o luptă cu soldații lui Hugh Rose. Se spune că își încuraja trupele spunându-le: „Dacă murim în bătălie ajungem în rai, iar dacă suntem victorioși vom stăpâni pământul."

64

Yaa Asantewaa

cca. 1840-1921

*E*i, ce să vezi, iar britanicii! Și unde sunt ei acum, micii nenorociți? Sunt în regatul Asante, Ghana de azi, în 1900, la câțiva ani după ce au preluat puterea și au abolit monarhia și guvernul asante ca să își satisfacă puțele roz. Dar, oh, nu! Regatul Asante e divizat după cinci ani de război civil și, chiar dacă unele facțiuni s-au aliat cu ei, multe nu au făcut asta – printre care și cea reprezentată de regina-mamă, Yaa Asantewaa.

Yaa Asantewaa s-a născut în 1840, în Ghana centrală, iar fratele ei mai mic avea să ajungă șeful poporului edweso. Când a murit (RIP, frățiorule), ea a preluat conducerea, ca regină-mamă pentru nepotul și moștenitorul ei – pe care britanicii l-au exilat în 1896. Ca să fie și mai ai dracu', guvernatorul britanic le-a cerut apoi Scaunul de Aur, tronul și simbolul poporului asante. De asemenea, britanicii voiau să nu mai împartă profitul din concesiunea minieră pe care o închiriaseră de la asante. În vreme ce liderii asante non-exilați se fâțâiau fără sens, incapabili să decidă ce era de făcut, Yaa Asantewaa le-a zis niște vorbe:

Trebuie să spun că, dacă bărbații asante nu vor merge mai departe, vom merge noi. Noi, femeile, vom merge mai departe. Voi chema la luptă femeile. Ne vom lupta cu omul alb. Ne vom lupta până ce ultima dintre noi își va da sufletul pe câmpul de luptă.

Iar bărbații au zis „Ah, căcat!", așa că Yaa Asantewaa a ajuns liderul războiului. Nu se știe dacă a luptat alături de trupele ei sau dacă le-a condus ca un general, dar, într-un fel sau altul, i-a trecut prin aproape doi ani de lupte. Coordona geniale tehnici de înșelăciune, printre care: trăgea sfori printre arbuști, pentru ca britanicii să-și irosească gloanțele, sau atârna clopote și sticle în copaci, ca să-i audă venind. Poporul asante și britanicii purtaseră multe lupte în secolul al XIX-lea, dar aceasta urma să fie ultima.

Asante înconjuraseră forțele britanice și le atacau fortul, lăsându-i fără resurse de mâncare sau muniție. Însă au venit alte ajutoare cu puțe roz, care au rupt blocada. Se spune că, atunci când a fost capturată, Yaa Asantewaa l-a scuipat pe comandant. Ea și mai bine de cincizeci dintre locotenenții și consilierii ei au fost exilați la Seychelles, unde Yaa a și murit, în 1921. De atunci, a ajuns erou național pentru ghanezi și un simbol de rezistență și de autoritate în toată Africa.

Jind Kaur

1817-1863

În 1839, Jind Kaur a devenit conducătoarea Imperiului Sikh din Punjab, aflat azi, în mare parte, în Pakistan. Soțul ei, maharajahul, a murit (RIP) și ea a ajuns regentă pentru tânărul ei fiu, Duleep Singh, care va fi un visător când se va face mare. Dar, înainte de asta, mama și fiul vor trebui să le țină piept acelor ucigași băutori de ceai, însetați de sânge și cu dădace care flutură umbreluțe și spun lucruri istețe, adică britanicii.

Moartea maharajahului a fost văzută de britanici ca o șansă să-și bage degețelele roz, grăsuțe și lacome în Punjab și să-l anexeze. Dar au dat peste un obstacol în planul lor cu degețele roz lacome, un obstacol sub forma lui Jind Kaur, care avea să apere suveranitatea Punjabului prin două războaie între englezi și indienii sikh, în 1845-1846 și 1848-1849. Nefiind capabili să scape de Jind Kaur, britanicii au încercat cu disperare să-i păteze reputația, spunând că avusese o serie de aventuri cu miniștrii ei și numind-o „Messalina din Punjab". Messalina a fost o împărăteasă romană căreia i s-a pătat reputația cu acuzații de indecență sexuală. Indiferent dacă aceste zvonuri erau adevărate sau nu, putem fi aproape siguri că cei care le împrăștiau, atât în trecut cât și acum, erau niște virgini singuratici.

Jind Kaur abia trecuse de 20 de ani când și-a condus trupele în lupta cu britanicii, nepăsându-i de convențiile referitoare la comportamentul decent al femeii care ar trebui să stea la locul ei, și nu să conducă curți imperiale și să-i sfătuiască pe miniștri și pe generali. Când britanicii au învins-o într-un final, au despărțit-o de fiul ei, pe care l-au trimis în Anglia, la doar nouă ani. Îi considerau pe cei doi un pericol pentru legitimitatea conducerii britanice – lucru amuzant, din moment ce nu exista vreo legitimitate. Dar, știți voi, un copil de nouă ani poate fi înspăimântător.

Cât despre Jind Kaur, ea a fost încarcerată în mai multe forturi, până în ziua când s-a deghizat ca servitoare și a fugit. A mers aproape 1 300 de kilometri prin pădure, iar când a ajuns în siguranță în Kathmandu, Nepal, le-a scris britanicilor o scrisoare în care le spunea că evadase prin magie. Fiul ei, care primise o educație de gentleman în Anglia și care coresponda cu regina Victoria, a aranjat până la urmă să se reîntâlnească, la 13 ani de la despărțirea lor. S-a dus la el la Londra, și a murit departe de casă, în 1863. Vedeți voi, orice poveste care implică Imperiul Britanic se termină cu tristețe și deposedare. Dar, oh!, britanicii au niște accente așa de drăguțe, nu-i așa că sunt niște gentlemeni?

66

Lozen

cca. 1840-1889

Ca femeie amerindiană de la sfârșitul secolului al XIX-lea, pe vremea când trupele americane adunau triburile, le evacuau de pe pământurile lor și le aruncau în rezervații supra-aglomerate, departe de casele lor, Lozen a trebuit să se confrunte cu un număr nedrept de nenorociri în viața ei.

Lozen s-a născut în 1840, ca membră a bandei Warm Springs din tribul apaș care locuia în teritoriul care acoperă partea de sud-vest din New Mexico, sud-estul Arizonei, nord-vestul Texasului și granița mexicană.

Apașii credeau că fiecare om primește un set unic de puteri de la zeitatea lor supremă, Ussen. Pe vremea lui Lozen, fetele și băieții apași se antrenau intens, deopotrivă. Când Lozen a ajuns la vârsta necesară, și-a descoperit puterile speciale care o făceau al dracului de potrivită pentru bătălie: puterea asupra cailor, puterea de a vindeca și, cel mai important, puterea de a detecta direcția și distanța de unde veneau dușmanii. Aceste lucruri au fost revelate în timpul unui ritual special în care și-a întins brațele, s-a întors în cerc, a cântat ceva și a inter-pretat furnicături în brațe. Așa că, în loc să se mărite și să-și asume un rol casnic, a ajuns luptătoare.

Apașii de la Warm Springs aveau inamici peste tot. În ciuda eforturilor nativilor de a face pace s-au înmulțit confruntările cu armatele mexicane și americane, accentuate și de creșterea numărului de indivizi aflați în căutare de aur. Când SUA a luat teritorii de la Mexic, s-au apucat să mute triburile de nativi într-un număr mic de rezervații, ca să le ia pământurile valoroase – fără nicio grijă pentru triburile acestea, de unde erau ele sau cum trăiau.

Altă mișcare clasică de oameni albi a fost că guvernul SUA semna tratate cu diverse triburi numai ca apoi să le-o tragă. În 1870, apașii Warm Springs au acceptat să trăiască într-o rezervație de pe pământurile lor din New Mexico, Ojo Caliente, dar, în 1875, guvernul SUA a decis să concentreze toate triburile din regiune într-o rezervație din San Carlos, descrisă de un apaș ca fiind „cel mai groaznic loc din marele teritoriu furat de la apași". Era un peisaj sterp, fără iarbă sau vânat, cu ape sălcii și complet infestat de insecte, șerpi și malarie.

Până în 1877, banda lui Lozen se săturase și voia să se mute înapoi la Ojo Caliente. Urmăriți constant de armata SUA, în 1879 au fugit spre munți, urmându-și liderul, fratele lui Lozen, Victorio, spre o viață liberă. Fiind tot timpul în mișcare ca să evite autoritățile, făceau raiduri pentru cai, mâncare și muniție. Când era vorba de furat cai, nimeni nu era mai bun decât Lozen. Așa cum își amintește un membru din bandă, James Kaywaykla, ea era „expert la legat sfori" și „niciun bărbat din trib nu era mai bun decât ea la furat cai sau la mânat turma."

Însă nu doar asta putea să facă ea. Conform lui Kaywaykla[1], Lozen putea „să călărească, să tragă cu pușca și să se bată ca

---

[1] James Kaywaykla, membru de trib apaș care a povestit despre viața amerindienilor (n. red.).

un bărbat" și probabil „se pricepea mai bine la strategie
militară decât Victorio". Era singura femeie prezentă la consi-
liile de război și era extrem de respectată de alți luptători,
care o vedeau ca pe egala lor, și de tribul extins, care asculta
de neînfricata lideră.

Amerindienii nu aveau voie să plece din rezervații – o
regulă de căcat, dacă vă gândiți măcar o secundă și dacă nu
sunteți rasiști. Așa că, în 1879, trupa lui Lozen a fugit în
timpul nopții. Și s-au trezit prinși în capcană la un râu. Când
a văzut că femeile și copiii se temeau să traverseze vârtejurile,
Lozen a condus prin exemplu, și-a mânat calul direct în apă,
ținându-și pușca deasupra capului și înotând până pe partea
cealaltă. Femeile și copiii au urmat-o și, după ce Lozen a salvat
un cal și călărețul său, care întâmpinaseră o problemă, le-a
spus femeilor și copiilor: „Trebuie să mă întorc la luptători".

Lozen și fratele ei erau o pereche redutabilă: el, ca șef, ea
ca strateg militar, cu intuiția și cu puterea ei de a detecta
inamicii, amândoi foarte pricepuți la luptă. Cu puterile lor
combinate, grupul de aproape 60 de luptători și familiile lor
au reușit să evite mii de soldați ai armatei SUA.

În septembrie 1880, Lozen a trebuit să se despartă de
Victorio și de grupul lor pentru că una dintre femei urma să
nască. Din fericire pentru mamă, Lozen era genul de apără-
tor ale cărui calități includeau capacitatea de a aduce pe lume
un copil, de a găsi hrană și apă, plus de a omorî vreun soldat
la nevoie. Și, desigur, putea să fure cai.

Separați de tribul lor și urmăriți de armata americană,
Lozen, tânăra femeie și nou-născutul au trăit pe fugă săptă-
mâni întregi. Lozen nu putea trage cu pușca fără să atragă
atenția, așa că a omorât o vită cu coarne lungi folosind doar
cuțitul, ceea ce NU E DELOC UȘOR, având în vedere coarnele,
ei bine, foarte lungi. Apoi a folosit coarnele ca să usuce carnea

uscată, să le ajungă într-o călătorie lungă prin deșert, i-a păstrat stomacul pentru apă și din piele a făcut un căpăstru.

Apoi, lângă Rio Grande, a văzut un lagăr mexican și, într-o noapte, a înotat peste râu, a așteptat ca paznicul să se întoarcă cu spatele la cai și apoi a eliberat un cal mare și puternic. A sărit lejer pe spatele lui și a călărit direct înapoi la râu, s-a ferit de împușcături și s-a întors înotând. În săptămânile cât a durat să ajungă înapoi la rezervația unde trebuiau să ajungă mama și copilul, Lozen a mai furat un cal, ca să fie tabloul complet. Ascultați, dacă nu vă păziți caii bine, la ce să vă așteptați? Ah, și a mai omorât un soldat și i-a luat proviziile. Odihnnească-se-n pace!

Când în sfârșit a ajuns, Lozen a primit vestea devastatoare că Victorio fusese omorât. Trupa lui trecuse granița spre Mexic, dar au fost urmăriți de armata americană din cauza unui nou tratat între cele două națiuni, și, până la urmă, au fost prinși într-o ambuscadă. Lozen a trăit cu regretul că, dacă era cu ei, poate nu se întâmpla asta. Când Lozen s-a reunit cu oamenii ei, șeful Warm Springs, Nana, a spus că „Victorio a murit cum a trăit, liber și neînfrânt".

„Nu trebuie să-l jelim. A fost ferit de umilința încarcerării și a sclaviei, și pentru asta îi mulțumesc lui Ussen. Curajul lui va fi o inspirație pentru cei rămași, ca să ne urmăm calea și, din fericire, sunt destule femei și copii pentru ca Poporul nostru să crească. E rândul nostru să ne unim și să continuăm lupta", a mai spus Nana.

Lupta, însă, avea să ajungă mai groaznică. Restul trupei apașe a lui Lozen, chiar și cei care au rămas în rezervații, așa cum li s-a poruncit, chiar și cei care au fost iscoade pentru armata americană, au fost strânși și trimiși ca prizonieri la forturile militare din Florida, unde mulți au murit din cauza căldurii, a umidității și a bolilor. Războaiele apașe se terminaseră. Au fost mutați apoi în Alabama, iar în Oklahoma li s-a dat „libertatea". Unii au decis să se întoarcă la New Mexico, pe pământurile lor ancestrale. Lozen a reușit să ajungă doar până în Alabama, apoi a murit de tuberculoză. Așa că amintiți-vă de Lozen data viitoare când auziți propoziția prea americană: „Libertate și dreptate pentru toți." Nu doar pentru cum a murit, ca prizonieră a guvernului american, ci și pentru cum și-o amintea Kaywaykla: „o femeie magnifică, pe un superb cal negru", care s-a luptat și a rămas liberă cât de mult a putut.

Funmilayo Ransome-Kuti

1900-1978

$\int$per că sunteți gata să primiți niște excelență în viețile voastre, pentru că e momentul să vorbim despre naționalista nigeriană și activista pentru drepturile femeilor Funmilayo Ransome-Kuti.

Toată lumea știe că impozitele sunt plictisitoare. Dar se pare că revoltele femeilor împotriva impozitelor sunt orice, numai plictisitoare nu. Mai ales dacă vorbim de revolta femeilor împotriva impozitării de la Abeokuta, din 1947-1948, și e clar că despre asta vorbim. Abeokuta este acum un oraș nigerian și capitala statului Ògù, dar pe vremuri era oraș-stat, localizat în sud-vestul Nigeriei, în Egbaland.

Nu vreau să exagerez cu revolta împotriva impozitelor, dar a fost un eveniment istoric absolut fabulos. A avut de toate. Cooperare între doamne din diverse clase sociale? Bifat. Cântece despre abuz? Absolut. O moștenire durabilă a exemplului dat de femei unite pentru scopuri politice? Mdap. Femei în vârstă care-și scot bluzele? Exact.

Deci ce e cu revolta asta împotriva impozitelor? Ei bine, ca multe alte lucruri, și aceasta își are originea în marea pată de spermă de pe pantalonii istoriei care a fost Imperiul

Britanic. Știți voi, imperiul ăla care îi face pe englezii bătrâni să spună: „Când eram copil, lucrurile stăteau altfel", înainte să fiarbă niște cartofi pe care să-i mănânce reci mai încolo și să voteze pentru Brexit. ACEL imperiu.

În anii 1940, ACEL imperiu era în război. Britanicii și-au îndreptat atenția spre resursele din coloniile lor din vestul Africii, după ce le pierduseră pe cele din partea estică în favoarea puterilor Axei, în 1942. Guvernul colonial nigerian a început să intervină masiv în economie, luând măsuri precum interzicerea exporturilor către Germania, stabilirea unor cote și cumpărarea orezului mult sub prețul pieței – atunci când nu-l confiscau, pur și simplu.

Aceste politici au însemnat o presiune mai mare pe femeile din piețe, care normal că voiau să-și vândă orezul la preț bun, nu să fie confiscat de oficiali coloniali. Femeile acestea făceau obiectul unor taxe, rente și amenzi speciale, fiind pe deasupra și victimele comportamentului idiot și groaznic al colectorilor de taxe. De exemplu, unii credeau că puteau evalua dacă fetele aveau sau nu 15 ani, deci dacă erau destul de mari ca să fie taxate, dezbrăcându-le ca să se uite la sânii lor. Aș putea încerca să explic logica acestor jegoși, dar cred că aș aduce daune ireparabile creierelor noastre.

De fapt, femeile din piețe se confruntau cu trei tipuri de nenorociți: colectorul de taxe, oficialul colonial și Alake Ademola al II-lea, regele Abeokuta, care practic era marioneta guvernului colonial. Nenorociții ăștia erau tare apropiați unii de alții, prin nesimțirea lor. Singura Autoritate Nativă, adică britanicii, i-au dat lui Alake puteri arbitrare, pe care le folosea fără să fie tras la răspundere.

Aici intră în scenă Funmilayo Ransome-Kuti, care nu era femeie de piață și cu siguranță nu era nici vreo cârpă,

ci dimpotrivă, era o doamnă. Era președinta Clubului
Doamnelor Abeokuta, un club cu doamne elegante care se în-
tâlneau să discute chestiuni de doamne elegante și să facă lu-
cruri de doamne elegante. Văzând nedreptatea cu care se
confruntau femeile de la piață și după ce a intervenit perso-
nal în apărarea vânzătoarelor de orez, Ransome-Kuti le-a în-
curajat pe doamnele elegante de la club să înceapă să se
întâlnească cu acestea și să-și extindă interesele către
dreptatea socială, precum educarea femeilor și o mai bună
educație pentru copii. Noul grup mai mare a decis să formeze
Uniunea Femeilor din Abeokuta, cu Ransome-Kuti președinte.
Documentul fondator al grupului specifica negru pe alb că „ni-
cio membră a Uniunii nu trebuie să se considere mai bună de-
cât alta, toate femeile au dreptul să se miște libere și fericite".
Asta însemna că nu se cuvenea ca doamnele șic să se îmbrace
prea șic la întâlniri și că nu trebuiau să le trateze de sus pe fe-
meile din piață, care erau foarte bine organizate. Odată unit,
grupul a devenit repede o forță de temut pentru nenorociți.

Lucrurile au ajuns la apogeu în 1947, când femeile au
început să facă tabere în fața complexului rezidențial regal al
lui Alake, ca să protesteze împotriva taxelor mai mari cântând
cântece despre abuzurile lui.

Să ne bucurăm de versurile unui astfel de cântec, rămase
în istorie datorită memoriilor marelui dramaturg și poet
Wole Soyinka, care era tânăr pe atunci și, fără îndoială, a
învățat multe din protestul femeilor:

O, voi, bărbați, purtătoarele de vagin vor cere răzbunare;
Voi, bărbați, purtătoarele de vagin vor găsi răzbunarea
Chiar dacă e doar un penny. Dacă e doar un penny
Ademola, nu plătim taxe în Egbaland
Chiar dacă e doar un penny.

Iar acum uitați-vă, vă rog, la următorul emoji:

Protestul UFA împotriva taxelor și abuzurilor lui Alake avea să țină nouă luni cap-coadă. Când o femeie era arestată, celelalte mergeau la închisoare și protestau și acolo. Aveau să închidă de tot piețele, într-o demonstrație a puterii lor unite. Au aranjat livrări de mâncare și de apă pentru ca femeile să poată rămâne în fața palatului, cu Alake prins în capcană înăuntru. Li s-au alăturat câțiva bărbați înțelegători (#nutoțibărbații) și, ca atare, au blocat tot orașul, practic. Au semnat petiții și au scris scrisori pentru presă, expunând abuzurile lui Alake. Se pare că acesta nu a mai avut ce să facă, fiind confruntat cu atâtea vagine bine organizate care voiau răzbunare.

La un moment dat, un membru de consiliu înfuriat a ieșit și a strigat probabil cea mai nefericită chestie pe care le-o poți striga unor femei triumfătoare care protestează: „Mergeți acasă, aveți grijă de bucătăriile voastre și dați-le de mâncare copiilor! Ce știți voi despre afacerile de stat? Să nu plătiți taxe, da. Voi aveți nevoie de un șut puternic în fundurile voastre plictisite."

Ei bine, ce credeți voi că s-a întâmplat mai departe? Soyinka descrie așa scena: „Femeile i-au dezbrăcat la chiloți pe consilieri și i-au bătut cu însemnele lor regale."

Să le mai dăm câteva băieților ăstora răi:

Ce s-a întâmplat apoi, însă, a fost cel mai 100 moment. Femeile mai în vârstă au început să se dezbrace și să stea așa în fața palatului, aproape sau complet goale, relaxându-se la soare. Atunci, Alake a pierdut sprijinul consiliului. A dat-o dracu', prieteni. N-a mai putut s-o ducă. Nu mai suporta cântecele și presa negativă și toate doamnele bătrâne goale care-l țineau captiv înăuntru.

A părăsit complexul pe 29 iulie 1948 și a plecat în exil. Nu doar atât, dar protestul a forțat guvernul colonial să abolească impozitele pentru femei, cel puțin temporar. Asta arată, fetelor, că, dacă ai destule prietene, o bună organizare și una sau două bunici goale, poți face orice.

Până la sfârșitul protestului, Funmilayo era destul de faimoasă în toată regiunea. Și pentru ce lucru fabulos era faimoasă! Toți ar trebui să vrem să fim faimoși exact pentru așa ceva. Rolul ei ca prim-activistă s-a cimentat, iar succesul UFA a dus la fondarea Uniunii Femeilor Nigeriene, pentru că, dacă un oraș de femei se poate uni și provoca atâta haos, ce ar putea face o țară întreagă de femei?

Ransome-Kuti a ajuns una dintre puținele femei din ierarhia politicii naționaliste nigeriene care se agita pentru independența față de Marea Britanie. Totodată, ea a pledat pentru dreptul femeilor de a vota și a fost prima femeie din Nigeria care a condus o mașină. A scris că „nicio țară nu se poate ridica împotriva femeilor" și că femeile „ar trebui să fie conștiente de statutul lor de femei și să-l valorizeze, pentru că numai așa vor putea să se elibereze de intimidare și de terorism."

Când a văzut că partidele naționaliste din Nigeria nu sprijină femeile (deși le cereau votul), și-a înființat propriul partid, Partidul Oamenilor de Rând. Ea și iubitul ei au fondat mai multe uniuni de studenți și profesori și au muncit toată viața în numele unionismului de breaslă, naționalismului și anti-colonialismului. De asemenea, a crescut o familie de fii activiști și muzicieni, printre care Fela Kuti, precum și alți nepoți muzicieni de succes, Femi Kuti și Seun Kuti. În cânte-cul lui din 1981, „Coșciug pentru șeful de stat" („Coffin for Head of State"), Fela a comemorat moartea mamei sale în urma unui raid brutal la casa lor, în 1977. Ea a murit anul următor, ca urmare a rănilor suferite după ce a fost aruncată pe un geam de către soldați. După moartea ei tragică, familia lui Funmilayo i-au dus mai departe moștenirea prin activism și agitație politică.

68

Regina Liliuokalani

1838-1917

Îmi pare rău să vă informez, dar asta e o altă poveste despre bărbați albi nenorociți care au fost nenorociți. Se pare că nu putem scăpa de ei în călătoria asta a noastră în jurul lumii. Și, mai rău, acum e vorba de oameni de afaceri. Ce mi-ar fi plăcut să-i interzic în paginile astea, dar n-ai ce să-i faci! Bărbații au talentul de a face ca totul să fie despre ei.

Bărbații albi au venit în Hawaii la finalul secolului al XVIII-lea, începând cu legendarul căpitan James Cook, care a fost ucis rapid, pentru că a încercat să îl răpească pe șeful hawaiian, ca răzbunare pentru o barcă furată (RIP). Nu știu cum s-a gândit el că ar putea merge așa ceva, dar, în fine, există un tablou faimos care ilustrează nefericitul incident și pe care puteți să-l admirați, intitulat *Moartea Căpitanului Cook*. Primii misionari au ajuns acolo în 1820. Erau conduși de un anume Hiram Bingham, bunicul răuțului cu același nume pe care îl găsiți în altă parte în cartea asta.

Derulăm înainte 70 de ani și avem un flux continuu de misionari europeni și de producători de zahăr veniți pe insule, convinși cu toții că ei sunt foarte deștepți și buni, deci trebuie să fie la conducere. Au creat Liga Hawaiiană și l-au forțat

pe regele hawaiian Kalakaua să semneze o nouă constituție,
care lui îi limita puterile, iar pe asiaticii și nativii din insule
îi priva de proprietăți și de alfabetizare. Se ajunsese ca numai
3% din populație să aibă drept de vot sau să candideze – adică
bărbații albi, educați, deștepți și nobili, care puteau fi așa de
nenorociți pentru că, nu știu, credeau că semănau cel mai
bine cu Dumnezeu. Constituția aceasta a ajuns cunoscută
drept Constituția-Baionetă și îmbina perfect aplecarea
coloniștilor spre violență cu interesul lor pentru conducere și
cu iluzia legitimității. „Ei bine, scrie chiar aici, în chestia pe
care am scris-o ca să ne dăm putere, că avem toată puterea.
Nu puteți să contestați logica asta!"

Kalakaua a murit în 1891 și a fost succedat de sora lui,
Liliuokalani. Aceasta era un compozitor și un muzician talen-
tat și avea să fie ultima regină din Hawaii, sfârșind o monar-
hie care începuse odată cu unificarea insulelor, în 1795.
Sperând să anuleze nenorocirile din Constituția-Baionetă,
Liliuokalani a propus să-i fie reînvestite puterile și să-și extindă
privilegiile asupra hawaiienilor nativi. Oripilați de această
idee, un grup de 13 bărbați de afaceri albi au creat Comite-
tul de Siguranță, prin „siguranță" înțelegând „să dea o lovitură
de stat ca să o înlăture pe regină prin forță militară". Alt
exemplu de bărbați albi bătrâni care se agață de spațiile lor
sigure ca niște fulgi de nea speciali ce sunt ei.

Scopul acestor oameni era anexarea la Statele Unite. Însă
președintele de atunci, Grover Cleveland, cunoscut pentru
faptul că a avut două mandate consecutive, dar și pentru că
avea o budincă în loc de față, le-a ordonat oamenilor să o
repună pe regină în drepturi și să se calmeze dracului.

În 1895, hawaiienii au încercat o contra-lovitură de stat
ca să o reînscăuneze pe regină, dar au eșuat și 100 de oameni,
printre care și regina, au fost arestați. Guvernul nou înființatei

republici hawaiiene a declarat legea marțială și a acuzat intriganții de trădare. Știți voi, trădare împotriva statului pe care ei tocmai îl inventaseră, ca să îl anuleze pe cel anterior. Da, totul e perfect logic în logica atemporală a coloniștilor albi. Guvernul, condus de un anume Sanfor Dole, care avea o barbă lungă și bifurcată pe care trebuie s-o vezi ca s-o crezi, și care era rudă cu acel Dole făcut faimos de banane, i-a găsit atunci pe toți vinovați și i-a condamnat la moarte.

Reginei i-a fost prezentat un document pentru abdicarea formală și i s-a spus că, dacă îl semnează, li se va cruța viața oamenilor judecați. Ea a semnat, sperând să le salveze viețile, dar... surpriză! Procesul a fost continuat și au fost date sentințele de condamnare la moarte – care au fost totuși schimbate, până la urmă, datorită protestelor internaționale. Cât despre regină, găsiseră arme și bombe îngropate sub rândurile ei de flori, așa că au condamnat-o și pe ea, pentru trădare. E ca și cum aș inventa eu acum un stat, Republica Memelor, și aș condamna-o pe regina Angliei pentru trădare, fiindcă nu e de acord. Sau cum aș intra în casa voastră și aș spune: „Declar casa asta a mea", apoi aș chema poliția să vă aresteze pentru că sunteți în ilegalitate în propria voastră casă.

După o perioadă de arest la domiciliu, Liliuokalani s-a dus la DC, la Casa Albă, cu o petiție împotriva anexării la Statele Unite, dar, în 1898, Hawaii a devenit teritoriu american. Ea a continuat să lupte pentru compensații și proprietăți de la guvern și până la urmă a primit o mică pensie. A continuat să aibă apariții publice până la moartea ei, în 1917, la vârsta de 79 de ani. Hawaii a devenit al 50-lea și ultimul Stat al SUA, cel puțin până când americanii o să emită pretenții și pentru Lună odată și-odată. Abia în 1993, la aproape o sută de ani, Congresul SUA avea să își ceară scuze pentru că a deturnat monarhia hawaiiană.

Fanny Cochrane Smith

1834-1905

Trăim într-o epocă în care facem fotografii îndelung gândite și notăm în scris orice prânz puțin peste medie pe care-l luăm, astfel încât nepoții noștri să nu fie privați de prețioasele amintiri ale predecesorilor. Dar pentru aborigenii din Tasmania sau Australia aproape orice amintire despre moștenirea lor a fost ștearsă când coloniștii englezi au ajuns acolo, în 1803, aducând darurile tipice: boli, deportări, strămutări, masacre și promisiuni încălcate. Englezii sunt așa de caraghioși, cu ceiuțul, accentul și genocidele lor!

Când femeia aborigenă Fanny Cochrane Smith vorbea într-un fonograf Edison, între 1899 și 1903, o făcea ca să înregistreze și să arhiveze istoria orală, cântecele tradiționale, limba și moștenirea artistică a poporului ei. Își spunea „ultima aborigenă tasmaniană". Nu era ultima, însă era printre ultimii care vorbeau nativ una din cele nouă limbi tasmaniene (cel puțin) și printre ultimii care își aminteau cântece de dinainte de ciuma albă.

Fanny s-a născut în 1834, pe insula Flinders, într-o așezare unde supraviețuitorii bolii și luptelor de pe insula principală a Tasmaniei fuseseră trimiși să trăiască în cele mai proaste condiții. Când era copil, s-a mutat la Hobart și a fost educată de instituțiile europene ca să ajungă servitoare în casă pentru angajatori oribili și abuzivi. Când supraviețuitorii aborigeni au fost mutați din nou, de data asta la Oyster Cove, Fanny s-a dus și ea acolo și s-a măritat cu un englez care fusese trimis în Australia pentru că furase un măgar, ceea ce e destul de banal pe lângă crimele obișnuite ale englezilor. Familia lor trăia din lemnărie și se ocupa de o pensiune, apoi s-a convertit la metodism. Fanny gătea mâncare aborigenă tradițională și cânta muzică aborigenă tradițională la evenimentele metodiste, ajungând cunoscută pentru că era o gazdă spirituală.

Fanny trecuse de 70 de ani când înregistrările la fonograf se făceau pe cilindri de ceară gravați cu linii, ca un disc de vinil, și care erau așa de delicate că, de câte ori le porneai, se mai rupeau puțin. Cam ca mine așa. Din cauza asta, înregistrările au fost pornite doar de șase-zece ori, dar, de atunci, au fost transferate pe echipamente mai moderne și pot fi încă ascultate, 120 de ani mai târziu. Calitatea sunetului e proastă, dar destul de clară, dacă te gândești câtă istorie a trecut de când Fanny a rostit cuvintele alea – cuvintele ei, pe care le ascultăm noi azi. Sunt considerate primele înregistrări de istorie orală, cu sunet, ale unui aborigen care își spune poveștile și cea mai veche înregistrare într-o limbă aborigenă. Cilindrii de ceară originali încă se găsesc la Muzeul Tasmaniei și la Galeria de Artă, Fanny rămânând un exemplu rar de aborigenă care, și după 120 de ani, rămâne o voce pentru poporul ei.

70

Lillian Ngoyi

1911-1980

*A*partheidul sud-african a fost unul dintre exemplele extreme de idioție și violență albă care s-au văzut vreodată pe planeta asta verde, iar Lillian Ngoyi a fost una dintre numeroasele femei incredibile care s-au luptat să-i pună capăt. Dacă nu cunoașteți cuvântul, „apartheid", este vorba despre politica de stat oficială de segregare, valabilă în Africa de sud din 1948 până la începutul anilor 1990 – dap, atât de recent –, instituită prin alte legi și mai nenorocite, date de guvernul alb al țării. Sud-africanii au fost împărțiți în patru grupuri rasiale (puteai fi negru, alb, colorat sau indian, iar clasificarea determina totul: cu cine te puteai căsători, unde locuiai sau dacă erai sau nu cetățean sud-african) până în 1960 de către singurii care puteau vota, adică sud-africanii albi.

E incredibil dacă te gândești numai la nemaipomenitul *efort* necesar să mențină sistemul apartheid; timpul, banii, birocrația de care e nevoie ca să conduci o societate segregată, când probabil ar fi fost mult mai ușor să nu fii un nenorocit de rasist. Dar, mă rog, unii își adoră angajamentul profund, îndelung, istoric, politic și economic la rasism și fac orice ca să nu iasă din ignoranța lor distructivă. Între timp, SUA și

Marea Britanie au continuat într-o fericire să apere, să susțină și să aprovizioneze cu arme guvernul apartheid, până la sfârșitul amar, pentru că sunt țări vestice luminate și iubitoare de libertate, care știu ce e mai bine pentru omenire.

Lillian Ngoyi s-a născut în 1911, într-o familie extrem de săracă din capitala Pretoria. Tatăl ei era muncitor la mină și a murit când Lillian era mică, iar mama lucra de toate în casele familiilor de albi. Una dintre amintirile cele mai marcante din copilăria lui Lillian era un moment când ea și fratele ei s-au dus să ducă rufele la casa unuia dintre clienții albi ai mamei și nu au fost lăsați să intre, dar, în schimb, un câine a fost binevenit.

După școală, Lilian s-a căsătorit și a lucrat ca ucenic de asistentă în Johannesburg, până când soțul ei a murit și legile apartheid au forțat strămutarea sud-africanilor negri din suburbiile orașului în „districte" segregate, aglomerate, departe de orașe. Ea a ajuns în Soweto, unul dintre locurile de unde au pornit câteva dintre cele mai importante revolte împotriva apartheidului.

Lillian s-a angajat cusătoreasă, a intrat în Sindicatul Lucrătoarelor Textile și, curând, a ajuns să se ocupe cu recrutarea de noi membri în sindicat. În 1950, a intrat în Congresul African Național (CAN), partidul aflat acum la putere în Africa de Sud, care a început, însă, ca o mișcare de rezistență la începutul secolului XX.

Una dintre multele chestii nenorocite din apartheid erau „legile de trecere", care cereau ca bărbații negri să aibă pașapoarte interne și să dovedească cu ce scop intrau în anumite zone din țară. În anii 1950, când guvernul intenționa să extindă la femei legile de trecere, CAN a organizat Campania de nerespectare a legilor nedrepte[1]. Între iunie și

---

[1] *The Defiance Campaign against Unjust Laws*, în lb. engleză (n. red.).

octombrie 1952, 8 000 de oameni au fost arestați pentru că protestau împotriva legilor de trecere – și sute dintre ei au fost omorâți când polițiștii au deschis focul la un protest care a rămas în istorie drept Masacrul de la Sharpeville. Lilian a luat parte la aceste acțiuni și a folosit intenționat toaletele albilor de la un oficiu poștal, ca act de insubordonare civică. A fost arestată, dar, curând, s-a ridicat în ierarhia CAN ca un lider și un vorbitor foarte talentat. La un an de la înscriere, a ajuns prima femeie aleasă în comitetul național executiv și a ajuns să conducă Federația Femeilor Sud-Africane. În 1956, Lilian și alții au condus un marș de 20 000 de femei spre birourile prim-ministrului, ca să depună o petiție cu peste 100 000 de semnături, împotriva legilor de trecere pentru femei. A fost cel mai mare protest din istoria Africii de Sud, iar Lilian avea să ducă petiția la ușa prim-ministrului Johannes Geradus Strijdom, care era un mare nenorocit pe scara nenorociților adevărați din istorie.

În memoriile publicate în 1966, *Soarele de mâine (Tomorrow's Sun)*, activista anti-apartheid Helen Joseph își amintește cum, după ce a depus petiția, Lilian a păstrat 30 de minute de tăcere totală, în fruntea mulțimii de 20 000 de oameni, ca răspuns la legea care interzicea discursurile la mitinguri:

> Când am ieșit din nou la tribună, în fața lor, cu mâinile acum goale, acele mii de femei s-au sculat spontan în picioare și au ridicat mâna în semn de salut... După treizeci de minute încă aveau mâinile sus. Lilian a început să cânte.

La conferința CAN pentru femei, din 1956, Lilian a ținut un discurs incredibil, amenințându-l direct pe prim-ministrul Strijdom:

Strijdom! Guvernul tău practică și predică acum dis-
criminarea după culoare. Poate da cele mai crude și
barbare legi, poate deporta lideri și desparți familii,
dar nu va opri niciodată femeile din Africa în marșul
lor spre libertate, nu în timpul vieților noastre.
Tuturor fiicelor Africii le spun: Lăudați numele fe-
meilor. Lăudați-le.

Lilian a murit în 1980, așa că nu a prins prăbușirea apart-
heidului înfăptuită de o mișcare de protest internațională
care a boicotat regimul sud-african, în tandem cu activismul
curajos al oamenilor ca ea. Printre multele lecții de învățat
din aceasta luptă, iată două: nu presupune niciodată că, dacă
ceva e legiferat, acel ceva e drept în mod automat sau că
merită respectat. Și, doi, data viitoare când cineva vă întreabă
cu superioritate falsă sau cinică: „Ce s-a reușit vreodată prin
proteste?", dați-l afară instant din viața voastră.

71

Miriam Makeba

1932-2008

Dacă ați auzit doar unul dintre cântecele artistei sud-africane Miriam Makeba, acela probabil e marele ei hit *Pata Pata*, lansat în 1967. „E un cântec fără niciun înțeles", a explicat râzând la un interviu. „Pentru că e despre un dans. Un dans numit Pata Pata... Aș fi preferat ca alt cântec să ajungă mai popular decât *Pata Pata*. Însă oamenii aleg ce vor ei."

Muzica lui Miriam era, într-adevăr, mult mai semnificativă decât hitul distractiv *Pata Pata*, atât de semnificativă încât era considerată periculoasă de către guvernul apartheid sud-african și a fost interzisă, iar Miriam și-a petrecut mare parte din viață în exil.

Miriam s-a născut în 1932, la Johannesburg. Tatăl ei a murit când era tânără, așa că a trebuit să-și caute să lucreze ca servitoare, în timp ce mama ei lucra pentru o familie de albi și era nevoită să locuiască departe de copii. Începuturile lui Miriam au fost dure, fiindcă s-a confruntat cu top trei chestii depresive: apartheid, un soț groaznic și un cancer la sân, dar talentul ei de cântăreață avea să îi aducă celebritatea internațională.

Marele ei succes a venit în anii 1950, când a cântat cu mai multe trupe, inclusiv cu una formată doar din femei,

The Skylarks. A fost recunoscută internațional când a cântat
două melodii într-un film anti-apartheid din 1959, numit
Vino înapoi, Africa (Come back, Africa), care a trebuit filmat în
secret și scos pe furiș din țară de către producător, Lionel
Rogosin. Deși artiștii de culoare nu aveau voie să călătorească
în afara Africii de Sud, Lionel a mituit niște oficiali ca să-l lase
să o aducă pe Miriam la premiera filmului de la Veneția, în 1960.
Acel film a lansat-o pe Miriam spre celebritate. A pornit într-un
turneu prin Europa și America și s-a mutat la New York, unde
a fost luată sub aripa sa de cântărețul Harry Belafonte.

Muzica ei, combinație între jazzul american și stilurile
sud-africane, a fost un mare hit. Miriam cânta despre dragoste
și despărțiri, dar mai cânta și despre realitatea brutală de a fi
negru sud-african. Avea un zâmbet larg și era fermecătoare,
cânta cu o voce clară, care-ți oprea inima și în care tremura
un vibrato delicat ce dădea o emoție profundă cântecelor sale.
Lucrurile îi mergeau bine în carieră, când Miriam a primit
vestea devastatoare că mama ei a murit. A vrut să se întoarcă
imediat în Africa de Sud ca să participe la înmormântare, dar
a descoperit că guvernul sud-african îi revocase pașaportul și
nu putea să se întoarcă. Exilul a ținut câteva decenii, după
cum i-a povestit îndurerată autorului Hank Bordowitz:

> Mereu am vrut să plec de acasă. Nu am știut că mă
> vor împiedica să mă întorc. Poate, dac-aș fi știut, nu
> aș mai fi plecat. E dureros să fii departe de tot ce ai
> știut vreodată. Nimeni nu poate cunoaște durerea
> exilului până nu ajunge în exil. Oriunde te duci, sunt
> momente când oamenii dau dovadă de bunătate și
> dragoste, și sunt momente când îți dau de înțeles că
> ești cu ei, dar nu ești una dintre ei. Și atunci, doare.

În New York, celebritatea lui Miriam a continuat să crească după ce le-a cunoscut pe unele dintre cele mai mari staruri muzicale americane, precum Louis Armstrong, Marlon Brando, Sidney Poitier și Ray Charles. După exil a început să accentueze și mai mult mesajul politic în arta ei, deși ea nu așa ar spune: „Eu nu cânt despre politică", spunea, „cânt numai despre adevăr". Cât a trăit în America, a criticat și segregarea de acolo, corelând-o cu ce se petrecea acasă. „Nu era vreo mare diferență în America. Era o țară care abolise sclavia, dar avea un apartheid în felul ei". Când un reporter a rugat-o să compare cele două țări, a explicat că „singura diferență între Africa de Sud și America e una subțire. Africa de Sud recunoaște ce este."

În anii 1960, Miriam a depus mărturie de mai multe ori în fața Națiunilor Unite despre realitățile apartheidului sud-african. A vorbit despre Masacrul de la Sharpeville, din 1960, când poliția a deschis focul împotriva a mii de protestatari anti-apartheid. A criticat fățiș încarcerarea în masă a activiștilor precum Lillian Ngoyi sau Nelson Mandela și a spus „Țara mea s-a transformat într-o uriașă închisoare". A mai spus la ONU că Africa de Sud ar trebui sancționată economic și supusă unui embargo pe muniție. Iar pentru asta, Africa de Sud i-a retras cetățenia cu totul, lăsând-o fără stat. Fiind, însă, deja o celebritate internațională, i s-au oferit pașapoarte și cetățenii de onoare peste tot în lume.

Guvernul SUA nu o prea avea la inimă. Miriam s-a măritat cu liderul Black Panthers, Stokely Carmichael, în 1968, îndepărtându-și publicul alb, care îi asculta muzica „autentic" africană numai ca să se poată lăuda că ascultă așa ceva. Publicul ei alb i-a întors spatele, radiourile nu i-au mai difuzat muzica, iar guvernul SUA a început s-o spioneze. Când ea și soțul ei au ieșit din țară, i s-a interzis din nou să se întoarcă, de data asta în SUA, care i-au revocat viza. Cuplul s-a mutat în Guineea, unde au rămas 15 ani.

Exilată mai întâi de Africa de Sud, apoi de SUA, Miriam a pornit în turneu prin Europa prin Africa, devenind tot mai faimoasă și tot mai critică la adresa celor două țări. SUA au început să cenzureze aspectele politice din concertele ei date la televizor, iar în Africa de Sud era interzisă cu totul. Cu cât SUA și Africa de Sud încercau s-o rănească, cu atât Miriam devenea mai critică, mai activistă și mai sinceră, și cu atât mai populară ajungea muzica ei în întreaga lume. A ajuns să fie numită „Mama Africa".

Când sistemul apartheid a început să se fărâmițeze, Miriam a putut, în sfârșit, să se întoarcă în Africa de Sud, în 1990, la câteva luni după ce Nelson Mandela a fost eliberat din închisoare. Primul loc unde s-a dus a fost mormântul mamei sale, unde a putut finalmente să stea să plângă, după atâtea decenii.

Miriam a continuat să facă spectacole și să cânte până la moartea ei, în 2008, când s-a prăbușit, la scurt timp după un show vesel, în Italia, la 76 de ani. Mandela a descris așa impactul pe care l-a avut ea asupra negrilor sud-africani care trăiau sub opresiunea apartheidului: „Muzica ei a insuflat un sentiment puternic de speranță în noi toți". Se pare că, totuși, nu poți să interzici muzica cuiva în țara ta. Oamenii vor găsi mereu o cale să asculte cântecele pe care guvernul nu vrea să le audă – mai ales când acestea sunt frumoase, plăcute și populare ca ale lui Miriam Makeba.

Te Puea Herangi

1883-1952

Pentru toți cei cărora le e greu să organizeze pe un grup de WhatsApp o ieșire cu prietenii, povestea lui Te Puea Herangi poate fi un exemplu umilitor despre ce-ți trebuie ca să fii un lider adevărat.

Te Puea s-a născut în 1883, în regiunea Waikato din Insula de Nord a Noii Zeelande. A fost lider în Mișcarea Regelui, sau Kingitanga, care, în anii 1850, încerca să unească sub un singur rege anumite triburi maori din Insula de Nord. Confruntați cu confiscarea terenurilor de către coloniștii europeni din Noua Zeelandă, cunoscuți în limba maori ca *pakeha*, Kingitanga le oferea triburilor maori din regiunea Waikato ocazia de a se organiza și de a-și păstra autonomia și pământurile.

Deși nu a domnit niciodată și nici nu a avut vreun rol formal în guvernul parlamentar din Noua Zeelandă, nimeni nu a făcut mai multe, în prima jumătate a secolului XX, pentru Kingitanga, waika sau pentru drepturile maorilor în general decât Te Puea.

De când era copilă, Te Puea avea o prezență impresionantă și dovedea o inteligență ieșită din comun. Când a

murit mama ei, în 1898, a fost chemată de la școală să se
întoarcă acasă și să își asume un rol mai mare în comuni-
tate. Când sora mai mare s-a mutat din regiune, Te Puea s-a
trezit practic căpetenia tribului.

Încă adolescentă, Te Puea suferea de tuberculoză cronică
și nu se aștepta să aibă o viață lungă. Crezând că are timpul
limitat, și-a petrecut adolescența distrându-se, fumând,
bând și făcând mult sex. Era incredibil de frumoasă,
îndrăzneață și fermecătoare, și se spune că trebuia doar să
arate spre orice bărbat la o *a hui* – o adunare maori – și acela
era al ei. (În anii de viață adultă, Te Puea se va devota încer-
cării de a ține tinerii maori pe linia dreaptă, în speranța că
vor evita excesele din propria tinerețe.)

Pe măsură ce a început să se maturizeze, Te Puea și-a
orientat energia aparent nelimitată spre organizarea, condu-
cerea și îmbunătățirea vieții poporului waikato.

Te Puea credea în cooperarea dintre triburile maori și
era aprig de loială poporului și regilor sub care a trăit. Ea
însăși era strănepoata unui rege, Tawhiao Te Wherowhero,
și nepoata altuia, Mahuta. În 1913, o epidemie de variolă a
devastat populația maori, care era mai susceptibilă la boala
pakeha și care nu voia să se ducă sau nu era primită la trata-
ment în spitale, unde li se interzicea accesul maorilor. Te
Puea a reacționat instalând spitale în aer liber în care să
îngrijească ea însăși bolnavii.

La izbucnirea Primul Război Mondial calitățile ei de lider
vor fi puternic puse la încercare când guvernul
Noii Zeelande a încercat să impună recrutarea forțată a
maorilor din Waikato, așa cum făceau administratorii coloni-
ali englezi cu toate popoarele de băștinași din imperiu. În
timp ce politicienii maori credeau că poporul trebuie să se
supună și să arate că luptătorii maori erau egali cu tovarășii

lor europeni, Te Puea era o pacifistă convinsă. În plus, nu i se părea nici corect, nici drept ca poporul ei să-și dea viața pentru puterea colonială care-și încălcase promisiunile și le luase pământurile. „Ne spun să luptăm pentru rege și țară. Ei bine, chiar așa. Avem un rege. Dar nu avem o țară. Ne-a fost luată. Să ne dea pământurile înapoi și poate ne mai gândim."

Furios că triburile waikato refuzau să se înroleze, guvernul a implementat încorporarea obligatorie pentru maori, în 1917, dar numai în Waikato. Bărbații waikato cu vârste între 17 și 30 de ani riscau, deci, să fie arestați. Te Puea i-a invitat pe acești bărbați să li se alăture și le-a promis să îi protejeze. „Dacă murim", le spunea, „să murim toți împreună."

Când poliția a venit și a încercat să impună prin forță recrutarea, ea le-a spus: „Nu voi fi de acord ca copiii mei să plece să verse sânge." I-au luat fratele cel mai mic, care avea doar 16 ani, însă, pe parcursul evenimentului, maorii au rămas pasivi și non-violenți. Atât de pasivi, că un bărbat masiv s-a dovedit o adevărată provocare pentru poliție: „Unul dintre ei era enorm de gras", a spus Te Puea. „S-a așezat, pur și simplu, pe jos. Poliției i-a fost foarte greu să îl urce în mașină. Sigur că nimeni nu i-a ajutat. A trebuit să râdem, în ciuda lacrimilor."

Bărbații au fost reținuți și supuși la ceea ce oficialii numeau „pedepse alimentare" – li se dădeau cantități minuscule de apă și de mâncare ca să le frângă spiritul. Dar au rămas puternici, iar Te Puea venea și stătea în afara închisorii, ca să le fie alături.

Incapabil să distrugă solidaritatea tribului waikato, guvernul a încercat altceva: a sugerat că pacifismul lui Te Puea se datora, de fapt, moștenirii ei germane și loialității față de Germania în război. (Bunicul ei, pe care nu l-a cunoscut, avea nume german, dar era englez.) A răspuns acuzelor cu mare stil: „Și ce dacă sunt de origine germană? La fel e și familia regală britanică. Mai mult, nu sunt nici anti-germană, nici anti-britanică. Sunt pur și simplu pro-maori". După război, în 1919, toți prizonierii maori au fost eliberați discret din detenție.

Felul în care a gestionat recrutarea forțată a aruncat-o pe Te Puea în lumina reflectoarelor. Te Puea a condus prin exemplu personal și nu i-a păsat niciodată ce credea lumea despre faptul că se murdărea pe mâini. A avut din nou grijă de bolnavi în timpul gripei spaniole și a adoptat mulți orfani. Dacă era vreodată nevoie de muncă manuală, pur și simplu începea ea însăși să muncească, iar ceilalți o urmau. Mulți ani mai târziu, a primit titlul de Comandant al Imperiului Britanic, pentru serviciile aduse poporului maori și Noii Zeelande, dar era cât pe ce să rateze ceremonia pentru că era ocupată la bucătărie, unde ajuta la pregătirile pentru eveniment. A acceptat premiul încălțată în papucii în care muncise.

Capacitatea lui Te Puea de a organiza comunitățile va ajuta nu doar triburile maori, ci și multe alte zone din Noua Zeelandă. Când căminul lor ancestral a fost inundat, și-a condus tribul spre relocare într-un sat nou din Turangawa-ewae, unde a stabilit o comunitate atât de bine organizată, că va deveni o escală obligatorie pentru vizitatorii VIP din Noua Zeelandă. Totodată, a fondat o trupă care făcea turnee prin țară ca să strângă bani pentru comunitate, dând specta-cole de muzică maori tradițională și haka. Cu cât îi creștea mai mult faima, cu atât creștea și faima Kingitanga, Mișcarea Regelui, și legitimitatea regelui, deși nu toate triburile maori o sprijineau. Te Puea a ajuns un soi de diplomat între alte triburi și politicienii *pakeha*, chiar și prim-miniștri, în fața cărora pleda neobosit pentru waikato. Ea a reînviat

practicile spirituale maori tradiționale și a supervizat constru-
irea multor case de întâlnire maori și a multor canoe.

În al Doilea Război Mondial, a rămas o pacifistă, dar a
adoptat politica potrivit căreia, dacă vreunul dintre oamenii
ei voia să se înroleze, nu avea să-l oprească. Între timp, a
contribuit în alte moduri la efortul pentru război, strângând
fonduri pentru Crucea Roșie și distrând trupele americane
din Noua Zeelandă cu trupa ei. An după an, s-a străduit să
ofere poporului maori o educație și o îngrijire tot mai bune.

În inima luptei pentru poporul waikato, care a însemnat
decenii din viața lui Te Puea, rămânea problema nerezolvată
a pământului. În 1864 fuseseră confiscați 800 000 de acri
de la maori, iar Te Puea a jucat un rol central în lupta pentru
despăgubirea pentru acele pământuri. Despăgubirile au fost
și rămân o chestiune controversată.

Tea Puea a negociat o înțelegere pentru despăgubiri
monetare, explicând astfel: „Banii nu pot șterge niciodată
sângele curs. Nicio înțelegere nu va putea șterge lacrimile
vărsate. Iar cei care au suferit cel mai mult nu mai sunt
printre noi. Nu, banii nu sunt totul. Dar înseamnă la fel de
mult să ni se demonstreze că am avut dreptate." Pentru
Te Puea, ceea ce conta dincolo de bani era ca, prin despă-
gubiri, guvernul să admită că s-a comis o crimă istorică
împotriva poporului ei.

OK, cum dracului a reușit să facă atâtea în viața ei? Și
le-a făcut în timp ce s-a luptat cam tot timpul cu probleme
de sănătate. Articolul dedicat ei din ediția din 1951 a cărții
Cine e cine (Who's Who) poate ne dă răspunsul: „Nu-ți lua
vacanțe. Eu, când nu muncesc, dorm". Și totuși, s-a bucurat
de viață, și nu doar în anii adolescenței. Își iubea comuni-
tatea și îi numea pe toți copiii ei. Era întotdeauna sinceră,

iubitoare și directă, deși foarte strictă în ce privea curățenia, moralitatea sau băutura.

Peste 10 000 de oameni au venit să-și aducă omagiul în săptămâna de după moartea ei, la 68 de ani, în 1952. Deși nu mai e printre noi, foarte multe dintre cele create în viața ei rămân vii și azi. Clădirile pe care le-a construit, mișcarea pe care a păstorit-o cu atâta atenție și comunitatea pe care a protejat-o și pe care a crescut-o, toate îi încununează munca imensă, de o viață.

73

Whina Cooper

1895–1994

Whina Cooper, lidera maori cunoscută în Noua Zeelandă ca *Te Whaea o te Motu* sau „Mama națiunii", a început să se ocupe de organizare la o vârstă fragedă. S-a născut ca Whina Te Wake în 1895, în regiunea Hokianga din Insula de Nord. Când era adolescentă, un fermier alb din Noua Zeelandă (sau *pakeha*) a început să sece 20 de hectare din zona maori ca să îi folosească pentru fermă. Obținuse împrumut de la guvern, pentru că pământul „nu era folosit". De fapt, era o sursă de crustacee pentru maori, precum și locul perfect pentru curse de cai vara, când secau mlaștinile. Și oricum, chiar dacă maorii își doreau mlaștinile ca să nu facă absolut nimic cu ele în afară de plimbări plescăitoare din când în când, tot era pământul lor.

Localnicii maori s-au întâlnit să discute ce era de făcut. Tatăl Whinei, Heremia Te Wake, voia să găsească o soluție prin lobby politic, dar tânăra Whina a avut o idee de strategie care nu ar fi durat câteva săptămâni, timp în care mlaștinile ar fi fost deja secate. A propus să conducă un grup de muncitori la șanțuri, să le umple pe măsură ce *pakeha* le săpau. Era o fată fermecătoare și politicoasă și, indiferent cât de mult se enerva fermierul, ea îl urma și umplea groapa pe care o făcuse.

Fermierul s-a înfuriat și a chemat poliția să-i aresteze, dar efortul Whinei le-a asigurat timpul de care avea nevoie tatăl ei ca să îl convingă pe ministru să revoce împrumutul. Toți maori care au participat la acest protest inedit au fost chemați la tribunal, mai puțin Whina. Până la urmă, ce putea să fi avut de-a face o adolescentă cu toată treaba asta?

Curajul Whinei a ajutat-o pe parcursul anilor. La o seară dansantă pentru tineri și tinere din regiune, Whina a cunoscut un tânăr și atrăgător topograf, pe nume Richard Gilbert. După Primul Război Mondial, tinerii se găseau greu, așa că Whina a acționat rapid, înaintea altor fete, și l-a cerut de bărbat ziua următoare. Iar el a fost gen *YOLO*, cred, așa că s-au căsătorit. Iată ce își amintește Whina la bătrânețe: „Am ajuns mai repede decât toate celelalte dansatoare care încercau să ajungă la el..." Apoi a împrumutat un inel de la un bijutier ca să se căsătorească a doua zi. *Fă ce trebuie să faci*, Whina!

În anii următori, Whina a vrut să ajute comunitatea locală să se organizeze mai bine și să construiască pe terenurile lor, sub forma unei cooperative. Până la urmă, la finalul anilor 1920, a devenit posibil ca maori să primească împrumuturi pentru dezvoltarea terenurilor, iar Whina a condus aceste inițiative. Dar când soțul ei a murit, s-a cuplat cu William Cooper, care era deja căsătorit, ceea ce a dus la o ruptură de comunitatea profund catolică din care făcea parte și la o pauză în activitatea ei.

În anii 1950 a avut loc o migrație masivă a triburilor maori din zonele rurale spre orașele din Noua Zeelandă. Whina s-a mutat la Auckland și a fost aleasă președinta Ligii pentru Bunăstarea Femeilor Maori, al cărei scop era să ajute femeile care se mutau și să le sprijine educația și dezvoltarea. Whina a evaluat locuințele de mahala din Auckland, pentru a dezvălui exploatarea familiilor maori de către proprietarii *pakeha*.

A depus eforturi pentru încurajarea hrănirii la sân a copiilor, a descurajat consumul de alcool printre femeile maori de la oraș și a luptat pentru îmbunătățirea condițiilor de îngrijire medicală, în general. A deschis primul *marae* urban – centru comunitar maori –, preluând astfel moștenirea eroinei din capitolul precedent, Te Puea Herangi, cu care fusese prietenă.

Whina și-a cimentat reputația de lider neînfricat, dar controversat, în timpul Marșului Maori pentru Pământ din 1975, când avea 80 de ani. Furioși din cauza unei serii de legi care permiteau deposedarea populației maori de pământuri, s-a luat decizia să se facă un marș din capătul Insulei de Nord până la capitala Wellington, pe partea sudică a insulei. Drumul de peste 1 100 de kilometri reprezenta protestul împotriva pierderii atâtor pământuri maori. Din 66 de milioane de acri din Noua Zeelandă, maori dețineau 2,5 milioane, de la patru milioane în urmă cu zece ani. Marșul a cuprins aproape 5 000 de oameni, conduși de apariția ațâțătoare a unei Whina de 80 de ani, care, cu artrita și bastonul ei, venea și le făcea cu mâna și ținea discursuri pe tot parcursul călătoriei. Whina a explicat importanța marșului în biografia ei scrisă de Michael King:

> Pentru mine se întâmplau mai multe deodată. Voiam să atrag atenția asupra situației dificile în care se aflau mulți maori fără pământuri. Voiam să subliniez că oamenii fără pământuri vor ajunge oameni fără cultură. Voiam să opresc deposedarea maorilor de alte pământuri și ceream Coroanei să le dea înapoi pământurile care le aparțineau și care aveau semnificație tradițională. Marșul în sine avea să dramatizeze aceste lucruri, să mobilizeze opinia maorilor și să trezească conștiința *pakeha*. Și am acceptat să îl conduc pentru că marii lideri din trecut erau morți: Carroll, Ngata

Buck, Te Puea, Tau Henare, Paraire Paikea. Eram cea
din urmă care îi cunoscuse pe toți. Stătusem pe lângă
ei, îi privisem și îi ascultasem, mă umplusem de
cunoaștere de la ei. Voiam să folosesc într-un scop no-
bil tot ceea ce știam.

Whina a fost acuzată pe parcursul vieții că era prea
autocrată. În timpul marșului, îi gonea pe cei care se furișau
serile ca să bea. Trebuia să fie o călătorie înaltă spiritual și
simbolică. Când au ajuns la Parlament, Whina arătase prin
marș imaginea unității dintre triburile maori și reușise să
aducă în atenția publică pierderea pământurilor maori. La
finalul marșului, însă, unii participanți tineri și mai radicali
au rămas în fața Parlamentului și au cerut rezultate concrete
de la guvern. Whina, care era mai conservatoare, nu putea
suferi confruntările (deși, mă rog, a condus un marș de 1 100
de kilometri făcând semne cu bastonul către oameni). Asta a
înfuriat participanții la marș, iar supărarea s-a accentuat când
ea a acceptat onoruri de la guvernul britanic, care, eventual,
a făcut-o *dame*. Unii maori mai radicali au întrerupt ceremo-
nia, crezând că Whina se vânduse acceptând onorurile lor.

Totuși, nu se poate nega că Whina a fost un lider de comuni-
tate și un activist care se naște doar o dată într-o generație. A
vizitat fiecare *marae* din fiecare trib maori ca să-și bălăngăne
bastonul spre ei și să-i cheme la marș. Inițial, s-a lovit de
rezistență din partea ministrului pentru maori, care a consi-
derat în primă instanță că marșul ar fi fost un afront al
autorității lui în reprezentarea poporului maori față de guver-
nul Noii Zeelande. Ministrul i-a cerut o întâlnire și ea l-a
refuzat, pentru că deja se decisese că marșul va avea loc.
Atunci, secretara lui a spus: „Foarte bine. O să închidem
toate *marae*-urile din calea ta" – asta, ca să nu aibă unde să

se odihnească pe parcursul călătoriei. Iar Whina a răspuns: „E-n regulă, drumul nu e închis, dormim pe el." Iar ministrul a dat înapoi.

Whina a reușit chiar să obțină permisiunea ca participanții la marș să fie primii pietoni care au traversat vreodată Auckland Harbour Bridge. A devenit o senzație media și o figură importantă pentru Noua Zeelandă. Pe drum, participanții la marș au strâns semnături de la liderii și autoritățile maori din toată insula și au purtat permanent un țăruș în deschiderea marșului, țăruș numit *pouwhenua*, care atestă proprietatea tribală a pământului. Protestatarii nu au lăsat niciodată țărușul să atingă pământul, arătând astfel cât de mult pământ pierduseră maorii.

Până la sfârșitul vieții ei de 98 de ani, Whina a vrut să conducă. Când avea 87 de ani, un reporter a scris: „Sunetul vocii hotărâte a Whinei Cooper la telefon încă poate face inima unui funcționar să sară din piept." Nu se lăsa niciodată, iar când voia să facă ceva, nu renunța, fie că ceilalți erau de acord cu ea sau nu. Whina credea că Noua Zeelandă trebuia să fie o singură națiune, maori și *pakeha* laolaltă, în vreme ce alți maori voiau (și încă vor) o identitate națională maori separată în cadrul Noii Zeelande.

Moștenirea ei rămâne controversată, dar autoritatea ei a inițiat conversația despre o națiune care se confrunta cu moștenirea colonială. Poate că însăși Whina ne-a lăsat cea mai bună formulă prin care să rememorăm povestea ei complicată și controversată. Așa cum i-a explicat biografului ei, Michael King, era „*he wahini riri, he wahine awhina, he wahine aroha* – o femeie furioasă, încurajatoare și iubitoare".

74

Susan La Flesche Picotte

1865–1915

*C*ând era copil, Susan La Flesche Picotte a văzut o femeie murind în rezervația Omaha din Nebraska, când un doctor alb a refuzat s-o trateze pentru că îi păsa mai mult să rămână un rasist diabolic decât să salveze viața cuiva. Așa că a decis să devină ea însăși medic, pentru ca cei din comunitatea ei să nu mai depindă de capriciile rasiștilor diabolici, când ar fi avut nevoie de îngrijiri medicale.

Când avea 14 ani, tatăl ei, căpetenia Joseph La Flesche, sau Ochi de Fier, a încurajat-o să-și continue educația cât putea de mult, ceea ce însemna să plece o vreme din rezervație. S-a dus să studieze la Institutul Hampton din Virginia, un colegiu de negri care a făcut istorie, cu mulți studenți amerindieni care nu erau bineveniți la universitățile de albi din cauza fricilor și a superstițiilor imposibil de depășit ale albilor. Susan s-a dus apoi la Colegiul de Medicină pentru Femei din Pennsylvania, unul dintre puținele locuri unde femeile puteau studia medicina atunci, și a absolvit prima. E considerată prima amerindiană cu diplomă de medic și a fost cu adevărat întruparea emojiului pentru „grijă".

Susan s-a întors la Nebraska, unde era singurul doctor la aproape o mie trei sute de indieni omaha, pe o suprafață de 3 500 de kilometri pătrați. A dus campanii publice împotriva băuturii și pentru prevenirea tuberculozei. A muncit zi și noapte ca să-și ajute comunitatea și altfel decât medical, intervenind și când erau probleme financiare sau familiale. S-a măritat în 1894 și s-a mutat la Bancroft, Nebraska, unde și-a deschis un cabinet privat în care trata atât albi, cât și oameni de culoare, pentru că nu era o rasistă nenorocită. În 1913, a deschis un spital într-o rezervație din Nebraska.

Când i-a murit soțul, Susan a trebuit să se judece cu guvernul federal ca să-i moștenească pământul. Urma să fie moștenit de o rudă de sex masculin, pentru că o femeie nu era considerată suficient de competentă ca să aibă grijă de pământul unui bărbat. Așa că a ajuns să ajute și alți indieni omaha blocați în conflictele lor cu Oficiul pentru Afaceri Indiene – conflicte legate de pământ sau de bani care li se datorau. Nu era doar doctor, era și un lider pentru comunitate și, se pare, unul dintre acei oameni cu o sferă de energie infinită și strălucitoare, chiar dacă se confrunta ea însăși cu o boală cronică. Pe timpul lui Susan, nu se pomenise ca o femeie să continue să muncească după căsătorie, mai ales dacă avea și copii, dar, din fericire, Susan nu dădea doi bani pe ideea asta, așa că a salvat o mulțime de vieți.

75

Sojourner Truth

cca. 1797-1883

*P*e YouTube se găsesc înregistrări cu actrița Kerry Washington care recită faimosul discurs „Nu sunt eu femeie?" („Ain't I a Woman") al lui Sojourner, ținut la Convenția pentru drepturile femeilor din Akron, Ohio, 1851. E o interpretare absolut superbă a acestui discurs inteligent și usturător al unei aboliționiste de secol XIX, despre intersecția dintre mișcările anti-sclavie și cele pentru drepturile femeilor. Un discurs punctat la fiecare câteva replici de întrebarea „Nu sunt eu femeie?"

E un monolog incredibil, teatral și emoționant, în care autoarea întreabă din nou și din nou dacă ea, o femeie de culoare care a fost sclavă, ar fi putut fi genul de femeie pe care o virtuală adunare ostilă de la conferința pentru femei ar fi vrut să o elibereze.

Așa că e de-a dreptul frustrant să aflăm că acest discurs glorios nu are nicio legătură cu cel adevărat ținut de Sojourner Truth. Ca un exemplu tulburător, dar nu șocant, de ironie, transcrierea performată de Washington și de alții a fost scrisă, de fapt, 12 ani mai târziu, de către sufrageta Frances Dana Gage, cea care organizase conferința.

Și iată ce a făcut ea (ca orice alb drăguț de azi care cântă entuziast pe rap): a publicat transcrierea lui Sojourner într-un dialect sudist inventat, (inclusiv cu folosirea de două ori a cuvântului care începe cu N). Aceasta e versiunea pe care o știe majoritatea oamenilor și pe care a interpretat-o Kerry Washington. Iată un citat:

> Omul de acolo spune că femeile trebuie să fie ajutate
> să urce în căruțe, trecute în brațe peste șanțuri și să
> aibă cel mai bun loc peste tot.
> Nimeni nu mă ajută vreodată în căruțe sau peste
> nămoluri sau nu îmi dă locul cel mai potrivit!
> Sau eu nu sunt femeie?[1]

În realitate, Sojourner era din Nord, din New York. Se născuse sclavă, în 1797, și nu a vorbit decât olandeză până la nouă ani. Dacă avea vreun accent, ăla era olandez, dar oricum ea se mândrea cu pronunția ei englezească fină. La urma urmei, a mers în turneu prin întreaga țară, ținând conferințe și dezbateri.

Sojourner și-a primit libertatea în 1826 sau, mai bine spus, și-a luat-o singură. Statul New York urma să abolească sclavia în 1827, iar stăpânul ei îi promisese să o elibereze cu un an înainte, dar nu s-a ținut de cuvânt. Așa că, într-o dimineață, devreme, și-a luat copilul și a plecat. În memoriile dictate și publicate în 1850, *Povestea lui Sojourner Truth, o sclavă din nord (Narrative of Sojourner Truth, A Northern Slave)*, povestește cum

---

[1] În lb. engleză: *Dat man ober dar say dat women needs to be helped into carriages, and lifted over ditches, and to have de best place eberywhar. Nobody eber helps me into carriages or ober mud-puddles, or gives me any best place. And ar'n't I a woman?* (n. tr.)

fostul stăpân a venit s-o caute și a acuzat-o că a fugit, dar ea
i-a spus: „Nu, nu am fugit, am plecat la lumina zilei pentru
că îmi promiseseși un an în minus." I-a cerut să se întoarcă
cu el și ea a refuzat.

Odată liberă, s-a dus în justiție, ca să-și recupereze unul
dintre copii, care fusese vândut în Sud – ceea ce era ilegal
la acel moment. I-a spus fostei stăpâne: „Nu am deloc bani,
dar Dumnezeu are destui. Și o să-mi recuperez copilul." În
1828, a reușit să își aducă copilul înapoi și a fost prima
femeie de culoare care a câștigat un proces împotriva unui
bărbat alb.

Sojourner și-a câștigat faima călătorind prin toată țara,
motivată de convingerile ei religioase să predice despre
aboliționism, drepturile femeilor, reforma închisorilor și
pedeapsa cu moartea. A ajutat la recrutarea unor soldați de
culoare în Armata Uniunii din Războiul Civil, apoi a lucrat
pentru reintegrarea foștilor sclavi care încercau să-și înceapă
viețile de civili. A făcut lobby la guvernul federal șapte ani,
pentru ca sclavii eliberați să primească pământ, și chiar s-a
întâlnit cu președintele Ulysses S. Grant, dar fără succes.

Discursul lui Sojourner, „Nu sunt eu femeie?", mai are
o transcriere, făcută la câteva săptămâni de când l-a rostit
și publicată cu acordul ei într-un ziar anti-sclavie. Există
niște puncte comune între cele două, dar cu siguranță
varianta din 1851 e mai apropiată de cuvintele ei adevă-
rate – și măcar e publicat cu acordul ei. Un site numit
The Sojourner Truth Project a compilat lecturi ale versiunii
originale citite de femei cu accente afro-olandeze contem-
porane, ca să se apropie mai tare de vocea adevărată a lui
Sojourner. Iată un fragment:

Am auzit multe despre cum sexele sunt egale; pot
duce la fel de mult ca un bărbat și pot să mănânc
la fel de mult, dacă am cum.

Sunt la fel de puternică precum orice bărbat pe
care-l cunosc.

Iar despre intelect, pot doar să spun că, dacă
femeile au o sticlă de jumătate și bărbații una de
un litru – de ce să nu aibă totuși și ele sticluța
plină?

Nu trebuie să vă fie frică să ne dați drepturi de
teamă că vom lua prea mult, pentru că nu putem
lua mai mult decât ne ține sticla.

Sărmanii bărbați par toți foarte confuzi și nu știu
ce să facă.

Sărmanii bărbați! E mereu un adevărat regal să citești
niște sarcasm care funcționează la fel de bine după 160 de
ani de când a fost rostit.

Ar trebui să ne abținem să facem din discursul lui Sojour-
ner alt moment de genul „de fapt, Frankenstein e numele
omului de știință", cu care să ne batem joc unii de alții. E
doar păcat și ironic faptul că adevăratele ei cuvinte s-au
pierdut. Tot ce-au spus oamenii geniali înainte să existe
tehnologia care să înregistreze sunetul depinde de amintiri
amețite ale martorilor, jurnaliștilor și activiștilor cu etică
dubioasă. Chiar și discursul de la Gettysburg, ținut de
Abraham Lincoln – pe care Sojourner l-a cunoscut de aseme-
nea –, există în numeroase versiuni, dar bănuiesc că aia care
contează e cea bătută în marmură la Washington lângă
statuia de șase metri a președintelui. (Statuia lui Lincoln

adică. Nu avem încă o statuie a actualului președinte, deși e doar o chestiune de timp.[1])

Așa că ascultați ambele versiuni ale „Nu sunt eu femeie?" și lăsați-vă inspirați de ele, mergeți afară, strigați-vă furia justificată înspre cer, apoi intrați în una-două organizații comunitare.

---

[1] Aluzie la megalomania președintelui Donald Trump (n. red.)

Femei care au știut
să se distreze
al dracului de bine

76

Împărăteasa Teodora

cca. 500-548

*S*ă ne minunăm acum de o doamnă care a reușit una dintre cele mai impresionante transfigurări din istoria de peste o mie de ani a Imperiului Bizantin: împărăteasa Teodora. Dacă nu știți ce e aia o transfigurare, urmează să aflați.

Teodora s-a născut în anul 500 într-o familie modestă: mama ei era actriță și dansatoare, iar tatăl era îngrijitorul de urși pentru inima depravării din Constantinopol, Hipodromul – o slujbă care poate părea grozavă, dar care nu îi făcea neapărat bogați. Hipodromul era, însă, mai mult decât locul pentru depravare cu urși – acolo, Teodora și surorile ei au fost puse la treabă ca „artiste", după moartea tatălui certăreț cu urșii. În vremea aia, să fii actriță era același lucru cu a fi prostituată, deși poate că a fi prostituată atunci nu era o așa *dramă* ca azi.

Până la 15 ani Teodora ajunsese o ~starletă~ la Hipodrom. Pe lângă, îhm, reprezentațiile ei private, dansa pentru public îmbrăcată cu doar o fundă legată peste părțile femeiești și era cunoscută și pentru, ei bine... Uite, nu știu ce-i plăcea gentlemanului bizantin de rând! Și cine suntem noi să judecăm ce le plăcea oamenilor acum 1 500 de ani? Erau alte vremuri.

Oricum, Teodora *se poate* să fi avut un „număr" de circ distractiv în care niște gâște mâncau din păsărica ei.

Să fie adevărat? Ei bine, mare parte din ce știm despre ea e consemnată în mai multe istorii ale unui contemporan, Procopius, care se poate să-i cam fi urât pe ea și pe viitorul ei soț. El a spus că a avut numeroși iubiți, în același timp, și că și-ar fi dorit să aibă mai multe organe sexuale pentru mai mulți amanți în același timp. Procopius, care – sincer – pare gelos, poate a vrut s-o defăimeze postum, dar s-a întors împotriva ta, prietene, pentru că defăimarea asta ne face să o simpatizăm și mai tare.

După ce primii ani de adolescență și i-a petrecut într-o serie de orgii și de spectacole sexuale cu gâște (nu judecați morții!), Teodora s-a cuplat cu un funcționar sirian și s-a stabilit la Alexandria. Avea să fie părăsită, să se convertească religios, apoi să se mute înapoi la Constantinopol, în 522.

S-a întors femeie reformată, pioasă și a înlocuit vechea muncă artistică cu una mai discretă, de împletit lâna, asigurând oamenii că „ACUM ÎMPLETESC LÂNĂ, PRIETENI. ÎMI PARE RĂU PENTRU TREABA CU GÂȘTELE".

Dar viața Teodorei era pe cale să devină și mai interesantă. Vedeți voi, locul unde împletea ea lâna atât de inocent se întâmpla să fie aproape de palatul regal, așa că a reușit să atragă privirea viitorului împărat, Iustinian, făcând ceva de genul: „Heei, sunt doar o împletitoare de lână pioasă... cu un *trecut sexy*." Iar Iustinian a zis: „Da, asta-mi place."

Teodora era, cum ziceau bizantinii, bine proporționată. Precopious, fiind mai bine dispus, a mai spus și că „pictura și poezia" nu erau de ajuns ca să-i capteze frumusețea răvășitoare. Oricine e drăguțel, dar arată ciudat în poze, va înțelege.

Teodora a ajuns concubina lui Iustinian, cum se face. Dar Iustinian era așa de vrăjit, că voia s-o ia de nevastă. Mătușica lui, împărăteasa din acel moment, cunoștea trecutul nu tocmai fără pată al Teodorei și, nici nu mai e nevoie s-o spunem, nu voia ca această căsătorie să se materializeze. Dar, din păcate pentru ea, a murit oricum. Odihnească-se-n pace.

Teodora a ajuns împărăteasă în 527 și s-a împodobit cu rochii, blănuri și bijuterii magnifice. Se învăluia în mov, mergea la izvoare calde și se răsfăța cu tratamente de frumusețe luxoase, bucurându-se de cadourile rare pe care Iustinian i le aducea din tot imperiul. Dacă funcționarii uitau să-i pupe picioarele sau cumva nu o tratau cu respectul cuvenit, riscau exilul. Era departe de împletitul de lână sau, mă rog, de *spectacole*.

Iustinian se sfătuia cu Teodora în toate problemele de stat și o considera egala lui. (Aplauze pentru Iustinian, un *iubi* deștept <3.) În timpul domniei lor au câștigat o mulțime de războaie prin care au recucerit zone îndepărtate de la vandali, ostrogoți și alți goți sportivi[1] și huligani pe skateboard. Au rescris codul legal roman, iar unele dintre schimbări se mai regăsesc și azi în codurile civile.

Însă chiar dacă lucrurile mergeau bine în imperiu, acasă erau probleme. Ca să-și finanțeze isprăvile imperiale, Iustadora, așa cum ne vom referi de acum încolo la Iustinian și Teodora împreună, au crescut taxele pentru bogați. Și dacă bogaților le displace ceva, aia e să împartă cu alții.

În acel moment din istorie, Constantinopol era împărțit între două benzi rivale: Albaștrii (aristocrații care credeau că Isus avea o natură umană ȘI o natură divină) și Verzii (un partid al muncitorilor, care considera că Isus avea o singură natură). Cele două grupuri își aveau originea în două echipe

---

[1] *Health & sports goth* e un stil vestimentar ce amestecă moda tipică tinerilor „gotici" care preferă haine închise la culoare, cu accente rock, și moda sportivă futuristă (n. tr.).

rivale la cursele cu trăsuri, dar, prin anii 500, se certau mai mult despre Isus. (Cineva chiar trebuia să-l întrebe pe Isus despre natura lui, ne-ar fi scutit de multe probleme.)

Teodora se poziționa ferm în echipa Albastră, fiindcă ei îi ajutaseră familia în trecut. Dar Albaștrii nu erau deloc mulțumiți de creșterea impozitelor, iar Verzii nu erau mulțumiți de albăstrimea generală a Iustadorei, așa că toți au decis să se revolte. Dincolo de a pune totul pe jar, mulțimea furioasă pretindea că un anume fraier pe nume Hypathius trebuia să fie împărat, iar Iustinian, în loc de a fi împărat, trebuia să fie mort.

Lucrurile se anunțau destul de sumbre, iar Iustinian era cam gata să îi dea dracului pe toți. Dar nu! Împărăteasa i-a stat efectiv în cale și i-a ținut un discurs despre cum nu e bine să fie un copilaș speriat. „Dacă domnul meu vrea să-și scape pielea", proclama ea, „nu vei avea nicio problemă. Suntem bogați, aici avem marea și tot aici sunt vasele noastre. Dar mai întâi gândește-te dacă nu cumva vei ajunge în siguranță și vei regreta că nu ai ales moartea. Cât despre mine, eu mă ghidez după vorba străveche: movul e cel mai nobil lințoliu."

Nu am habar ce e un lințoliu mov și de ce e nobil, însă discursul ei în mod clar a funcționat, căci Iustinian a decis să rămână și să lupte. Le-a ordonat trupelor să-l exileze pe Hypathius și să mai omoare 30 000 de demonstranți, preventiv. Asta îi conferă indirect Teodorei cel mai mare număr de morți dintre toate femeile din cartea asta. (Ascultați, se numește *Femei afurisite. O istorie*, nu *Iepurași blănoși care nu ar face rău niciunui sufleţel. O istorie*.)

În orice caz, dacă nu intervenea Teodora, Iustinian ar fi fost detronat cu siguranță și tuturor ne-ar fi părut rău. În restul domniei lor împreună, Iustadora a terminat Hagia Sofia, o biserică cu adevărat de top, care a fost cea mai mare din lume timp de aproape un mileniu. Teodora a mai fondat o mănăstire pentru 500 de femei care ajunseseră prostituate și a pledat pentru reformarea legii care le ajuta pe femei să dea în judecată bărbații, să divorțeze și să dețină proprietăți.

Teodora a murit la 48 de ani. Viața pe care a avut-o, prieteni, a fost o transfigurare fantastică. Dacă vă aflați vreodată în vremuri grele, pe malul unui lac, uitându-vă la o gâscă și gândindu-vă ce opțiuni aveți, amintiți-vă de Teodora, care s-a ridicat de la cel mai de jos nivel și a ajuns unul dintre cei mai puternici doi oameni dintr-un imperiu aflat într-o epocă de glorie absolută.

77

Wallada bint al-Mustakfi

cca. 1001-1091

*W*allada bint al-Mustakfi a avut norocul să se nască drept
fiică a califului Mahomed al II-lea, în Cordoba, în 994,
și norocul și mai mare ca tatăl ei să fie ucis, moștenindu-i,
deci, bogăția și câștigându-și independența totală.

Ce poți să faci cu bogăție și cu independență dacă trăiești
în Cordoba, la apogeul stăpânirii musulmane în Spania? Erau
o epocă și un loc elogiate pentru apa curentă, grădinile, băile
publice, universitatea, librăriile, nivelul de cultură și farmecul
general – toate într-o perioadă când restul Europei se bălăcea
în canalizări amărâte și oamenii își dădeau cu parul în cap.

Ei bine, Wallada a ales calea elegantă: a deschis un salon
care a fost o școală literară pentru femeile din toate stratu-
rile sociale, de la sclave la membre din familia regală. Acolo
invita evrei, creștini, musulmani, precum și pe amanții ei,
desigur, ca să se întreacă în aprige competiții poetice. Ea însăși
era o poetă excepțională și o maestră a ~jocurilor de cuvinte
senzuale~. Toată lumea știe că alea sunt cele mai bune jocuri
de cuvinte. Nu s-a căsătorit niciodată; cine are nevoie de soț
când are un salon literar plin de amanți și de distracții?

Era prototipul de femeie afurisită din înalta societate a secolu-
lui al XI-lea andaluzian.

Că veni vorba de amanți, un bărbat a avut norocul să aibă
o aventură lungă și foarte întortocheată cu Wallada. Numele
lui era Ibn Zaydun și e cunoscut drept unul dintre maeștrii
poeziei arabe din toate timpurile, pentru că bla bla bla,
bărbații ajung în istorie, bravo lor, ce drăguț.

Atunci când lucrurile mergeau bine între Wallada și
Ibn Zaydun, cei doi se plimbau nopțile prin grădini, așa cum
știm din ce-a scris ea:

> *Așteaptă întunericul, apoi vino la mine,*
> *Cred că noaptea e cel mai bun păstrător al secretelor.*
> *Dragostea pe care-o simt pentru tine nu ține cont dacă lumina*
> *din rai se stinge, soarele nu strălucește*
> *Luna nu se ridică pe cer și stelele nu-și iau calea lor de noapte.*

De ce secretoșenia, în afară de faptul că secretele sunt sexy?
Ei bine, Ibn Zaydun era un rival politic al familiei sale, el și
tatăl ei se urâseră de moarte. Probabil când dăduseră mâna
strânseseră ca dracu'.

Oricum, poezia care l-a făcut cunoscut pe Ibn Zaydun a
fost o puțoială plângăcioasă, pe care a scris-o despre dorul lui
pentru Wallada după ce ea l-a gonit pentru că o înșelase. Nu
se știe dacă înșelatul a presupus că i-a criticat opera sau chiar
s-a culcat cu alta – ambele trebuie să fie nasoale pentru un
poet, bănuiesc.

După incident, poezia lui a devenit ranchiunoasă.
Ibn Zaydun se ruga de ea: „Scoate-ți masca de mânie, să fiu
primul care îți face plecăciune și te adoră". Wallada îi răspun-
dea: „Ești un fătălău, un ticălos, un puțoi, un porc și un hoț.
Dacă un falus ar putea fi palmier, te-ai transforma în ciocă-
nitoare." Frumooos!

Până la urmă, Wallada a folosit străvechea tactică de a se cupla cu inamicul de moarte al lui Ibn Zaydun, un tip pe nume Ibn Abdus, cu care a rămas până la adânci bătrâneţi. Şi, drace, chiar a trăit până la adânci bătrâneţi! Şi în nenorocitul de secol XI! La naiba!

Oricum, Ibn „Puţoiul Plângăios" Zaydun a scris apoi nişte poezii insultătoare la adresa Walladei şi a lui Ibn Abdus, care i-au răspuns exilându-l. Apoi a ajuns un Bărbat Trist şi a scris un faimos poem de dragoste despre dorul de ea.

UNII SPUN că schimbul poetic care a urmat a inspirat viitoarele genuri lirice europene, odată ce europenii s-au oprit cât de cât din a-şi tăia unii altora capetele, cât să aibă timp să mai şi scrie ceva. UNII SPUN că operele lui Wallada şi Ibn Zaydun, precum şi operele produse în salonul ei literar au fost fundaţia literară pentru opere precum *Povestirile din Canterburry, Divina Comedie, Tristan şi Isolda* sau poveştile arthuriene – mai ales fiindcă Wallada era dintr-o clasă socială superioară lui Zaydun „Băieţelul Plângăcios", ceea ce va fi o temă recurentă în poveştile cavalereşti de mai târziu.

În ciuda deschiderii Cordobei faţă de saloane literare pline cu ~jocuri de cuvinte senzuale~, existau, desigur, şi cei care dezagreau atitudinea generală a Walladei, comportamentul ei, modul în care se plimba prin oraş fără să dea doi bani pe nimic. Din fericire, respectivii au fost aruncaţi în coşul de gunoi al istoriei, nu ca Wallada şi amicii ei poeţi.

La o sută de ani de la moartea ei, scriitorul andaluzian Abu Al-Hasan Ibn Bassam a scris despre influenţa Walladei asupra scenei culturale din Cordoba. A numit-o „un far în întuneric" şi a spus că „cei mai mari poeţi şi scriitori de proză erau disperaţi să ajungă la dulceaţa intimităţii ei, ceea ce nu era aşa de greu."

Fiți atenți, cititori! Unul dintre voi e probabil foarte deștept. Unul dintre voi sigur va inventa călătoria în timp, peste cincizeci de ani sau cam așa. Da, tu de-acolo! Tu care stai în tren cu firimituri de chipsuri în poală. Te văd. După ce inventezi călătoria în timp, dulce și isteț cititor, te rog dă-mi un mesaj privat și anunță-mă. Putem să călătorim împreună la salonul literar al Walladei, să ascultăm niște poezie scremută și să facem plimbări nocturne interzise în grădini cu iubiții noștri anadaluzieni. Pare un plan bun? Așa. Acum apucă-te de inventat, te rog.

Până atunci, uite încă ceva despre Wallada, înainte să plecăm. Wallada își cususe câte un vers pe fiecare mânecă a rochiei. Traducerile versurilor variază puțin, dar vă puteți face o idee:

Pe o mânecă: „Sunt, prin voia lui Dumnezeu, potrivită pentru poziții înalte. Și merg cu mândrie pe drumul meu."

Pe cealaltă mânecă: „Îmi las iubitul să-mi atingă obrazul și le dau săruturi fericită celor care tânjesc după ele",

Și chiar era fericită să dea sărutări, fetelor! Și voi să le dați fericite și să mergeți mândre pe drumul vostru. Și, dacă dați peste vreun nenorocit care vă înșală, culcați-vă cu rivalul lui politic, exilați-l din viața voastră și faceți mișto de el prin ~jocuri de cuvinte senzuale~, apoi trăiți-vă restul vieții la maximum, cum a făcut Wallada.

78

Nell Gwyn

1650-1687

Nell Gwyn a fost una dintre cele mai mari *boarfe* din istoria Angliei și toți trebuie să o respectăm pentru asta. S-a născut în 1650, dintr-o mamă care conducea un bordel, apoi a mers să lucreze în buricul prostituției, teatrul. Anglia de-abia își revenea după două decenii de domnie a puritanilor care erau împotriva boarfelor.[1] Puritanii câștigaseră un război civil sângeros între suporterii boarfelor din Parlament și cei ai boarfelor din monarhie, în care mulți au murit, așa că toată lumea era gata să cadă pe spate de râs.

Nell Gwyn a fost fix boarfa de care Anglia avea nevoie pentru râsul ăla sănătos. S-a ridicat de pe cea mai joasă treaptă a teatrului – vânzătoare de fructe care se confrunta zilnic cu

---

[1] O notă complet fără legătură. Iată câteva nume reale pe care puritanii le dădeau copiilor, adunate de biograful și descendentul lui Nell Gwyn, Charles Beauclerk: Abstinență. Prăpădit, Tribulație, Cenușă, Lamentație, Nu-te-teme, Omoară-Păcatul și Păcate-Trupești. Imaginați-vă! „Păcate-Trupești, dacă ai terminat rugăciunea, vino să-l ajuți pe Tribulație cu asta!" Ăștia sunt oamenii care s-au chinuit așa de tare cu vrăjitoarele în SUA. Poate ar fi trebuit să se concentreze mai bine pe numele lor de căcat. Gata cu nota fără legătură.

bărbații curvari din hârtoape – până a ajuns un star veritabil. Și așa a atras atenția unei boarfe chiar mai mari decât ea, regele Charles al II-lea, primul rege care a mers la teatrul public. Timp de 17 ani, Nell a fost boarfa preferată a regelui și a fost îndrăgită de tot regatul plin de boarfe care era Anglia. Samuel Pepys, ziaristul din anii 1660, bine-cunoscut pentru faptul că era *un ticălos care trăia pentru scandal*, a numit-o pe Nell „cea mai impertinentă târfă", ceea ce, destul de amuzant, era și porecla mea din liceu. Un critic al lui Charles al II-lea, episcopul Burnet, a numit-o „cea mai indiscretă și sălbatică creatură văzută vreodată la Curte", ceea ce, la fel de amuzant, era altă poreclă a mea din liceu. Practic, femeile din teatru erau tratate ca niște bucăți de carne de către dichisiții curvari care mergeau la spectacole în vremea Restaurației, iar actrițele erau plătite mai puțin decât bărbații (clasic). Unele teatre chiar plăteau prostituate adevărate ca să fie târfe profesioniste la teatru și să le distragă atenția patronilor libidinoși de la actrițele care nu trebuiau să rămână gravide și să plece.

Înainte să ajungă la teatru, Nell a spus că „a crescut într-o casă de toleranță, umplând paharele de alcool pentru domni". Nu sunt sigură ce înseamnă asta, dar sună destul de curvăsăresc. Ascensiunea ei până în vârf poate fi explicată doar de faptul că era o gagică de gagică – ceea ce conta cu adevărat e că era isteață și amuzantă. În toate cele trei case de toleranță – la teatru, la curte și acasă – se deosebea de celelalte curve prin faptul că era extrem de amuzantă și de vioaie, ceea ce e greu de crezut, căci femeile nu pot fi amuzante, nu-i așa? Ca vânzătoare de fructe, trebuia să stea în hârtoape și să strige: „Portocale! Vrea cineva portocale?", pentru că, aparent nimeni nu știa de bunătățile alea pe atunci. Mai făcea bani trecând bilețele între doamnele și domnii din public care adorau să vină la teatru ca să și-o tragă.

Cu agilitatea și înjurăturile ei, Nell a fost prima vânzătoare de fructe care a ajuns actriță, dar nu avea să fie ultima. Nell s-a împrietenit cu bine-cunoscutul dramaturg al vremii, Aphra Behn, care, în mod scandalos, era femeie și scriitoare profesionistă. Exact: FATA care scria PIESE la OMIEȘASESUTE. Să nu le spună careva celor de la Hollywood că fetele pot scrie scenarii, că se vor stresa și se vor tulbura și nu am vrea să-i supărăm.

Iată-l din nou pe Sam Pepys, căruia îi plăcea să meargă în spatele scenei, fiindcă era și el o boarfă, și descria ce vedea acolo: „Nell se îmbrăca și nu era deloc gata și era mult, mult mai drăguță decât credeam..." Dar apoi: „Dar, Doamne! Să le vezi pe amândouă machiate poate înnebuni un bărbat și m-a făcut să le urăsc; și ce mai companie de bărbați le roiau în jur, ce tare vorbeau!" Deci Pepys și-a completat repertoriul de boarfă de Tinder de la „Mamă, ce drăguță ești!" la „Hm, de fapt prefer fetele care nu se machiază".

Oricum, Charles al II-lea a fost un nenorocit de curvar care cânta la chitară și avea mai multe amante decât am putea băga în cartea asta. Principala boarfă a lui Charles de dinainte de Nell a fost Barbara Castlemaine, care se zice că i-ar fi mușcat penisul unui episcop mort. Seamănă cu fosta mea soție! Dar, da, Charles a fost regele curvar și curvăsărea nu doar în camerele lui private, ci și afară, prin taverne sau eventual la Nell acasă, unde uneori primea chiar și demnitari străini. Ideea e că Charles era o mare boarfă, deci făceau cuplul perfect.

Regina propriu-zisă, Catherine, nu putea avea copii, dar Charles, fiind curvar, a avut o *droaie* de copii cu flota lui de boarfe, inclusiv cu Nell. Din tot aranjamentul ea s-a ales și cu o casă frumușică. Deci nu disperați, voi, cele care spuneți că n-o să vă permiteți niciodată o casă la Londra: fiți boarfe deștepte și totul se rezolvă!

Să încheiem cu un fragment dintr-un poem de căcat pe care un admirator irelevant l-a scris despre Nell:

E drăguță și o știe.
E deșteaptă și o știe.
Și nu doar că e deșteaptă
E așa de mică și drăguță
Dar are încă o mie de părți
Cu care fură și cucerește inimi.

Toată poezia de dragoste ar trebui interzisă.

79

George Sand

1804–1876

*R*omanicera franceză Amatine-Lucille-Aurore Dudevont s-a născut la Paris, în 1804, din părinți care, în mod evident, se decideau greu la prenume. Când și-a ales numele de scriitoare, însă, Amatine-Lucille-Aurore a decis să meargă pe opusul numelui de botez, și și-a spus George Sand. Un nume puternic, nisipos[1], complet lipsit de liniuțe. Și-a publicat primul roman, *Indiana*, în 1831, sub acest pseudonim. Romanul e despre o femeie care-și părăsește soțul de căcat pentru alte distracții – ceva ce i s-a întâmplat și în viața reală.

După ce și-a părăsit soțul enervant într-o provincie din Franța, George s-a mutat la Paris, unde a început să-și cultive o rețea de amanți artiști și literați, femei și bărbați deopotrivă, cum se face la Paris. Unul dintre artiștii de jucărie ai lui George a fost compozitorul Frédéric Chopin. Când cei doi s-au despărțit, după doi ani de relație, George l-a expus foarte public în romanul ei *Lucrezia Floriani*, bazând personajul unui prinț bolnăvicios pe imaginea compozitorului plăpând. Alt amant, scriitorul Alfred de Musset, a descris-o drept

---

[1] Joc de cuvinte: *sand* înseamnă „nisip" în limba engleză (n. tr.).

„cea mai feminină femeie", dovedind, din nou, că bărbații sunt scriitori proști.

În romanele ei există povești de dragoste care transcend clasele sociale și care se desfășoară deseori, probabil datorită copilăriei din Normandia, în mediul rural francez, printre câmpuri și baghete și râuri de Camembert sau orice altceva mai cresc francezii la țară. George scandaliza publicul purtând haine bărbătești, pe motivul că erau mai ieftine și mai practice. Când o să înțeleagă firmele de haine că femeile nu vor decât niște buzunare? Scriitoarea a provocat un scandal și mai mare pentru că fuma trabuc într-un mod foarte public, ceva ce le era interzis femeilor prin tradiție. George Sand nu dădea doi bani pe toate astea și fuma trabuce uriașe peste tot prin oraș, invadând sanctuarele private ale bărbaților.

Poetul super-*emo* Charles Baudelaire nu era fanul lui George și al obiceiurilor ei. El a scris: „E proastă, grasă și guralivă. Ideile ei despre morală au adâncimea și delicatețea sentimentală a femeilor de serviciu și a celor întreținute... Faptul că există bărbați care s-au îndrăgostit de ea este dovada decăderii acestei generații". Din acest citat putem presupune doar că Charles Baudelaire era un virgin trist și, de asemenea, complet îndrăgostit de George.

În afară de romanele și de aventurile ei fierbinți, George a scris texte politice despre drepturile femeilor și ale oamenilor din clasa muncitoare, care îi populau adesea și romanele. Cel mai faimos citat al ei este această replică incredibil de frantuzească și instagramabilă: „În viață, există doar o singură formă de fericire, să fii iubit și să iubești." Sărmanul Baudelaire, probabil că nu a avut niciodată parte de asta.

80

Lucy Hicks Anderson

1886-1954

*L*ucy Hicks Anderson s-a născut în 1866, în Kentucky. Când era mică, părinții au dus-o la doctor să afle de ce copilul lor născut băiat declara că era fată, că o chema Lucy și că voia să poarte rochii la școală. Părinții ei nu prea știau ce să facă, dar doctorul le-a spus, simplu, să o crească ca pe o fată și chiar asta au făcut.

Sau cel puțin aici ar fi trebuit să se termine povestea. Lucy a ajuns până la tinerețe fără să se confrunte cu kkturi legate de faptul că era transsexual. Între timp, și-a trăit viața. Și ce mai viață a avut!

Lucy a plecat de la școală ca să lucreze ca servitoare, pe la 15 ani, s-a măritat la 34 și s-a stabilit în Oxnard, California, ca să trăiască visul californian. Lucy găzduia cine elaborate pentru zeci de oameni și era faimoasă pentru gătitul ei excepțional. *Soirée*-urile ei ajungeau în paginile mondene din reviste, iar Lucy câștiga tot felul de competiții de gătit. A organizat mitinguri pentru partidul democrat și era un star absolut în Oxnard. Între timp, în cealaltă parte a orașului, Lucy conducea un „internat", un loc ilegal cu băutură și femei, fix în miezul Prohibiției. De câteva ori a avut probleme pentru afacerea ei adiacentă, dar din fericire, odată a fost scoasă din închisoare de un bancher bogat care era disperat să aibă catering la cina din seara aia. De-asta are nevoie oricine de cel puțin un prieten bogat.

Viața lui Lucy a mers foarte bine până când, într-o zi din 1945, un doctor a venit să-i inspecteze internatul, fiindcă apăruse într-o anchetă legată de boli venerice. Lucy avea 59 de ani și era căsătorită cu al doilea soț, iar doctorul a insistat să-i examineze fetele, ceea ce avea să ducă la un scandal care o va implica pe Lucy într-un proces pentru sperjur. Stai, ce? Lucy a fost acuzată că „a falsificat documentele de căsătorie" (din moment ce doi „bărbați" nu se puteau căsători) și „a escrocat guvernul" (pentru că nu ar fi avut dreptul să primească beneficiile soțului soldat). Imaginați-vă că fraudați guvernul cu organele voastre genitale! Pentru că ar fi oribil ca guvernul să nu știe în orice moment cum arată organele tale genitale.

Așa că Lucy a mers la tribunal și a fost prima persoană transsexuală care s-a luptat pentru căsătoria ei. A declarat că identitatea de gen nu avea nicio legătură cu felul în care s-a născut și s-a exprimat astfel la proces:

> Provoc orice medic de pe lumea asta să demonstreze
> că nu sunt femeie. M-am îmbrăcat și m-am purtat
> exact ca ceea ce sunt: o femeie.

Însă juriul a găsit-o vinovată pe Lucy de înșelăciune și fraudă. I-au anulat căsătoria și, printr-o interpretare strâmbă a legii, Lucy nu putea ieși din închisoare decât în haine bărbătești. În cartea asta există atâtea cazuri de femei care și-au scandalizat societatea purtând pantaloni. Lucy era scandaloasă pentru că nu o făcea. Iar asta după *decenii* în care nimeni n-a știut și nimănui nu i-a păsat de istoricul ei de gen, preocupați fiind doar dacă puteau sau nu să o cheme să le gătească la cină.

Imaginați-vă cum e să vă fie așa frică de cine poartă sau nu pantaloni!

81

Mercedes de Acosta

1893-1968

Scriitorul Truman Capote obișnuia să joace un joc numit „Lanțul internațional al margaretelor". Era un soi de joc sexy gen „șase grade de separare"[1], în care scopul era să treci de la o persoană la alta prin cât mai puține combinații posibile. Despre Mercedes de Acosta, dramaturga cubano-spaniolă, spunea că „era cea mai bună carte la jocul ăsta; poți ajunge la oricine, de la cardinalul Spellman la ducesa de Winsdor".

Vedeți voi, Mercedes era o faimoasă seducătoare de staruri, cunoscută drept „o lesbiană furibundă" și „cea mai mare futangioaică de vedete" sau, mai inocent, drept „un fluture social". Nu se știe dacă o fi rostit vreodată cea mai potrivită replică pentru ea: „Pot să am orice bărbat sau femeie îmi doresc", dar fie că a spus-o, fie că nu, era foarte adevărat.

Mercedes era cunoscută pentru că se plimba pe străzile New York-ului îmbrăcată cum nu se putea mai potrivit: în pantaloni bărbătești, cu cizme cu vârf ascuțit și șireturi,

---

[1] Frigyes Karinthy a dezvoltat teoria conform căreia fiecare individ poate să se conecteze cu oricine de pe planetă dacă traversează un lanț de maximum cinci persoane (n. tr.).

pălărie tricorn și, desigur, pelerină. De ce să ieși la plimbare în oraș dacă n-ai de gând să porți o pelerină? A scris prima piesă în 1916, dar n-a fost jucată niciodată, probabil pentru că includea personaje feminine puternice, care sfidau instituția căsătoriei. Producătorii nu se înghesuiau să lucreze cu o femeie puternică precum Mercedes și fără îndoială că nici opera ei nu le prea plăcea. Din fericire, azi toate spectacolele și filmele au multe personaje feminine puternice și familiare!

Mercedes a ajuns în culmea succesului profesional mai ales în anii 1920-1930. Până la 35 de ani, publicase trei cărți de poezie și două romane și i se jucaseră patru piese, într-o vreme când, așa cum spune prietena ei dramaturgă Marion Fairfax: „Cel mai benefic și mai important lucru pentru un dramaturg e să se nască bărbat."

Pentru ca lucrurile să fie și mai grele pentru Mercedes, în 1927, la New York s-a dat o lege care interzicea pieselor de teatru să fie interesante. Mai exact, erau interzise piesele care „descriau sau tratau subiecte despre degenerare sexuală sau perversiuni sexuale". Iar astea erau exact genul de lucruri despre care scria Mercedes, deși ceea ce se considera degenerat sau pervers în anii 1920 găsim azi în două minute de căutare pe Tumblr. Iar în anii 1930, când Mercedes și-a încercat mâna cu un scenariu de film, Codul pentru producția de filme din 1930 interzicea ilustrarea homosexualității, a sexului interrasial sau a avortului.

În următoarele decenii, lucrurile au ajuns și mai grele pentru o femeie în showbiz, mai ales pentru o femeie *queer* care nu era interesată să fie digerabilă pentru o cultură homofobă. Mercedes era complet deschisă cu sexualitatea ei, în ciuda suspiciunilor tot mai numeroase ale celor care considerau că lesbienele aveau probleme mintale. Un psihanalist, care – sincer – pare virgin, avea grijă să explice, în anii 1950, că lesbienele au „numai o fericire de suprafață sau o pseudo-fericire; practic, sunt singure și nefericite și le e teamă să o recunoască". Da, da. Sunt sigură că despre asta e vorba.

Mercedes avea o soră mai mare incredibil de fermecătoare, Rita, cunoscută atunci ca „cea mai frumoasă tânără din New York", un titlu deținut acum de amica mea Shiva (bună, Shiva!). La o premieră de operă din 1910, Rita a purtat o rochie lungă cu spatele gol și însuși compozitorul Puccini „și-a abandonat locul și s-a băgat în loja din spatele Ritei, unde a rămas uitându-se fascinat la spatele ei." De ce sunt bărbații așa?

Când era elevă, Mercedes făcuse pe Cupidon pentru două călugărițe care se îndrăgostiseră. Când cele două au fost desco-perite și despărțite, Mercedes s-a supărat așa de tare, că a fugit pe coridoare strigând: „Nu sunt băiat și nu sunt fată, poate sunt ambele, nu știu... Nu o să-mi găsesc locul nici aici, nici în altă parte, o să fiu singură toată viața." Până la urmă, Mercedes s-a căsătorit cu un bărbat, Abram Poole, pictor, dar, în luna lor de miere prin Europa, și-a luat cu ea o grămadă de scrisori de la iubita ei, starul Broadway Eva Le Galliene – câte una de citit în fiecare zi. Mai mult, Eva chiar s-a alătu-rat cuplului fericit, în Europa.

Cea mai faimoasă aventură a lui Mercedes, însă, a fost cu încântătoarea starletă Greta Garbo. Vă invit să vă bucurați de descrierea picioarelor Gretei Garbo, făcută de Mercedes: „Nu erau bronzate și nu aveau culoarea obișnuită de piele arsă de soare, dar căpătaseră o tentă aurie și perișorul care i se ivea pe ici pe colo era și el auriu. Picioarele ei sunt clasice. Nu are picioarele tipice pentru actrițele de la Follies și nu corespund nici cu ce visează bărbatul american că ar trebui să fie picioarele. Ele au forma pe care o vedem la multe dintre statuile grecești." Picioare ca de statuie ar trebui să fie noua normă de frumusețe.

Pe măsură ce relația lor progresa, Greta s-a speriat de atenția media tot mai mare acordată sexualității ei. Presa spunea despre Greta Garbo: „Femeia despre care se vorbește cel mai mult la Hollywood e o femeie de care nicio nevastă nu trebuie să se teamă." Mercedes era posesivă, așa că s-au despărțit. A fost devastată. Dar, fiind una dintre marile seducătoare din istorie, a trecut la Marlene Detrich, care purta jobene. Mercedes i-a trimis atât de multe flori, că Marlene a spus: „Pășeam pe flori, cădeam pe flori și dormeam pe flori."

Dar, cum Hollywood-ul a devenit tot mai conservator în anii 1930, lucrurile s-au complicat pentru Mercedes, care nu mai putea atinge succesul anilor 1920. I-au murit mai mulți membri ai familiei, inclusiv mult-iubita soră Rita, cea mai frumoasă femeie din New York. Mercedes s-a adâncit în depresie și a început să-i meargă tot mai rău.

Ca să fie și mai grav, în 1960 și-a scris biografia, intitulată *Aici e inima mea (Here Lies the Heart)*, în care descria numeroasele ei aventuri în showbiz, inclusiv cu referințe voalate la aventurile ei cu starurile. Garbo a fost furioasă, ea și alții au considerat că memoriile se apropiau prea tare de identitatea amantelor. Așa că au exclus-o din viețile lor. Când a murit, Mercedes avea alături Biblia în care lipise poze cu Greta, după pierderea căreia nu-și revenise niciodată cu adevărat.

Și acum sincer, cum ar fi putut?

82

Gladys Bentley

1907-1960

Într-o zi din 1934 poliția a venit la clubul de noapte
King's Terrace din centrul Manhattanului ca să-i pună lacăt
pe ușă. Scopul era protejarea publicului inocent de muzica
lascivă a unui artist „îmbrăcat masculin, care cânta măscări":
Glady Bentley. „Cel mai murdar și de succes spectacol al serii",
a spus patronul ofensat care înaintase plângere oficială la poliție,
„e turul de mese făcut de domnișoara Bentley. Se oprește la
fiecare masă și cântă unul sau mai multe versuri dintr-un cântec
fără sfârșit, în care apare orice cuvânt vulgar posibil".

Îți dai seama cât de ratat să fii ca să te plângi de așa ceva?
Sună fantastic!

Iată un exemplu de cântecel al lui Gladys, din scandaloasa
recenzie muzicală pe baza căreia comisarul a decis că e prea
„infamă" ca să continue. Se numește „Treaba e dată dracu' la
Yale" („It's a Helluva Situation Up at Yale"):

Treaba e dată dracu' la Yale.
Treaba e dată dracu' la Yale.
Ca să se relaxeze,
Recurg la masturbare.
Treaba e dată dracu' la Yale.

Nu se știe dacă treaba era chiar dată dracu' la Yale. Dar se știe că Gladys Bentley, pianistă, cântăreață de blues și artistă, era prea mult pentru Midtown. Era o lesbiană de culoare din clasa muncitoare, venită de la Philadelphia, care purta numai haine bărbătești. În Harlem, însă, lucrurile stăteau altfel. În vreme ce piesele de pe Broadway erau cenzurate, în Harlem se țineau baluri cu *drags*[1] și petreceri care țineau toată noaptea, unde se bucurau de spectacolele nepotrivite ale lui Gladys. Făcea parte din materia cartierului, atrăgea mulțimi de toate rasele care veneau să se bucure de vocea ei groasă și de spectacolul ei plin de insinuări lascive.

Gladys Bentley și-a început cariera în anii 1920 ca pianistă la petreceri, apoi a mers mai departe, la cluburi de noapte elegante, și a ajuns să facă turnee prin țară cu spectacolul ei unic. Purta smoking, părul întins pe spate, cu gel, și cânta însoțită de un grup de dansatori efeminați. O poză o arată în fața a șase bărbați cu haine de marinari, îngenuncheați, iar nota spune: „Preferații regelui". Gladys rescria cântece populare ca să fie mai obraznice și îmbia publicul să cânte cu ea. Era mare și corpolentă și putea cânta jazz și blues cu o voce care trecea de la tenor grav la falsetto de rândunică și la improvizații. Cânta melodii clasice, dar, de asemenea, compunea și înregistra cântece originale. Putea cânta o baladă care să înlăcrimeze publicul sau putea să-l facă să râdă cu lacrimi la glumele ei, alea care au dus poliția la concluzia că nu pot decât să închidă tot localul.

O notă dintr-o carte despre Harlem, din 1931, scrisă pentru Clam House, un loc unde cânta regulat, o numește „pianistă și pasăre cântătoare fierbinte" și menționează că localul era „cel mai bine de frecventat după unu noaptea",

---

[1] Travestiți (n. tr.).

dar avertiza că spectacolul „nu era pentru tinerii inocenți".
Poetul Langston Hughes, fiindcă era poet, o descrie cu mai
mult stil, spunând că putea cânta la pian „toată noaptea,
efectiv toată noaptea, fără oprire... De la zece seara până la
răsărit, cu aproape nicio pauză între note, trecând de la un
cântec la altul". Era „o doamnă mare, întunecată, masculină,
care bătea din picioare în ritmul degetelor de pe clape..."
Nimeni nu făcea spectacole ca ea, iar stilul ei e de neuitat:
Gladys Bentley a *inventat* smokingul alb. Într-o vreme când
femeile *queer* puteau doar să-și sugereze sexualitatea ca să se
protejeze, Gladys și-o asuma și chiar și-a construit o carieră
în jurul ei. S-a și căsătorit cu o femeie albă, a cărei identi-
tate rămâne necunoscută, într-o ceremonie civilă din New
Jersey. Gladys a fost un star care umplea sălile și era îndră-
gită de publicul ei, indiferent cât de tare îi defăimau criticii
pe ea și colegii ei, ca fiind „perverși sexuali și glumeți fără
perdea". Ea a fost muzica de fond pentru Renașterea
Harlemului și pentru toți poeții, scriitorii și compozitorii
care au trecut prin el. Gladys era Regele.

Dar lucrurile nu merg întotdeauna spre mai bine cu
trecerea timpului. Când Gladys s-a mutat la LA în anii
1940-1950, a găsit acolo o societate mult mai conservatoare
decât Harlemul anilor 1920-1930. Un club unde voia să
cânte a trebuit să facă rost de permis pentru ca femeile să
poarte pantaloni. Nu se știe dacă trecuse printr-o schim-
bare sau avea o reacție normală la anii de McCarthyism și
isteria lor homofobă, dar Gladys a început să se prezinte
altfel, să preia imaginea feminității respectabile de la 1950,
cu perle și cu rochii înflorate.

Chiar a încercat și o căsnicie heterosexuală, cu unul sau
doi soți la rând, însă păstra acasă poza cu soția ei misterioasă,
așa că ambele mariaje s-au sfârșit cu divorț.

Dar, chiar dacă se reformase și ducea o viață casnică, de heterosexuală, Gladys își amintea cu dragoste anii de mult trecuți: „Haine făcute la croitor, jobene și pelerine, un baston potrivit cu fiecare costum, cămăși prinse bine cu nasturi, cravată lată cu guler și pantofi asortați." Ascultați *Worried Blues* al lui Gladys și imaginați-vă tot trupul ei legănându-se în ritmul pianului, îmbrăcată așa splendid!

83

Coccinelle

1931-2006

$\mathcal{B}$ărbații și femeile trans au parte de destule căcaturi și în zilele noastre, deci vă imaginați cam ce era prin 1950. Coccinelle era numele de scenă al lui Jacqueline Charlotte Dufresnoy, cântăreața franceză care a ajuns cunoscută în toată Europa și în lume, iar pe tot parcursul vieții a trasat calea pentru viitoarele drepturi ale oamenilor *trans* din Franța.

Coccinelle – „gărgăriță", în franceză – nu a fost vreo fată de showbiz obscură și amărâtă, ci o adevărată starletă care și-a frecat coatele cu cele mai mari nume din showbiz. Era o bombă sexy, blondă ca Brigitte Bardot, Marilyn Monroe și alte sex simboluri din epocă. A primit de la un admirator un apartament cu vedere spre Sacré-Coeur din Paris, la înălțimea statutului ei de star. (Oare unde se găsesc asemenea admiratori? Întreb pentru o prietenă.)

Mario A. Costa (jurnalist și viitor al doilea soț al ei) i-a făcut un profil în 1959 și i-a descris eleganța din momentul în care a văzut-o prima dată: „Deodată a apărut ea, atrăgând absolut toate privirile, îmbrăcată impecabil, strălucitor de elegantă și insuportabil de frumoasă." Așa cum sunt toate femeile, dar mai ales Coccinelle.

Coccinelle s-a născut în 1935 și s-a simțit rău când a fost trimisă la o școală de băieți, la 12 ani, departe de toate prietenele cu care se simțea în largul ei. „Dacă aș căuta un singur cuvânt care să descrie primii ani ai existenței mele și care să le fie simbol, acesta ar fi: *singurătatea*", spunea Coccinelle. După ani de abuzuri și hărțuiri din partea profesorilor, a fost bucuroasă să plece de la școală, la 16 ani, ca să fie ucenica unui stilist al celebrităților de pe Champs-Élysées. Învăța de la un maestru și era iubită de aproape toți clienții eleganți, dar, într-o zi, o vacă proastă (scuze, dar chiar asta era) a fost așa de jignită de efeminarea lui Coccinelle, care pe atunci încă se prezenta ca bărbat, că s-a lansat într-o tiradă verbală jignitoare. Nu a contat că Coccinelle tocmai îi decolora părul. De ce să fii așa de îngrozitor cu cineva care are mâinile în părul tău? Cum am spus, o vacă proastă (nu-mi pare rău).

În toată viața ei, Coccinelle nu a putut suporta lipsa de respect și hărțuirea. Acestei vaci proaste în special (îmi pare și mai puțin rău decât înainte), i-a răspuns: „*Madame* s-ar simți cu siguranță mai acasă – și ar atrage atenția mai mult – în grădinile zoo. Antonio [șeful ei] e stilist, nu făcător de miracole!" Nu mai e nevoie să spun că doamna nu a fost mulțumită. Iar Coccinelle a fost distrusă când Antonio a concediat-o, considerând că clientul are mereu dreptate.

Dar, din nou, Coccinelle nu era genul care să se lase călcată în picioare. Ani mai târziu, va veni vremea răzbunării, când Coccinelle, în hainele ei splendid de elegante, a cerut o programare la faimosul Antonio, care deodată era foarte panicat să o mulțumească și să aibă grijă de părul ei lung, des și blond. După ce l-a întrebat pe Antonio dacă a recunoscut-o, i-a dezvăluit că e fosta lui asistentă și l-a șocat complet. „Se descotorosise de mine. Iar acum stătea după mine, gata să facă orice și disperat să-mi facă pe plac", își amintește ea. „Îmi împlini-sem dulcea răzbunare."

Multe se întâmplaseră între cele două experiențe de la coafor. Coccinelle și-a dat seama de identitatea ei adevărată pe când se plimba prin cartierul parizian Strasbourg–Saint-Denis. Avea 18 ani și a fost acostată de cinci prostituate și adusă la hotelul unde lucrau ele. Acolo i-au aranjat părul și au machiat-o, o femeie i-a împrumutat sâni falși și au îmbrăcat-o pentru prima dată în haine de femeie. „E cea mai drăguță dintre noi", au declarat toate și apoi au rămas prietene.

Coccinelle a început să iasă în oraș cu hainele și machiajul noilor ei prietene. La una dintre aceste ieșiri, și-a văzut mama apropiindu-se pe stradă, fără să dea semne că o recunoaște. A strigat-o, ea s-a oprit și s-a uitat atent câteva clipe înainte să-și recunoască propriul copil. Apoi însă „a venit la mine, mi-a luat capul și mi l-a pus pe pieptul ei, conso-lându-mă și vorbind de parcă legăna un copil mic. „Înțeleg totul acum, Jacques, dragule... Nu plânge, totul va fi bine, eu voi fi întotdeauna mama ta..." Coccinelle s-a întors acasă și a decis să distrugă toate pozele și documentele lui Jacques Dufresnoy. „Oh, ce-l mai uram, acea creatură cu un sex care nu era al meu cu adevărat", își amintește Coccinelle.

A lucrat o vreme ca operatoare de centrală telefonică, până când un prieten apropiat de la muncă i-a sugerat să meargă la o audiție pentru cabaret. Coccinelle s-a dus la prietenele ei prostituate, să o ajute să facă transformarea, și l-a dat pe spate pe proprietarul cabaretului. A fost angajată pe loc. Și așa a început celebritatea lui Coccinelle. A avut spectacole în cluburi de noapte faimoase, precum Crazy Horse sau Le Carrousel de Paris, și a debutat în film cu *Nopți europene (European Nights)*, în 1959, evaluat cu „X" de către cenzorii britanici, dovedind că englezii sunt mult mai puțin spumoși

decât francezii. A plecat în turneu cu spectacolul ei, a avut
sala plină noapte după noapte și a ajuns prietena cea mai bună
a legendarei vedete de la Hollywood, Marlene Dietrich.

Avea o fermă în Normandia și, într-o zi, a decis să-și aducă
mult-iubitele animale la Paris, să trăiască pe balconul ei. Porcii
și găinile ei din balcon au provocat ceva rumoare și a trebuit să
le ducă înapoi, din păcate. Poliția s-a implicat când au început
să cadă anumite producții animale în capul trecătorilor.

În ciuda faimei, a prietenilor celebri și a vieții incredibil
de strălucitoare, Coccinelle avea mereu probleme când încerca
să călătorească, fiindcă pe pașaport scria că era Jacques Charles
Dufresnoy, nu Jacqueline Charlotte, și avea poză de bărbat.
Deși era frustrant, Coccinelle profita de ocazie ca să-și bată
joc de agenții de la graniță. A povestit o scenă în care un
agent a întrebat-o de ce nu se îmbrăca precum un bărbat și
ea i-a răspuns: „Să mă îmbrac precum un bărbat? Cu sânii
ăștia? Nu ar merge, ar însemna să fiu travestită.”

Și mai multe probleme au apărut când Coccinelle a primit
chemarea în armată. S-a dus la birourile armatei în toată splen-
doarea ei, iar ofițerilor nu le-a venit să creadă că asta era
persoana pe care o chemaseră la înrolare. Așa că le-a făcut un
număr de striptease – ușor deranjată pentru că nu este plătită
pentru asta, ca de obicei – și ulterior le-a povestit reacția: „În
ziua aia am descoperit că fețele ofițerilor se înroșesc întot-
deauna. Poate era moda. Militarii ăia, luptători înăspriți de ani
de serviciu militar, obișnuiți cu pericolul și cu groaznica
priveliște a morții și a morților, se purtau ca elevii timizi când
a venit vorba să se confrunte cu un bărbat cu hormoni feminini.”

Până la urmă, au declarat-o „complet incapabilă pentru
armata franceză”, ceea ce a fost perfect pentru ea.

Coccinelle a mai dus un tip de luptă pentru susținerea
drepturilor persoanelor trans. A înființat o fundație, numită

Devenir Femme – „să devii femeie" –, care îi sprijinea pe cei care voiau operație și a ajutat la fondarea altei organizații, care cerceta sexul și genul. Căsătoria ei cu jurnalistul francez Francis Bonnet a fost prima căsătorie publică a unui transsexual în Franța și a stabilit precedentul legal pentru alte căsătorii. A fost o căsătorie legală, oficiată de Biserica Romano-Catolică Franceză, care nu a pretins decât ca Coccinelle să fie rebotezată Jacqueline. A fost condusă la altar de tatăl ei, iar nunta a ținut prima pagină a ziarelor. Totodată, Coccinelle a avut, dacă nu prima, sigur cea mai discutată operație de schimbare de sex din generația ei, pentru care a mers la Casablanca. „Doctorul Burou a rectificat greșeala naturii și m-a făcut femeie adevărată, în interior și în exterior", a spus ea. „După operație, doctorul a spus simplu: *Bună ziua, domnișoară* și am știut că a fost un succes."

Cu puterea celebrității și a statutului ei de vedetă națională îndrăgită, Coccinelle a fost recunoscută drept femeie de către statul francez, după operație. Din postura ei de model național, a putut să facă lobby pentru drepturile trans. Era curajoasă și neînfricată și nu lăsa oamenii să îi facă tâmpenii. A folosit privilegiul de a fi o femeie dureros de sexy – întâmplător, chiar arăta exact ca cele mai blonde și mai clasice frumuseți europene ale vremii – și l-a folosit pentru a face bine. Așa trebuie să ne folosim și noi privilegiul de persoane incredibil de sexy pentru a face bine.

84

Umm Kulthum

? -1975

*U*mm Kulthum a fost o mega-divă egipteană legendară din anii 1950-1960, pe care n-o puteți înțelege cum trebuie până nu îi ascultați muzica. Mergeți. Ascultați. Căutați cânta-rea live a lui *Enta Omri* pe YouTube. Da, spectacolele ei sunt aproape o oră de cântat continuu, neîntrerupt, deci nu trebuie să ascultați chiar tot, înainte să continuați lectura. La urma urmei, doar aveți întâlnirea aia spre care trebuie să plecați curând...

Ce o să auziți în absolut orice înregistrare live a ei este, însă, BUCURIA pură a publicului. Fluierăturile și țipetele și oamenii care, uneori, pur și simplu își pierd mințile și încep să strige la Dumnezeu. Există un cuvânt în arabă – *tarab* – care ilustrează reacția la muzica lui Kalthum, cea de extaz și de transă, echiva-lentul arab pentru momentul ăla când se intensifică ritmul.

O să mai observați ceva, și anume că ea lasă întotdeauna muzica să curgă vreo zece minute și de-abia apoi începe să cânte. Lucrurile trebuie să se așeze exact așa cum trebuie, nu? O să-i auziți vocea numai atunci când ea e gata, când orchestra e gata, când tipul din față tace din gură. Dacă ești o divă adevărată, știi exact când să începi, iar până atunci binecuvintezi publicul doar cu vederea ta, cu părul tău mare de anii 1960, cu cerceii imenși și srălucitori, cu eșarfa de mătase care atârnă pe mână pentru niște extra-farmec.

Umm Kulthum s-a născut fie în 1898, fie în 1904 și, după cum știm, ar fi nepoliticos s-o întrebăm despre asta. Tatăl ei era imam și a învățat-o să cânte și să recite din Qur'an, ceea ce probabil că i-a asigurat claritatea pronunției arabei oficiale în muzică. De la 12 ani, Umn Kulthum mergea în turnee cu familia ei, îmbrăcată ca băiat, ca să evite tâmpiții. Vocea ei incredibilă a fost remarcată de artiști importanți de muzică clasică egipteni. S-a mutat la Cairo în anii 1920, i-a cunoscut pe cei mai importanți compozitori din oraș și a început drumul spre faimă. În timp ce mulți muzicieni de elită cântau pentru un public mic și privat, Umn Kulthum era cântăreața poporului, dădea spectacole publice și multe dintre cântările ei la radio opreau efectiv tot Cairo în loc.

Pentru o mega-divă, Umm Kulthum era incredibil de discretă. Și era discretă în cel mai bun fel: când a ajuns bogată și faimoasă, s-a mutat pe o insulă privată din mijlocul Nilului, unde era totodată în inima orașului, dar și izolată și nederanjată. Crescuse în condiții umile și a rămas umilă toată viața, așa cum trebuie să ne amintim cu toții să fim după ce ajungem bogați și faimoși. Era naționalistă și l-a sprijinit pe primul președinte al țării, Gamal abdel Nasser, deși se crede că mai mulți egipteni au venit la înmormântarea ei, din 1975, decât la a lui, din 1970. Îmi pare rău, Gamal! Cântecele lui Umm Kulthum încă se vând cu milioanele în fiecare an și o puteți auzi la radio prin toată lumea arabă, provocând *tarab* la mult timp după moartea ei.

85

Josephine Baker

1906-1975

*D*e unde să încep cu Josephine Baker? A trăit o viață atât
de plină, de paradoxală și de complicată, că e aproape
neplauzibilă. Povestea ei cuprinde atâtea decenii, atâtea tensi-
uni și tulburări din secolul XX, încât viața ei poate fi un soi
de lecție din manualul de istorie. Știu că sună plictisitor, dar
vă asigur că nu este.

Versiunea scurtă: Josephine a fost o artistă americană
scandaloasă, din Saint Louis, Missouri, care a luat pe sus
Parisul în anii 1920-1930. A spionat pentru Rezistența
franceză în al Doilea Război Mondial și a ajuns erou național
pentru serviciile din timpul războiului. A fost activistă
pentru drepturile civile în SUA și a sperat să dovedească
faptul că armonia rasială e posibilă, adoptând copii din toate
părțile lumii, pe care i-a crescut împreună la castelul ei din
provincia franceză.

Versiunea lungă: Josephine Baker era mai multe lucruri
deodată. Era contradictorie. Era americancă, dar era și
franțuzoaică. Era un geniu artistic, dar și un clovn strident.
Dansa *topless*, dar aspira să fie o actriță respectată. Era bună
și generoasă, mai puțin când era arogantă și egoistă.

Și-a început viața neînchipuit de săracă, apoi a ajuns să se înece în diamante. A crescut furând cărbune din trenuri în mișcare, iar mai târziu a furat bijuterii de la bărbați bogați – pe care le vindea ca să cumpere mâncare și cărbune pentru săracii din Paris. În ultimii ani, se umpluse de datorii și a ajuns la faliment. Se culca și cu bărbați și cu femei. Era amuzantă și complet nebună. Dormea toată ziua și dansa toată noaptea, în oricâte spectacole puteau încăpea în orele întunericului. Ieșea din casă în haine de blană, fără nimic pe dedesubt.

Nu știa să cânte, dar își dorea, așa că a învățat. Mințea că nu era căsătorită când era și mințea că era căsătorită când nu era. Spunea că toți bărbații pe care i-a iubit i-au fost soți (adică mulți). Îi plăceau hainele fine și moda extravagantă, dar nu atât de mult pe cât îi plăcea să umble goală prin casă (chiar și când avea vizite).

Avea un club de noapte în Montmartre, unde prietena ei capră, Toutoute, și porcul ei, Albert, alergau liberi prin mulțime. Își plimba maimuța Chiquita, în lesă, pe Champs-Élysées și, pentru scurt timp, a avut o gorilă pe care o îmbrăca în bărbat. Odată, conducea prin Paris și a intrat într-un felinar, a ieșit din mașină și, foarte calmă, a început să dea autografe, apoi s-a dus acasă într-un taxi.

Era regină în Paris, dar nu era lăsată să intre în hotelurile din New York, pentru că era de culoare. America a respins-o, iar asta i-a frânt inima. În anii 1930, a avut spectacole în teatrele germane, austriece și ungare, în timp ce naționaliștii protestau afară și o numeau „un drac negru și indecent". Nu-i prea păsa de politică, dar a ajuns activistă, s-a întâlnit cu zeci de lideri mondiali și a călătorit în toate colțurile lumii.

Se folosea de unii oameni și, în același timp, își dădea viața pentru alții. L-a ridicat în slăvi pe Mussolini, dar mai târziu a respins complet fascismul, mai hotărât decât mulți alți cetățeni francezi. Era nestatornică, imprevizibilă, imposibil de cenzurat, dar a reușit să fie un spion complet discret, calm și echilibrat, care ducea mesaje secrete prinse în sutien și își păstra sângele rece sub presiune. A făcut rost de pașapoarte false pentru evrei care fugeau de naziști și uneori spunea că era în parte evreică (nu era).

A avut o mulțime nesfârșită de iubiți, dar le predica soldaților americani să nu se mai culce cu alte femei cât erau în Africa, pentru a limita răspândirea bolilor venerice. Era îngrozită de singurătate, dar nu se temea de raidurile cu bombe și prefera să continue să mănânce înghețată decât să coboare în buncăr. Era o divă absolută, dar dădea spectacole pentru soldați afară, în frig, când nu aveau toți loc s-o vadă înăuntru.

Uneori, în spectacole, își înnegrea pielea, alteori, acasă, și-o deschidea la culoare. Se juca cu stereotipurile rasiale și lupta împotriva rasismului. A vorbit în fața a 250 000 de oameni, la marșul pentru Martin Luther King din Washington, în 1963.

Își anunța retragerea din lumea artistică, apoi pleca în turneu. A decis să se călugărească, dar, după o săptămână, s-a răzgândit. Iubea copiii, dar nu putea să fie mamă – așa că a adoptat 12 copii, de peste tot din lume. Îi creștea în castelul ei enorm, unde primea vizitatori ca să observe „Tribul-Curcubeu" ce coexista în armonie rasială. Avea intenții bune, dar uneori lucrurile îi ieșeau prost.

A murit după un ultim și exuberant spectacol, în 1975, la 68 de ani. Ca să fiu sinceră, asta nici măcar n-a fost versiunea lungă. Versiunea lungă a vieții lui Josephine a durat 68 de ani și probabil că ar fi nevoie tot de 68 de ani ca să i se facă dreptate.

Era prototipul femeii afurisite și a trăit prea multe ca să intre într-un spațiu așa de mic. Citiți despre ea! Citiți-i memoriile, care sunt pline de replici insolente, pentru care o s-o iertați căci e Josephine Baker și e minunată.

Problema e că Josephine Baker și-a trăit viața cu atâta pasiune, suflet, eleganță, obscenitate, durere și plăcere că, dacă vă gândiți prea tare la ea, o să vă ia durerea de cap și e posibil să începeți să plângeți – fie de bucurie, fie (și) de mirare, depinzând de momentul în care vă aflați în ciclul menstrual, dacă aveți unul. Găsiți un spectacol de-al ei online și o să înțelegeți ce vreau să spun!

Femei care le-au tras pumni naziștilor

(metaforic și nu numai)

86

Sophie Scholl

1921-1943

*M*i-e teamă că ăsta va fi un capitol mai puțin distractiv.
Dacă vă așteptați să râdeți la fiecare poveste din cartea
asta, îmi pare rău să fiu eu aia care vă reamintește: viața e
nasoală, lumea e rea, istoria e oribilă, în mare parte și, odată
ca niciodată, au existat naziști.

Povestea lui Sophie Scholl e o combinație unică de
inspirație incredibilă și de tulburare devastatoare. Ea și fratele
ei, Hans, erau membri executivi ai mișcării Trandafirul Alb,
un mic grup de tineri germani, majoritatea studenți la
Universitatea din München, care, împreună cu un profesor
țâfnos, încercau să-i țină piept lui Hitler în al Doilea Război
Mondial. Astăzi, ei reprezintă cea mai înaltă formă de curaj
și de idealism tineresc, iar înfrângerea lor nu face decât să
arate cât de josnic ajunge un regim fascist care încearcă
să mențină controlul absolut.

Sophie s-a născut la Forchtenberg, în sudul Germaniei, unde
a crescut alături de frații ei. Avea o familie incredibil de unită
și de iubitoare. Tatăl ei, Robert, i-a disprețuit pe Hitler și pe
naționaliști de la bun început, ceva ce pare firesc în zilele noas-
tre, dar în vremea aia era neobișnuit. Chiar și copiii lui au fost

atrași inițial în entuziasmul național-socialismului. Fratele lui Sophie, Hans, a intrat în Tineretul Hitlerist înainte să fie obligatoriu, iar Sophie a intrat în organizația echivalentă pentru fete, ceea ce a fost o sursă de tensiune în casa lor.

Dar, în 1938, Hans s-a dus la Nürenberg să reprezinte ramura Ulm a Tineretului Hitlerist la un miting imens, menit să incite un naționalism și mai fervent în tinerii precum Hans. În loc să se întâmple așa, s-a întors acasă complet deziluzionat de ceea ce văzuse. Când a început războiul și Sophie a început să fie tot mai deziluzionată de veștile care veneau de la prietenii care luptau pe Frontul de Est, inclusiv de la iubitul ei, Fritz. În scrisorile lui, citea despre eșecurile militare și atrocitățile comise împotriva evreilor, o poveste complet diferită de știrile aprobate de stat de acasă. Așa că Hans și Sophie au ajuns la ideile tatălui lor, iar dinamica familiei a revenit la pace și iubire.

Sophie i-a scris lui Fritz despre iubirea părinților pentru ei: „Dragostea asta, care nu cere nimic înapoi, e ceva minunat. E unul dintre cele mai minunate lucruri care mi-au fost date." Aceasta avea să fie ultima ei scrisoare pentru el.

Sophie îndrăgea mult natura și învățarea și își dorea foarte tare să meargă cu Hans la Universitatea din München. Dar mai întâi trebuia să-și termine serviciul național ca educatoare și muncitoare la fabrică, lucru pe care îl disprețuia, știind că așa contribuia la mașinăria de război. Nici nu le suporta pe celelalte fete de la fabrică, care nu erau interesate decât de băieți și de haine și care, întâmplător, erau niște nenorocite de naziste. Până la urmă, Sophie a intrat la Universitate în 1942, la Filozofie și Biologie. Acolo, a aflat din întâmplare că Hans și prietenii lui formaseră un grup care să-i reziste lui Hitler. Reușiseră până atunci să îl țină secret de propriile familii. Ea a insistat să o primească în rândurile lor.

Principala acțiune a grupului, care se intitulase Trandafirul Alb, era să distribuie prin universitate, prin München și prin toată Germania, broșuri care denunțau regimul. Făceau broșurile într-un atelier secret, cu o mașină de scris și o mașină de copiat (un copiator antic). Astea erau singurele lor arme împotriva unui stat nemilos. Grupul avea să distribuie șase broșuri. Primele versiuni încurajau rezistența pasivă împotriva regimului, cu interludii lungi care discutau filozofie și cu referințe obscure și pretențioase – știți voi, genul de lucruri despre care orice student adoră să vorbească. Pe măsură ce lunile treceau, cu ajutorul profesorului Kurt Huber, broșurile au devenit mai clare și mai stringente ca ton.

Cei din grup aveau încredere absolută unul în altul. Pentru contextualizare, trăiau într-o societate în care prietenii, vecinii și chiar membrii familiei se raportau unii pe alții la Gestapo, dacă exprimau idei greșite despre Hitler. Copiii aveau datoria să își raporteze părinții, dacă auzeau acasă retorică anti-nazistă. În 1939, un muncitor de la fabrică, care protestase împotriva concedierii evreilor, a fost imediat împușcat, ca exemplu pentru oricine nu era de acord, nu asculta de sau critica ideologia regimului.

Nu era ușor să faci broșuri în München, în 1942. Membrii Trandafirului Alb cumpărau cantități mici de hârtie și câteva timbre, ca să nu trezească suspiciuni cu nevoile lor pentru aceste resurse rare și raționalizate. Apoi umpleau valize cu broșurile antiregim – aproape cel mai incriminatoriu lucru pe care-l puteai face în Germania nazistă, în afară de un afiș imens pe care ai fi scris „Hitler e un labagiu" – și mergeau singuri cu trenul în diferite orașe, atenți mereu să-și lase bagajul cât mai departe de locul pe care se așezau. Când ajungeau într-un oraș nou, umpleau căsuțele poștale cu scrisori care ajungeau în diverse părți ale țării. Și așa, Gestapoul nu știa de unde veneau scrisorile. În timpul călătoriilor incredibil de periculoase, reușeau și să recruteze suporteri din alte orașe și universități, care au început să facă propriile broșuri. Sophie era trezorierul grupului și ajuta la distribuire.

Trăind în frica permanentă de a fi prinși și într-o continuă disperare legată de starea țării lor, membrii grupului trebuiau să mențină aparențele că, în viața reală, ar fi fost foarte relaxați. Ziua se plimbau, seara mergeau la concerte, iar noaptea printau broșuri incendiare. Hans și alți tineri au fost trimiși o vreme pe frontul rusesc, să lucreze ca medici în războiul pe care-l urau.

A șasea broșură a Trandafirului Alb a fost scrisă de profesorul lor, Huber, care, comparativ cu protejații lui, era destul de conservator și ura naziștii pentru manevrarea armatei și distrugerea statului german pe care-l iubea. A scris o critică atroce a înfrângerii forțelor germane la Stalingrad, din 3 februarie 1943, un eveniment care a trimis valuri de șoc prin populația obișnuită cu nesfârșita propagandă despre victoriile succesive ale glorioasei Germanii. Avea să fie ultima lor broșură.

În dimineața lui 18 februarie, Hans și Sophie s-au dus împreună la Universitatea din München cu valiza lor plină cu broșuri și au făcut grămăjoare în fața sălilor de curs, pe coridoare și în auditoriul principal, chiar înainte să se termine orele. Erau pe cale să plece, când și-au dat seama că mai aveau niște broșuri în valize care i-ar fi putut incrimina. Amintindu-și că nu puseseră niciuna pe nivelul de sus al auditoriului, au urcat pe scări cu ultimele broșuri. Chiar în momentul când s-a sunat și studenții au început să iasă din clase, Sophie a aruncat câteva broșuri de .sus ca să fluturile peste capetele colegilor și ale profesorilor. Într-o universitate conservatoare, într-un oraș din care Hitler a primit sprijin de la bun început, broșurile incendiare au plutit ca niște petale albe de la un copac, primăvara.

Hans și Sophie, cu valizele lor acum goale, au încercat să se amestece prin mulțimea de studenți care invadaseră auditoriul, șocați de ceea ce găsiseră. Înainte să poate să scape însă, au fost opriți de un bărbat de serviciu care a spus că i-a văzut aruncând broșurile. Șeful Universității a chemat Gestapoul, care la început nu a putut crede acuzația că acești studenți calmi, care arătau respectabil, ar fi putut avea ceva de-a face cu idei atât de periculoase.

Duși la sediu, Sophie și Hans au fost despărțiți și interogați. După ce inițial au negat tot, Gestapoul a strâns destule probe ca să-i incrimineze, moment în care au pretins că doar ei doi erau Trandafirul Alb, ca să-și protejeze prietenii. Anchetatorul lui Sophie a încercat s-o facă să declare că nu era responsabilă pentru acțiunile ei, ci că fusese influențată de Hans. Asta i-ar fi salvat viața, dar fata a negat și i-a spus că se așteaptă să primească aceeași pedeapsă ca fratele ei: „Aș face din nou totul – pentru că nu am greșit", a spus ea. *„Voi aveți ideile greșite despre lume."*

În acel moment, părinții lui Sophie și ai lui Hans habar nu aveau că fuseseră arestați și nici măcar că copiii lor organizau Rezistența împotriva regimului, prin Trandafirul Alb. Până la urmă, copiii se ridicaseră la idealurile părinților și aveau să plătească prețul ultim pentru asta.

Cunoaștem detalii despre ultimele zile ale lui Sophie datorită colegei sale de celulă, Else Gebel, o prizonieră politică pusă în cameră cu Sophie ca s-o împiedice să se sinucidă. Else spunea că Sophie a rămas complet calmă pe tot parcursul interogatoriilor și al captivității, cedând doar la vestea că l-au arestat pe Cristoph, un alt membru al Trandafirului Alb, care era soț și tată. Cristoph îi avertizase pe membrii grupului că deveniseră prea nesăbuiți, cu acțiuni tot mai curajoase, inclusiv desenarea de graffiti anti-Hitler, noaptea, prin tot orașul. Cristoph a fost legat oficial de activitățile lor când Gestapoul a descoperit o a șaptea broșură scrisă de mână de el – o probă care avea să-l coste scump.

În ziua de dinaintea procesului lui Hans, Cristoph și Sophie, a fost însorit și cald. „E o zi așa de frumoasă și cu soare, iar eu trebuie să plec...", i-a spus Sophie lui Else.

Luni, 22 februarie, Hans, Sophie și Cristoph au apărut în fața unuia dintre cei mai terifianți și mai nebuni judecători ai lui Hitler, Roland Freisler, care era cunoscut pentru felul în care urla tirade împotriva acuzaților. Procesul a fost plănuit de însuși Himmler, care ordonase o execuție secretă și rapidă a celor trei, nu o spânzurare publică, de care se temea că i-ar face martiri pe acești tineri ale căror broșuri iscaseră o mică spaimă în inima regimului. Cei trei trebuiau să dispară în liniște.

Unul câte unul, tinerii au fost aduși în fața lui Freisler și ocărâți de către un public format din oficiali de partid loiali. Când au aflat de soarta copiilor, părinții lui Hans și Sophie s-au dus în grabă la München și au reușit să forțeze intrarea în sala de judecată, unde tatăl lor, Robert, le-a strigat oficialilor strânși să asiste: „Există o justiție mai înaltă! Asta o să intre în istorie!" înainte să fie împins deoparte ca să asculte verdictul.

Așa cum era plănuit, verdictul a fost moartea celor trei. Cristoph ceruse iertare, fiind tată și având o soție bolnavă, dar i se refuzase orice clemență. Hans le-a spus lui Freisler și audienței: „O să stați curând unde stau eu acum!" Sophie era calmă și tăcută.

Cei trei credeau că aveau să moară peste câteva luni, când Aliații ar fi avut, poate, timp să câștige războiul. Însă ei aveau să fie executați în aceeași după-amiază, la ora 5, la doar trei ore după ce și-au auzit verdictul.

Pe peretele celulei sale, Hans a scris un citat din Goethe: „Rezistă chiar dacă totul este împotriva ta!" În ultima lui scrisoare către soția lui, Angelika, Cristoph a scris: „Mor fără să simt vreo ură."

Încălcând regulile, paznicii le-au permis lui Sophie și lui Hans să-și vadă părinții pentru ultima dată. Ca să-și consoleze mama că viața ei se sfârșea așa de repede, Sophie i-a spus: „Ce înseamnă puțini ani, până la urmă?"

Paznicii le-au permis celor trei condamnați și să împartă o țigară înainte de execuție.

În drum spre ghilotină, Hans a strigat: „Trăiască libertatea!" Sophie a rămas calmă și așezată până la final.

Bărbatul de serviciu care i-a prins pe Hans și Sophie a fost recompensat cu o promovare și trei mii de mărci, echivalentul a 130 000 de lire sterline de azi. Asta a fost prețul vieții lor, precum și al altor membri ai Trandafirului Alb, care au fugit, dar au fost urmăriți și arestați, unul câte unul. Judecătorul Roland Freisler avea să moară într-un atac cu bombe al Aliaților asupra Judecătoriei Publice din Berlin.

În timpul captivității, Sophie i-a spus colegei sale de celulă, Else: „Ce contează moartea mea dacă acțiunile noastre ating mii de indivizi? Studenții se vor revolta cu siguranță." Dar nu, nu s-au revoltat, Ba mai mult, unii dintre studenții Universității din München au făcut chiar un marș de apreciere pentru bărbatul de serviciu care îi prinsese.

Totuși, vestea despre acțiunile și uciderea Trandafirului Alb s-a răspândit prin lume. O broșură Trandafirul Alb avea să fie scoasă din țară și să ajungă în America, la New York Times. Aliații aveau să arunce zeci de mii de copii din a șasea și ultima broșură peste toată Germania.

Nu vom ști niciodată dacă noi am fi fost la fel de curajoși și de buni ca cei din Trandafirul Alb, pentru că trebuie să sperăm că nu vom fi testați niciodată în felul ăla. V-am zis că nu va fi un capitol distractiv! Mă doare sufletul acum. Pe voi nu? Nu, nu e un capitol amuzant deloc.

Nu prea am ce să mai spun ca să încerc să vă fac să vă simțiți bine în legătură cu una dintre cele mai mari orori din istorie. Dar măcar putem încerca să ne asigurăm că așa ceva n-o să se mai întâmple.

87

Hannah Arendt

1906-1975

*H*annah Arendt a fost unul dintre marii filozofi ai secolului XX, onorată astăzi drept singura femeie predată masiv la toate cursurile de filozofie. Asta doar dacă poate fi considerată o onoare să fii disecată de filozofi de 18 ani care de-abia înmuguresc, transpirați și obositori. Hannah s-a născut în 1906, în Germania, într-o familie de evrei. În anii 1920, a studiat cu faimosul filozof Martin Heidegger, pe când ea avea 19 ani, iar el 36 (și era căsătorit), și cei doi au început o aventură tumultoasă. După aproape un an Hannah a încheiat-o, pretinzând că trebuia să se concentreze pe cariera filozofică – unul dintre cele mai comune motive pentru care fetele se despart de băieți. Au continuat să-și scrie ca amici într-ale filozofiei, însă, pentru tot restul vieții. În anii 1930 totuși lucrurile au devenit stânjenitoare între ei când Heidegger a fost puțin nazist, o scurtă perioadă, dovedind că și filozofii excepționali sunt uneori idioți. Mai târziu a spus despre incursiunea lui în partidul nazist că a fost „cea mai mare tâmpenie" din viața lui, dar nu și-a cerut vreodată scuze efectiv. Deci, dacă vi se pare că fostul vostru e jenant, cel puțin el sau ea n-au fost niciodată naziști (sper).

La începutul anilor 1930 Hannah a reușit să adune tot mai multe dovezi ale antisemitismului, iar după ce a fost arestată de Gestapo în 1933 a fugit din Germania în Franța. Când Franța a fost ocupată de germani a fost trimisă într-un lagăr din Gurs. A fost eliberată și a fugit din țară când soțul ei, Heinrich Blucher, a obținut vize pentru SUA. Vizele lor pentru SUA au fost emise „ilegal" de către Hiram Bingham IV, un diplomat american din Franța, al cărui tată, bunic și străbunic apar, din întâmplare, în poveștile altor două femei din această carte..(Hiram Bingham numărul patru este în mod cert cel mai bun Hiram Bingham.)

Hannah a predat în toate universitățile americane de prestigiu la care vă puteți gândi. În 1959 a ajuns primul conferențiar femeie de la Princeton, un loc unde oamenii merg ca să spună că au fost la Princeton, și până la urmă a ajuns la școala botezată fără pic de imaginație, Noua Școală din Manhattan.

Pe parcursul carierei sale, Hannah s-a ocupat de cele mai importante chestiuni ale secolului: totalitarismul, răul și violența, pe lângă alte subiecte distractive care se discută pe la dineuri.

În 1951, Hannah a scris *Originile totalitarismului*, care analiza regimurile lui Stalin și al lui Hitler ca noi forme de guvernământ, diferite de ale celelalor specii de tiranii. În 1958, în cartea ei, *Condiția umană*, încerca să arate cum diferite structuri politice și sociale le permit sau le interzic oamenilor să ducă vieți bune și fericite. L-am rugat pe amicul meu deștept Trevor să-mi explice teza cărții, pentru că eu sunt leneșă și e complicată: „În mare, scrie o istorie a filozofiei întregii lumii, pornind din Antichitate, apoi ajunge la concluzia că alienarea e condiția vieții moderne, așa că filozofii își petrec timpul gândindu-se la *sine*. Dar ea consideră că ideea conform căreia

viața contemplativă ar fi mai bună decât cea activă este falsă
și restricționează accesul la o *viață bună* numai pentru norocoșii
care stau toată ziua și gândesc." Mersi, Trevor! (Trevor e unul
dintre oamenii ăia care stau toată ziua și gândesc.)

În lucrarea sa din 1963, *Despre revoluție (On Revolution)*,
Hannah a spus că motivul pentru care cele mai multe revoluții
eșuează este că pur și simplu înlocuiesc puterea unui guvern cu
puterea altuia, în loc de strategia YOLO *de a scăpa complet de
putere*. Încă o chestie la care să vă gândiți data viitoare când vă
simțiți filozofi.

Hannah Arendt e cunoscută probabil cel mai mult pentru
Eichmann la Ierusalim. Raport asupra banalității răului. Cartea
publicată în 1963 se bazează pe articolele ei pentru *New Yorker*
despre procesul lui Adolf Eichmann, omul care a dezvoltat
logistica deportării evreilor în Holocaust. La proces a fost
șocată de cât de neimpresionant era acest monstru al secolu-
lui. Stătea într-o cabină de sticlă, puțin răcit, și se apăra
spunând că era un simplu administrator care nu făcuse decât
să respecte legea și dorința Führerului. Hannah concluziona
că era un om fundamental mediocru, un „clovn" idiot, un
clișeu și un birocrat – și că acest fapt era esențial pentru
înțelegerea naturii răului.

Arendt a scris că „răul vine din insuficiența gândirii". Așa
ceva produsese un om ca Eichmann. „Psihiatrul curții israeliene
l-a examinat pe Eichann", scria ea, „și l-a găsit un om complet
normal, mai normal oricum decât sunt eu după ce l-am exa-
minat, implicația fiind că normalitatea poate coexista cu cru-
zimea infinită, ceea ce ne aruncă în aer ideile și reprezintă
enigma acestui proces". Răul ajunsese normal în Germania
nazistă. „În Al Treilea Reich, răul și-a pierdut caracteristicile
distinctive după care îl putea recunoaște majoritatea. Naziștii
l-au redefinit drept normă civilă."

În *Eichmann în Ierusalim*, Hannah a scris despre cum regimul nazist folosea adesea minciuni contradictorii ca să mențină puterea, iar efectul acestei mitomanii asupra poporului german a fost că: „Societatea germană formată din optzeci de milioane de oameni a fost protejată de realitatea și de faptele reale prin exact aceleași mijloace, aceeași autoamăgire, minciuni și prostie care erau acum inoculate în mentalitatea lui Eichmann", scria ea. „Aceste minciuni se schimbau de la an la an, adesea se contraziceau unele pe altele; în plus, nu erau neapărat aceleași pentru diferite ramuri ale partidului sau pentru părți ale populației. Dar practica autoamăgirii a ajuns așa de răspândită, aproape ca o regulă pentru supraviețuire, și face ca și acum, la 18 ani de la căderea regimului nazist, când mare parte a conținutului minciunilor a fost uitat, să fie greu să nu crezi că mitomania nu a ajuns parte integrantă din caracterul german național."

Publicarea cărții *Eichmann în Ierusalim* a iscat o controversă uriașă. La mai puțin de două decenii de la finalul celui de-al Doilea Război Mondial, publicul și evreii europeni care supraviețuiseră încă nu știau prea bine cum să vorbească despre Holocaust. Unii considerau că abordarea asta filozofică era prea rece și venea prea devreme. Cartea critica totodată liderii evrei care au colaborat, ceea ce criticii Hannei considerau că însemna blamarea victimelor. Alții credeau că afirmația cum că Eichmann nu era nici nebun, nici sociopat, nici măcar prea inteligent, îl scuza pentru crimele lui – ceva ce Hannah a negat cu vehemență, dar care a îndepărtat-o de mulți prieteni. Oricum, ideea că răul e ceva banal dovedea o structură radicală de înțelegere a modului în care ia naștere răul și cum se răspândește el într-o societate, ca ceva normal și acceptabil, la fel cum „se răspândesc ciupercile pe suprafața pământului și distrug întreaga lume".

Eichmann în Ierusalim se încheie cu motivul pentru care
Eichmann trebuia să moară:

Așa cum tu ai susținut și practicat o politică prin care
nu vrei să împarți pământul cu poporul evreu și cu
alți oameni din alte nații – de parcă tu și superiorii
tăi ați avea dreptul să decideți cine ar trebui să fie pe
lume și cine nu – credem că nimeni, niciun membru
al rasei umane nu ar vrea să împartă pământul cu tine.
De aceea, și numai de aceea, trebuie să fii spânzurat.

88

Noor Inayat Khan

1914-1944

*Î*nainte să vă faceți așteptări prea mari, capitolul ăsta are tot un final trist. Dar nu vă îngrijorați, mai întâi o să citiți despre niște spionaj de modă veche, despre curaj și supraviețuire neverosimilă, apoi despre o mare evadare din Gestapo. Aceasta este povestea lui Noor Inayat Khan, agenta secretă din al Doilea Război Mondial care a primit cea mai mare onoare civilă acordată de Marea Britanie pentru serviciul ei curajos dincolo de linia inamică, în Parisul ocupat de germani.

Organizația britanică Special Operations Executive (SOE) a fost înființată în vara lui 1940 pentru a crea o rețea de spioni cu misiunea de a „da foc Europei!", după cum spunea Churchill. Și aveau să facă asta spionând și sabotând efortul de război al Germaniei, oferind arme, bani și materiale forțelor Rezistenței din țările ocupate, deci chiar dând foc la tot.

Nu oricine putea fi agent SOE. Ca să supraviețuiască în secțiunea franceză a SOE, dincolo de liniile inamice, un agent trebuia să vorbească perfect fluent în limba aia. Asta nu însemna doar să poată întreba covingător: „Où est la bibliothèque?" deși e și ăsta un început bun, ci să fie expert în toate manierismele și obiceiurile francezilor. Trebuia să vorbească la telefon ca un francez, să se îmbrace ca un francez, chiar să se pieptene ca un francez. Cum te piepteni ca un francez? Nu știu, de-asta nu sunt spion. (Sau?) Noor se potrivea perfect. Deși s-a născut la Moscova și a trăit niște ani în Anglia, și-a petrecut mai toată viața la Paris, cu familia. Franța era acasă. Tată el era un profesor sufist descendent dintr-o linie nobiliară de musulmani indieni, iar mama era o americancă albă convertită la islam. Casa lor din Paris era centru de reuniuni religioase și muzicale, iar când îndrăgitul ei tată a murit, Noor și frații ei au avut grijă de inima frântă a mamei. Noor a ajuns autoare de cărți pentru copii, era liniștită, muzicală și sensibilă. Când Germania a invadat Franța, Noor și familia ei au fugit în Anglia, dar Noor era hotărâtă să se întoarcă în Franța și să-și ajute țara. Vorbea perfect fluent franceza și se presupune că știa să se pieptene în moda misterioasă a francezilor, oricare era aia. A fost respinsă de câteva ori de la antrenamente și de pe teren pentru că făcea ceaiul în manieră englezească, adică punea mai întâi laptele, nu ca francezii, care pun laptele al doilea: un lucru asupra căruia englezii se ceartă îndelung și absurd[1], dar care, pe teren, putea face diferența între viață și moarte.

Un agent SOE care se duce dincolo de linia inamică trebuia să aibă o acoperire absolut veridică. Agenții trebuiau să învețe întreaga poveste de viață a identității lor false, luată de obicei din dosarele distruse de război, pentru ca germanii să nu poată verifica dacă existau cu adevărat. Agenții trebuiau să inventeze întregi familii extinse și să știe toate detaliile, ceea ce e impresionant, dacă mă gândesc ce greu mi-e mie să-mi

---

[1] Răspunsul corect e că torni întâi laptele NUMAI CÂND ceaiul se fierbe la ibric, dar torni laptele după ceai atunci când ceaiul se face direct cu un plic în cană.

amintesc numele verilor primari. Un agent primea nume fals
(Noor era Jeanne-Marie Renier) și un nume de cod (Madeleine).
Adevărata identitate a lui Noor era și ea ascunsă de numele
Nora. Aplicase cu numele Nora, fiindcă englezii se pare că
aveau probleme cu numele „străine", să le dea Dumnezeu
sănătate lor și ideilor lor ignorante.

Noor a fost recrutată în SOE pentru trecutul ei francez și
tăria de caracter arătată în timpul în care a lucrat în alte părți
pentru sprijinirea frontului. După un an de antrenament,
Madeleine, adică Jeanne-Marie adică Nora adică Noor, a
învățat arta spionajului integral, de la codurile complicate la
cum să identifice mesaje ascunse care se trimiteau prin
BBC Franța, plus lupta fizică. Noor trebuia să învețe să fie
operator radio, responsabilă cu trimiterea de mesaje codate
între agenții de pe teren și sediul SOE din Baker Street,
Londra. A fost prima femeie operator radio trimisă în Franța
ocupată de germani. Era una dintre cele mai periculoase
misiuni pentru un agent, fiindcă trebuia să care cu ea 13
kilograme de echipament într-o valiză grea, ceea ce putea
atrage atenția oricărui german sau simpatizant. Și mai rău,
germanii căutau tot timpul piste pentru interceptarea semna-
lelor radio. Un operator radio trebuia să caute zilnic locuri
noi pentru echipamentul care includea o antenă de aproape
21 de metri și trebuia să comunice cât mai succint, înainte să
părăsească zona. În Paris, germanii aveau nevoie de doar o
jumătate de oră pentru a găsi sursa unei transmisiuni.

Unii instructori se îndoiau că Noor, care avea 1,60 m și era
o femeie așa de blândă și de liniștită, putea fi agentă. Deși
era o telegrafistă de excepție, manifestase mult stres la unele
exerciții SOE, ca alea în care instructorii dădeau buzna la miezul
nopții în camerele stagiarilor și îi supuneau la interogatorii de
tip Gestapo. Altă grijă era că era prea frumoasă ca să se treacă

neobservată (pățesc și eu asta). „Dacă fata asta e agent, eu sunt Winston Churchill", a spus unul dintre instructori. Însă Noor le-a dovedit tuturor că se înșelau. Nu s-a îndoit niciodată că era persoana potrivită pentru treaba asta și înțelegea pe deplin că ceea ce făcea putea să-i aducă moartea.

Un operator radio rezista în Paris cam șase săptămâni înainte să fie capturat – Noor avea să depășească cu mult media asta. Însă, de fiecare dată când murea un agent, poziția rămânea liberă și trebuia ocupată imediat, fiindcă operatorii radio erau singura legătură dintre agenți, Rezistența franceză și Londra.

Conștientă de pericolul care o aștepta, Noor a plecat în Franța. Un prieten își amintește entuziasmul ei cu câteva zile înainte de plecare: „Ochii îi străluceau. Voia să meargă acolo."

Vera Atkins, un oficial SOE care organiza plecarea agenților din Londra, a trimis-o pe Noor cu patru pastile: una de dormit, dacă trebuia să adoarmă pe cineva, un stimulant, dacă trebuia să stea trează ore sau zile întregi, una care să creeze iluzia unei probleme la stomac și una care o omora.

Aproape de cum a ajuns Noor, lucrurile au mers prost. Agentul care întâmpinase avionul cu care aterizase pe un câmp din Franța, la primele ore ale zilei de 17 iunie 1943, s-a dovedit mai târziu agent dublu, care îi informa pe germani. Iar ghinionul nu se oprea aici. Noor venea într-un circuit de spioni care fusese deja compromis prin capturarea a doi agenți canadieni a căror aterizare cu parașuta mersese prost. Gestapo îi arestase pe cei doi și descoperise numele de cod și adresele celorlalți spioni din rețea. Unul câte unul, membrii așa-numitului circuit Prosper au fost arestați de Gestapo – ei și familiile care îi ajutaseră și le oferiseră o ascunzătoare.

Din moment ce rețeaua cădea, sediul SOE din Baker Street i-a cerut lui Noor să se întoarcă. Circuitul fusese distrus și era pur și simplu prea periculos să mai rămână. Dar Noor a

spus că nu pleacă din Paris. Era singurul operator radio și voia
să încerce să refacă rețeaua de spioni. În următoarele trei luni,
adesea complet singură cu gândurile ei, Noor a reușit să se
ferească de Gestapo, care o vâna pe o anumită Madeleine care
le scăpa mereu printre degete. Cu echipamentul ei de trans-
misie incriminator, Noor a aranjat trimiterea de bani și
echipamente pentru Rezistența franceză, care se pregătea
pentru mult așteptata invazie a Franței de către Aliați. A
plănuit evadări de succes ale altor agenți, a falsificat acte
pentru spioni și a reușit să scape treizeci de piloți ai Aliaților,
care fuseseră prăbușiți pe teritoriu inamic. A transmis mesaje
atât la sediul SOE, cât și lui Charles de Gaulle, la sediul lui
de exil din organizația Francezii Liberi de la Londra. Trebuia
să se mute tot timpul ca să nu fie prinsă, bazându-se pe prie-
nii vechi din zilele inocente de studentă, muziciană și autoare
de cărți pentru copii la Paris, cărora nu le venea să creadă ce
agentă curajoasă ajunsese. A reușit să trimită scrisori familiei
din Marea Britanie – scrisori care, fără știrea ei, erau copiate
de nenorocitul de agent dublu care era de partea germanilor.

Deja știți cum se termină povestea, dar, mai întâi, să ne
bucurăm de momentele când Noor a scăpat de arest, în ciuda
șanselor absurd de mici.

Odată, Noor era presată de timp și a fost nevoită să-și
deschidă uriașa antenă radio la fereastră. A coborât-o pe geam,
apoi s-a dus pe stradă, să o aranjeze într-un copac, ca să nu
se vadă. Spre oroarea ei, un ofițer german a văzut-o și a între-
bat-o dacă o poate ajuta. În loc să leșine, să țipe, să fugă sau
alte reacții plauzibile, Noor a spus simplu că da, i-ar fi recunos-
cătoare. Imaginându-și că Noor era o doamnă drăguță care
încerca să-și aranjeze antena radio ca să asculte niște muzică,
ofițerul german *a ajutat-o să-și instaleze echipamentul de spion,*

apoi a plecat vesel, mulțumit că fusese galant și ajutase o tânără franțuzoaică încântătoare.

Altădată, Noor își căra echipamentul cu metroul – o sarcină zilnică periculoasă, căci Gestapoul controla frecvent pasagerii și bagajele tuturor din transportul în comun. A observat că era privită de câțiva soldați germani, dar nu a putut să coboare la prima stație fără să trezească suspiciuni. Când soldații s-au apropiat și au întrebat-o ce cară, ea și-a păstrat din nou calmul și le-a spus că era „un aparat de cinematografie". A deschis valiza doar puțin ca să le arate câteva componente ale *aparatului de cinematografie*, iar soldații, fiindcă nu voiau să admită că nu aveau habar cum arată *un aparat de cinematografie*, au crezut-o. Desigur, chestia aia din valiza ei era *un aparat de cinematografie*, numai niște idioți nu știu cum arată unul! „Am crezut că e altceva", i-au spus ei și au lăsat-o în pace cu valiza ei uriașă plină cu exact ce crezuseră ei că este.

Acum vine partea chiar nasoală: după ce a reușit să lucreze trei luni pe fugă, după ce și-a vopsit părul, și-a schimbat mereu locul și a rămas în viață, Noor a fost trădată de sora unui membru al Rezistenței, care s-a dus la Gestapo și a cerut bani în schimbul adresei unui agent englez. Gestapo i-a oferit 100 000 de franci, aproape o zecime din cât valora de obicei un agent englez. Noor mai avea doar câteva zile până îi venea înlocuitorul. Trebuia să se întoarcă, în sfârșit, acasă pe 14 octombrie. În loc de asta, pe 13 a fost capturată și dusă la sediul Gestapo din Avenue Foch.

Se făcuseră greșeli. Noor înțelesese greșit instrucțiunile de la Londra, de a „consemna" atent mesajele. Londra folosea „a consemna" în sens jurnalistic, trebuia, adică, să le transmită cu atenție. Ea a înțeles că însemna să le arhiveze. Așa că, atunci când a fost arestată, avea codurile și mesajele vechi la ea, precum și echipamentul radio, pe care germanii l-au folosit ca să trimită mesaje false la Londra în care cereau arme și bani, și care a adus agenți direct în mâinile lor.

Și Londra a făcut greșeli. Când Noor a trimis un cod de urgență sub supraveghere germană ca să comunice că fusese capturată – un cod special de 18 litere –, cei de acolo au presupus că făcuse o greșeală, deși ea nu greșise niciodată. Luni de zile nu și-au dat seama că fusese capturată – luni în care ea nu a vobit nimic la interogatorii, dar în care germanii au reușit să le facă mult rău Aliaților folosind „jocurile radio".

Chiar și în captivitate, Noor a încercat să scape de Gestapo. De cum a ajuns, a cerut să facă o baie. Era așa de încăpățânată și absurdă cererea asta, că au lăsat-o pur și simplu și chiar i-au închis ușa când a cerut intimitate. De cum a rămas singură, Noor a ieșit pe fereastră și a ajuns pe acoperiș. A fost prinsă rapid și adusă înapoi prin altă fereastră. Dar nu renunțase încă. Știind că erau alți oameni în celulele din jurul ei, Noor bătea în pereți în codul Morse și așa a reușit să intre în contact cu alți doi agenți prinși. Noor și cei doi au făcut un plan să scape prin geamurile cu zăbrele de sus din celulă, trecând bilețele de la unii la alții și o șurubelniță ascunsă în toaleta dintre ei. Într-o noapte, pe 25 noiembrie, cei trei au slăbit zăbrelele cu șurubelnița și au scăpat pe acoperiș. Din păcate pentru ei, un atac RAF[1] a pornit curând alarmele antiaeriene și s-a descoperit că evadaseră, așa că s-a făcut un cordon în toată zona. Au intrat pe fereastră într-o casă vecină, dar înăuntru au fost prinși în capcană. Au încercat să fugă, dar au fost prinși din nou. (E posibil ca Noor să fi reușit și o a TREIA evadare de la Gestapo, dar, dacă așa a fost, germanii nu au mai menționat-o, probabil de rușine.)

---

[1] Royal Air Force, forța de război aeriană britanică (n. red.).

Cei trei au primit o declarație prin care ar fi trebuit să promită că nu vor încerca din nou să evadeze. Unul dintre ei a semnat și a supraviețuit războiului, apoi a povestit ce s-a întâmplat pe Avenue Foch. Dar Noor nu a semnat și a fost trimisă la închisoarea Pforzheim, clasificată drept un deținut periculos, ținută în izolare, legată în lanțuri și cu o rație minimă de mâncare. A fost primul agent britanic trimis în Germania în timpul războiului. În ciuda izolării totale, Noor a trimis mesaje unui grup de prizonieri politici francezi, scriind cu unghia mesaje scurte pe bolurile de mâncare care ajungeau, apoi, la persoana potrivită de-abia după zile întregi. Femeile se sprijineau una pe alta scriind vești despre victoriile Aliaților despre care auzeau. Noor și-a transmis informațiile de contact unei franțuzoaice, Yolande. Datorită acestui lucru și eforturilor lui Yolande de a o găsi după război, știm azi ce s-a întâmplat cu ea: Noor a fost transportată de la Pforzheim la lagărul de concentrare de la Dachau pe 14 septembrie 1944, unde a fost bătută, împușcată și arsă. Când Germania a început să-și dea seama că are pierderi imense în război, Himmler a dat ordinul să fie omorâți toți agenții secreți, pentru că știau prea multe despre naziști. La doar șapte luni de la moartea lui Noor, Aliații au eliberat lagărul. Abia la doi ani după război, foștii ei colegi și familia au aflat ce s-a întâmplat cu ea.

Șaisprezece femei agent din secțiunea franceză a SOE au murit în război. Președintele Eisenhower a spus că munca SOE a scurtat războiul cu șase luni. Noor a primit medalii de onoare de la francezi și de la englezi, care au subliniat insistența ei să rămână la Paris, deși se afla în pericol de moarte, și faptul că nu a dezvăluit niciun nume sub imensa presiune a încarcerării și torturii. Astăzi, există o statuie a lui Noor în Russell Square, la Londra. Primăvara, e înconjurată de flori micuțe, roșii și mov.

89

Nancy Wake

1912–2011

*A*ți auzit deja destule despre SOE, din moment ce citiți cartea asta cap-coadă, așa cum se face cu toate cărțile. Dacă nu, sunteți o persoană groaznică, dar iată versiunea *tl;dr*: Special Operations Executive era o agenție de spionaj făcută de Winston Churchill, prim-ministrul Marii Britanii, faimos pentru că a condus Marea Britanie în timpul războiului și pentru că era un pic cam nesuferit, agenție care avea misiunea de a „da foc Europei" prin sabotaj și alte chestii secrete de spionaj.

Bărbații și femeile de la SOE erau genul James Bond, deși toată lumea crede azi că e imposibil ca o actriță să-l joace pe Bond, pentru că femeile apar în filmele de acțiune doar ca să-și scoată bluzele, apoi să se îmbolnăvească rău și să moară. Mai bine să nu riscăm.

În fine. Nancy Wake s-a născut în 1912 la Roseneath, în Wellington, Noua Zeelandă, dar s-a mutat în Australia și a crescut în suburbia Neutral Bay din Sydney, un loc cunoscut pentru neutralitatea lui. Nancy a fost o adolescentă rebelă, așa cum adolescenții nu trebuie să fie, așa că a fugit la 16 ani să se facă infirmieră și a trăit sub un nume inventat, ceea ce, retrospectiv, e o chestie de spioni. În 1932, a plecat din Australia și a ajuns jurnalistă la Londra, înainte să se mute la Paris, unde și-a găsit o slujbă și un soț francez sexy, Henri. Își trăia visul, dar a început războiul și asta i-a distrus viața, la fel ca pe a tuturor.

Imediat după invazia Franței, în 1940, Nancy și Henri au început să ajute Rezistența. Nancy a fost curier și ghid pentru aproape o mie de piloți aliați care încercau să scape, prin Pirinei, spre Spania neutră. Gestapoul știa ce făcea, dar nu reușea s-o prindă. O numea „Șoarecele alb". Era imposibil de prins, adesea flirta cu ofițerii ca să poată trece, așa cum a explicat într-un interviu pentru *Australian News*, din 2011, cu puțin înainte să moară: „Vedeam un ofițer german pe tren sau altundeva, uneori îmbrăcat în civil, dar îți dădeai seama. Și, în loc să trezesc suspiciuni, flirtam cu ei, le ceream un foc... Puțină pudră și niște băutură, apoi treceam de posturile lor și spuneam *Vreți să mă controlați?* Doamne, ce ticăloasă cochetă eram!"

În 1942, germanii ocupaseră sudul Franței (Vichy), iar rețeaua ei de Rezistență fusese trădată, ca să nu mai zic de recompensa de cinci milioane de franci pusă pe capul ei, așa că lucrurile deveniseră foarte periculoase pentru Nancy. A fugit prin Pirinei și de acolo în Anglia. Soțul ei a rămas, a fost prins și ucis de germani, în anul următor. Refuzase să sufle o vorbă despre cine era Nancy și unde o puteau găsi. Ea nu avea să afle ce i s-a întâmplat decât după război.

Odată ajunsă în Anglia, Nancy nu a încetat să se lupte împotriva germanilor. A intrat în SOE și și-a impresionat instructorii cu dibăcia ei la spionaj. Unul dintre ei notat că „se bucură de viață în felul ei, bea și înjură ca un soldat". Vera Atkins, ofițerul de informații care organiza partea franceză a SOE de la Londra, a descris-o ca pe „o adevărată bombă sexy australiană. Extrem de plină de vitalitate, cu ochii scânteietori".

Gata de acțiune, Nancy s-a parașutat în Franța, la sfârșitul lui aprilie 1944. Îi plăcea să povestească cum i s-a prins parașuta într-un copac, iar niște bărbați francezi care erau acolo s-o primească au comentat cum că și-ar dori ca toți copacii să facă fructe așa de minunate. Ea le-a răspuns cu calmul ei tipic: „Nu mă luați cu rahaturile astea franțuzești." Ascultați, domnilor din lumea întreagă! Nu le mai luați pe doamne cu rahaturi franțuzești decât dacă vi se cere explicit acest lucru.

Treaba lui Nancy în Franța era să ajute rețeaua de spioni și forțele Rezistenței în regiunea muntoasă din Auvergne, din centrul țării. Nancy nu doar că a participat direct la lupte, dar a și recrutat trei mii de soldați de gherilă Maquis pentru Rezistență, apoi a condus șapte mii de luptători care au sabotat și au distras atenția trupelor germane înainte de invazia Normandiei din Ziua Z, în 1944.

Odată, când au atacat o fabrică de armament, Nancy a ucis un soldat german cu mâinile goale: „Ne-au învățat judo la SOE, așa că am tot exersat. Dar a fost singura dată când am folosit tehnica și chiar l-am omorât. Am fost realmente surprinsă."

Adică, na, voi nu ați fi surprinși?

Când s-a întors în Anglia, guvernele Franței, al Marii Britanii și al Noii Zeelande au aruncat cu medalii în Nancy. S-a recăsătorit și s-a mutat în Australia, unde a candidat fără succes pentru un loc în Parlament, de câteva ori, ca membră a Partidului Liberal.

Nancy și-a petrecut ultimul deceniu de viață locuind la Stanford Hotel, în Piccadilly, Londra, unde a băut gin tonic și a spus povești de război oricui o asculta. Odată ce a rămas fără bani, prințul Charles a preluat nota de plată, pentru că nimeni nu vrea să fie nemernicul care aruncă o femeie de 98 de ani de la barul hotelului, cu atât mai puțin când e vorba de cea mai decorată eroină a celui de-al Doilea Război Mondial. Nu ar fi doar nepoliticos, dar să nu uităm că Nancy a omorât odată un bărbat cu doar o mișcare de judo.

90

Dorothy Thompson

1893-1961

*J*urnalista americană Dorothy Thompson a fost primul corespondent străin dat afară din Germania nazistă, în 1934, pentru că îl ofensase profund pe Hitler prin ceea ce scria. În 1931, a fost prima jurnalistă străină care l-a intervievat și probabil că lui nu i-a picat deloc bine descrierea asta:

> Nu are nicio formă, nu are nicio față, un chip ca o caricatură, un om a cărui siluetă pare din cartilagiu, fără oase. Este inconsecvent și volubil, trufaș, nesigur. E însuși prototipul Omului Mărunt. Niște păr rar îi cade peste o frunte nesemnificativă și ușor retrasă... Are nasul mare, dar cu o formă urâtă și fără personalitate. Are mișcări ciudate, aproape nedemne și deloc marțiale... Doar ochii sunt notabili. Gri întunecat și hipertiroidați, au un luciu straniu care adesea e propriu geniilor, alcoolicilor sau istericilor.

Hitler îi spusese în interviu cum intenționa să ajungă la putere: „Voi ajunge la putere legal. Voi aboli apoi Parlamentul și Constituția Weimar. Voi fonda un stat autoritar, de la cea mai mică celulă la cea mai înaltă instanță; peste tot vor fi autoritate și responsabilitate, disciplină și obediență."

Ea nu a crezut că va reuși și a spus: „Imaginați-vă pe cineva care se vrea dictator și *convinge poporul suveran să voteze să i se ia drepturile.*" Când Hitler a ajuns la putere, în anul următor, Dorothy a recunoscut că a făcut o mare eroare de judecată și a început să scrie despre primii lui ani la putere în stilul ei direct, ceea ce a dus la expulzarea sa din Germania. Un critic de carte, al cărui nume nu contează, se plângea de felul în care, în scrisul ei, „emoțiile depășeau logica" – cea mai masculină critică pe care o poți face. Dacă nu ai voie să fii emotivă când e vorba de Germania anilor 1930, atunci când?

Când s-a întors în SUA, Dorothy și-a intensificat criticile și avertismentele asupra pericolului pe care îl reprezenta Hitler. Avea un editorial de trei ori pe săptămână în *New York Tribune*, citit de milioane de oameni, și era prezentator radio la NBC, precum și realizatoare de propagandă anti-Hitler pentru germani, materiale care aveau să fie toate compilate în cartea *Ascultă, Hans (Listen, Hans).* În 1939, revista *Time* a numit-o cea mai influentă femeie americană după Eleanor Roosevelt, datorită stilului ei convingător, ideilor prolifice și enormei audiențe. Revista spunea: „Dorothy Thompson este femeia americană absolută. E citită, crezută și citată de milioane de femei care înainte obișnuiau să preia opiniile politice ale bărbaților lor, care și le luau de la Walter Lippmann.[1]" Șeful propagandei naziste, Joseph Goebbels, pe de altă parte, o numea „scursura Americii".

În 1935, Dorothy și-a imaginat cum ar fi dacă un dictator ar veni la putere în SUA. Iată ce spunea, citată într-o carte din

---

[1] Jurnalist și scriitor american extrem de influent în epocă (n. tr.).

2006 scrisă de Helen Thomas, *Păzitorii democrației? Decăderea Corpului de presă de la Washington și cum și-a decepționat publicul (Watchdogs of Democracy? The Waning Washington Press Corps and How it Has Failed the Public)*:

Niciun popor nu-și recunoaște dictatorul dinainte. Niciodată nu candidează cu un program dictatorial. Mereu se prezintă drept instrumentul Voinței Naționale... Când dictatorul nostru apare, fiți siguri că va fi un băiat și va reprezenta tot ce este tradițional american. Și nimeni nu îi va spune vreodată *Heil*, nici nu-l vor numi Führer sau Duce. În schimb, îl vor primi cu un mare, universal și democratic *Ok, șefule, rezolvă cum vrei!*

91

Irena Sendler

1910-2008

Irena Sendler nu a vrut să rămână în istorie ca eroină: „Eroii fac lucruri extraordinare", a spus la bătrânețe. „Ce am făcut eu nu a fost extraordinar. A fost ceva normal." Ce a făcut Irena a fost să salveze cel puțin 2 500 de copii evrei din ghetoul Varșoviei, în Polonia, în timpul celui de-al Doilea Război Mondial. A fost ceva normal?

Pe de-o parte, nu, nu a fost ceva normal. 90% dintre evreii polonezi au fost uciși în timpul războiului. 15% din întreaga populație a Poloniei a murit atunci. Pedeapsa pentru ajutarea unui evreu era moartea imediată, pentru tine și familia ta. Numai aproape 5 000 de copii evrei polonezi dintr-un milion au supraviețuit războiului. Irena și rețeaua ei au salvat mii dintre aceștia. Timp de șase ani, Irena Sendler se trezea în fiecare dimineață și alegea să-și riște viața pentru ceilalți. Așa că, îmi pare rău, Irena, uită-te la cifre, asta nu e ceva normal, e ceva eroic.

Pe de altă parte, ar trebui să fie ceva normal, nu? Ar trebui să fie „normal" să salvezi vieți, să-ți folosești privilegiile ca să ajuți victimele celei mai mari crime din istoria umanității. Era normal ca locuitorii din Varșovia să se bucure de carnavalul de

Paște din 1943 așa de aproape de zidurile ghetoului, că puteau vedea de sus, din siguranța unei roți de bâlci, trupele germane care zdrobeau revolta evreilor? *Asta* nu ar trebui să fie normal. Nu o s-o numim pe Irena erou, însă, pentru că termenul o deranja. „Subliniez puternic faptul că noi, care salvam copii, nu eram niciun fel de eroi. Într-adevăr, termenul mă scoate din minți. Opusul e adevărat: încă am procese de conștiință că am făcut atât de puțin."

Poate că asta e pur și simplu mentalitatea unui asistent social, ceea ce era Irena, prin formație. S-a născut în 1910, cu un tată care avea același spirit civic, un doctor care trata evrei într-o vreme când medicii catolici refuzau să facă asta. Din această cauză, Irena a crescut într-o comunitate evreiască din satul Otwock și vorbea idiș cu prietenii ei, deși ea însăși era catolică. Irena a mers la Universitatea din Varșovia și voia să se facă avocată, dar a fost descurajată de departamentul ei să urmeze această profesie nefeminină, așa că a studiat literatura și a ajuns profesoară. Și-a găsit adevărata chemare, însă, când a mers la cursuri de asistență socială pentru Universitatea Poloneză Liberă. Acolo, la începutul anilor 1930, Irena și-a format un cerc strâns de prieteni, condus de profesoara lor, Helena Radlinska, care va fi coloana vertebrală a rețelei de Rezistență. În anii cât Irena a fost la universitate, Dreapta poloneză ajungea tot mai curajoasă, bătea oamenii în campusuri și punea studenții evrei să stea departe de colegii lor la cursuri. Iar lucrurile aveau să se agraveze.

Forțele lui Hitler au invadat Polonia în septembrie 1939 și, în primul an de ocupație a Varșoviei, Irena și cercul ei au pus bazele unei rețele secrete, ca să ajute ilegal familiile de evrei care aveau nevoie de acte, de mâncare și de haine. La începutul anului 1941, când evreii din Varșovia au fost obligați să se mute în cele șaptezeci și trei de străzi sărăcăcioase dintre zidurile care vor forma ghetoul Varșoviei, Irena și rețeaua ei erau gata din nou să ajute. Evreii refugiați din teritoriile ocupate de germani erau trimiși în ghetou, iar în zona aceea închisă aveau să se strângă peste 400 000 de oameni. Familii întregi se înghesuiau într-o cameră, sufereau de sărăcie și de boli și trăiau la limita subzistenței, cu o rație de 184 de calorii de persoană pe zi.

Ca muncitor social, Irena a reușit să obțină permisul de a circula prin ghetou, sub pretextul că ținea sub control epidemiile, ca să nu iasă dintre ziduri. „Știam suferința oamenilor care putrezeau dincolo de ziduri și voiam să-mi ajut vechii prieteni." Printre aceștia, se numărau iubitul ei, Adam, și alți colegi de la Universitatea Liberă Poloneză, printre care Ala Golab-Gryberg, care ajunsese infirmiera-șef din ghetou.

Când situația din ghetou a devenit tot mai disperată – iar consecințele ajutării unui evreu tot mai drastice –, Irena și-a extins operațiunea, oferind locuitorilor orice ajutor social se putea. Trecând prin punctele de control controlate de germani, ea băga înăuntru mâncare, păpuși pentru copii și vaccinuri pentru tifos, ascunse uneori chiar în sutien. (E o temă recurentă printre femeile care le-au rezistat naziștilor – să ascundă informații sau materiale interzise în sutiene. Or fi sutienele inconfortabile, dar iată că în trecut au folosit în lupta antifascistă.)

Biroul Irenei emitea și copii de documente, precum certificate de naștere, pentru familiile de evrei care puteau scăpa din ghetou cu identități false, non-evreiești. În vara lui 1942, germanii au început procesul deportării evreilor din ghetoul din Varșovia spre lagărul de exterminare Treblinka, deși spuneau că trenurile îi duceau pur și simplu în alt loc, pentru „relocare". Părinții îngroziți din ghetou începuseră să ia hotărârea dureroasă de a se despărți de copiii mici, încredințându-i Irenei și rețelei sale ca să-i scoată de acolo și să-i ascundă, cu identități noi și documente false.

În același timp, prietena Irenei, Ala, a salvat sute de oameni de la deportare, mințind că primise aprobare să facă o clinică medicală la Umschlagplatz, piața din ghetou de unde plecau trenurile. S-a prefăcut că îi crede pe germani și că plecarea e doar o relocare, dar a insistat că unii dintre oameni erau prea bolnavi să călătorească. Sigur că germanilor nu le păsa că cineva era prea bolnav – dar timp de câteva săptămâni, ea a reușit să „mute" niște oameni de la trenuri în spitalul ei. Odată ajunși acolo, ea și câteva asistente rupeau picioarele oamenilor sănătoși, pentru ca, atunci când veneau inspectorii de sănătate să îi declare inapți. Ala a ajuns cunoscută în ghetou drept „zâna cea bună".

Așadar, Irena și cei mai apropiați prieteni ai săi scoteau ilegal copii și bebeluși, prin modalități tot mai creative. Ascundeau copii în saci de gunoi sau în coșciuge și îi scoteau din ghetou prin permisul de trecere motivat de controlul epidemiei. Bebelușii erau tranchilizați de Ala ca să nu scoată un sunet, băgați în saci, cutii de scule sau valize. Tunelurile săpate de copii, clădirile cu uși secrete de partea cealaltă sau canalizările toxice ale ghetoului erau rute de evadare periculoase. Dacă reușeau să iasă, erau întâmpinați de Irena sau alt membru al rețelei pe partea cealaltă.

Dar, odată ieșiți din ghetou, copiii erau în mai mare pericol decât niciodată. Moartea imediată era sentința pentru orice evreu prins în afara zidurilor ghetoului. Prima oprire a copiilor evadați era una dintre casele conspirative ale Irenei. Dacă erau destul de mari să înțeleagă ce se petrece, erau puși să memoreze rugăciuni catolice sau li se schimba înfățișarea ca să pară mai „arieni". Copiii mai mici, însă, nu înțelegeau ce se petrece, riscau să vorbească idiș și își puteau dezvălui adevărata identitate din greșeală, deci erau cel mai greu de salvat. Dacă ați cunoscut un copil de trei ani, știți deja că aceștia nu prea fac ce li se spune. Totuși, Irena nu se oprea, inventa noi rute de scăpare și case conspirative de partea cealaltă. Fosta lor profesoară de asistență socială de la Universitatea Poloneză Liberă, dr. Radlinska, ea însăși evreică, a ajutat la coordonarea mai multor operațiuni secrete ca a Irenei, din ascunzătoarea ei de la o mănăstire.

În primăvara lui 1943, șapte sute cincizeci de bărbați și femei din ghetoul Varșoviei au pornit o răscoală armată împotriva germanilor. 80% din populația ghetoului fusese deja deportată, iar cei care rămăseseră erau vânați oriunde se ascundeau. Cei tineri care rămăseseră au decis să lupte doar cu revolvere, bombe făcute în casă și câteva puști furate, dar, în prima zi au reușit să-i surprindă pe germani și le-au forțat retragerea. Ala, care era tot înăuntru, a pus pe picioare o unitate medicală pentru luptătorii răniți, iar Irena a reușit să intre și să iasă din ghetou și să salveze mulți copii, în haosul luptei. Răscoala a durat cam o lună – în timp ce petrecăreții de la sărbătoarea Paștelui se uitau din afară. Germanii furioși au chemat întăriri și au distrus complet ghetoul, cu bombe și foc. Ala și majoritatea luptătorilor au fost găsiți și arestați. Ala a fost trimisă în lagărul de muncă din Poniatowa, dar rezistența ei nu se încheiase: a format un cerc secret de tineri și o clinică medicală și a condus o revoltă în care a fost ucisă. Ala s-a luptat, a rezistat și a ajutat oamenii până la sfârșit.

Oamenii din rețeaua Irenei erau arestați și uciși, dar lista ei de copii salvați crescuse, de la câțiva la zeci, sute și chiar mii de nume. Păstra cu atenție evidențe meticuloase, scrise cu stilou fin pe hârtie de țigări, pe care le proteja cu viața ei. Aceste arhive cuprindeau adevărata identitate a copiilor și adresa familiei care îi preluase. Erau necesare ca să le trimită fonduri, mâncare și alte resurse, dar, spunea ea, „și ca să îi putem găsi după război". Numai Irena știa conținutul listelor și numai ea putea lega firele între copii și noile identități, dar știa că, dacă murea – iar Gestapoul îi putea bate în orice clipă la ușă –, informația era prea prețioasă ca să moară cu ea. Așa că a ascuns hârtiile în apartamentul ei.

În toamna lui 1943, Gestapoul chiar a venit și a luat-o pe Irena, suspectată pentru legături cu grupul de Rezistență polonez Zegota. Grupul fusese fondat în 1942 de două femei și preluase rețeaua Irenei. Dar când germanii au pus mâna pe Irena, habar nu aveau ce membru important al Rezistenței prinseseră – germanii o vânaseră ani de zile pe o misterioasă Jolanta, dar nu știau că era ea. A fost dusă la închisoarea Pawiak și torturată, dar nu a mărturisit niciodată că salvat copii sau alte detalii despre Rezistență. A spus mereu că era o simplă asistentă socială. Destul de ironic, lista ei de copii avea s-o salveze: membrii Zegota știau că fusese prinsă, dar nu știau unde erau ascunse listele acelea importante, așa că au strâns fonduri pentru o mită uriașă ca s-o elibereze. Sarcina de a duce mita a căzut pe o fată de 14 ani din Rezistență, care a dus echivalentul a 100 000 de dolari de azi în ghiozdanul de școală și i-a predat unui gardian german.

Într-o dimineață la închisoare, când numele Irenei a fost strigat pentru execuție, neamțul mituit a dus-o în altă parte și a lăsat-o să scape. Înainte, însă, i-a tras un pumn în față – asta ca nu cumva cineva să se gândească la el cu drag sau să creadă că era de partea bună a istoriei fiindcă a lăsat-o să plece. Nup, era doar un nazist care luase mită!

Când Gestapoul și-a dat seama că Irena n-a fost executată în dimineața aia, așa cum trebuia, a pus-o în topul listei lor cu cei mai vânați oameni. Știind că putea să fie prinsă în orice moment, Irena a avut grijă să îngroape prețioasele liste în sticle de suc goale, sub mărul din grădina unui prieten. Era iarna lui 1944. Irena nu a putut merge la înmormântarea mamei sale ca să nu fie prinsă – dar asta după ce a scos-o ingenios pe geamul ferestrei din spitalul unde se trata, ca să fie împreună când moare. A fost ceva la care Irena nu le-a luat-o înainte germanilor? Pare că nu.

Chiar și din ascunzătoare Irena a continuat să conducă Rezistența, folosind sume enorme de bani pentru Zegota, conducând o rețea incredibil de complexă de suporteri, asistenți sociali, medici și, desigur, copii ascunși. În 1944, o „Armată de Acasă", formată din luptători ai Rezistenței, cuprindea 300 000 de bărbați și de femei. 40 000 de luptători din Varșovia, inclusiv 4 000 de femei, s-au răsculat la 1 august.

La acel moment, Himmler le ordonase trupelor germane să împuște *toți* rezidenții Varșoviei, evrei sau nu. Nimeni nu a apucat să fie normal, până la urmă, să stea să uite de pe o roată de scrânciob la suferința altora. Reacția germană la răscoală a fost să distrugă întregul oraș. Chiar și atunci, sub bombe și printre lupte de stradă feroce, Irena, Adam și prietenii lor au improvizat un spital unde îngrijeau răniții. Când le-a fost descoperită operațiunea, au mai mituit un german și au fost cruțați de deportare. Dar, în loc să fugă, s-au apucat să facă alt spital pe teren.

Până la sfârșitul războiului, orașul era distrus și milioane de civili muriseră. Listele Irenei erau acum îngropate adânc sub moloz și nu aveau să mai fie găsite vreodată. Irena a reușit să le refacă din memorie cât de bine a putut, dar, pentru majoritatea copiilor cu adevăratele identități pe liste nu mai existau familii care să-i găsească.

Irena și Adam, care au supraviețuit deși toate șansele le erau potrivnice, au rămas în Polonia, s-au căsătorit și au avut propriii copii, dar au adoptat și două fetițe evreice. (Apoi au divorțat, dar asta e viața.) După război, Irena avea să fie încarcerată din nou, de data asta de către poliția secretă comunistă, pentru conexiunea ei cu Armata de Acasă, dușmanii comuniștilor. Din cauza acestei tensiuni politice, povestea Irenei a rămas necunoscută, în mare parte, până în anii 1990, deși a fost recunoscută de Yad Vashem (memorialul Holocaustului de la Ierusalim) în 1965. Înainte de moartea ei, din 2008, la vârsta fragedă de 98 de ani, a primit premii și recunoaștere din întreaga lume pentru curajul ei din război, inclusiv o nominalizare la Premiul Nobel pentru Pace și o scrisoare de la papă.

Ne putem opri puțin doar ca să reflectăm la faptul că al Doilea Război Mondial nu a avut loc așa demult? Poate bunicii voștri mai erau în viață atunci. Poate părinții voștri. Sau poate, dacă sunteți bătrâni, chiar voi. (Bună, cititori în vârstă! Îmi cer scuze pentru înjurături.)

Cu ce lecție rămânem după povestea Irenei? Pare aproape imposibil. Curajul ei e supraomenesc. Forțele cu care s-a confruntat sunt un rău prea adânc. Irena a spus că era normal să facă ce-a făcut. Iar rezumatul ăsta scurt al vieții ei nu cuprinde toate poveștile din șirul infinit despre curajul Irenei, al prietenilor ei și al Rezistenței poloneze. În anii ei din urmă, Irena sublinia mereu că ceea ce a făcut ea a fost posibil doar datorită unui număr mic de oameni care au fost de acord cu ea că e ceva normal să îți riști viața ca să salvezi copii. „Vreau ca toată lumea să știe că, deși eu coordonam eforturile, eram vreo douăzeci, douăzeci și cinci de oameni. Nu o făceam singură." Deci iată lecția: ca să faci lucruri bune, ai nevoie de oameni buni, în care să ai încredere.

Când citiți despre orori, mai ales despre marile orori care fac generații întregi să spună că asemenea orori nu trebuie uitate și repetate niciodată, se poate să vă simțiți rău când vă gândiți că oamenii care au comis acele orori sau la cei care le-au lăsat să aibă loc, uitându-se la ele dintr-o roată de scrânciob, nu sunt așa de diferiți de oamenii de azi. Pare că singura diferență dintre o societate care acceptă și participă la mari orori și una care le respinge și le rezistă e la fel de fragilă ca o hârtie de țigară.

Și apropo de ceea ce e normal: e normal să vă simțiți ca un căcat după ce citiți toate astea. Odihniți-vă, mâncați niște prăjitură și da, simțiți-vă ca un căcat, pentru că istoria e groaznică și nu trebuie să uitați asta. Putem doar spera că există mai multe Irene acolo decât non-Irene și că noi înșine putem fi mai mult Irene decât non-Irene, întotdeauna.

Noile voastre modele revoluționare

92

Olympe de Gouges

1748-1793

*P*e 5 octombrie 1789, 6 000 de franțuzoaice supărate au pornit în marș spre Versailles, înarmate cu cuțite, bețe, bâte, furci și coase. Revoluția Franceză era în plină desfășurare, Bastilia fusese cucerită, în provincie ardea totul și, undeva, la distanță, viitorii iacobini revoluționari își ascuțeau veseli ghilotinele.

Totul a început cu o mică revoltă într-o piață din Paris, pornită de la faptul că nu se găsea pâine – și toată lumea știe că pâinea e inima Parisului. Pâinea și brânza. Și oamenii pozând plictisiți în cafenele.

La capătul marșului de 19 kilometri, regele Ludovic al XVI-lea a primit șase dintre femeile supărate pe lipsa pâinii și le-a promis că da, va exista pâine la Paris. Baghete delicioase și umflate. (Sau orice tip de pâine se mânca la 1789. Probabil ceva scârbos.)

Ca să fie lucrurile complete, femeile de la marș au rămas până dimineață, când au dat buzna în palatul unde locuia însăși Maria Antoaneta și i-au „condus" pe rege și pe regină înapoi la Paris ca să rezolve problema cu pâinea. Familia regală nu prea voia să facă această călătorie, care aparent a fost foarte veselă, femeile le-au oferit funde albastre, albe și roșii celor din jur, iar unele dintre ele chiar au călărit tunul pe care-l șutiseră, ca niște cowboy – alte femei aveau, mă rog, capetele paznicilor de la Versailles în vârful unor țepe. Revoluția Franceză a fost o perioadă de mare confuzie.

Dar a fost bună pentru femei? Ei bine, istoria e, în mare, despre oameni care nu cad de acord, care scriu cărți despre lucrurile asupra cărora nu cad de acord, apoi se supără pe cei care nu sunt de acord cu cărțile lor și scriu altele despre cât de nasoale sunt cărțile acelora. La fel se întâmplă și cu rolul femeilor în Revoluția Franceză și cu întrebarea dacă acestea au suferit sau au beneficiat de pe urma ei.

Simone de Beauvoir a scris în 1949, în *Al doilea sex*[1], că revoluția a fost un gunoi pentru femei. Dar o spune mai drăguț, în cuvinte mai franțuzite. Altă femeie istoric, Joan Landes, face un rezumat astfel: „Republica era construită împotriva femeilor, nu doar alături de ele." Și încă o perspectivă tare, de la altă intelectuală modernă, Catherine Silver: „Femeile din Franța s-au revoltat, au făcut demonstrații și s-au luptat pentru cauză. Totuși... femeile nu au primit vreun beneficiu sau drepturi substanțiale după distrugerea aristocrației."

Dincolo de revolte și de marșuri cu capete înfipte în țăruși, femeile au făcut și alte acțiuni directe de angajare politică. Femeile au participat la ceva numit „revoltele împotriva cumpărăturilor", din 1793, care au fost ca și când toată lumea ieșită la shopping la Sainsbury, duminică după-amiază, ar cere furioasă controlul prețurilor, interzicerea acumulărilor de capital și a profitului din vânzarea de alimente, precum și egali-

---

[1] Ed. rom. *Al doilea sex*, 2 vol., traducere de Diana Bolcu și Delia Verdeș, Ed. Univers, București, 1998 (n. ed.).

tate socială, democrație și drepturi pentru femei. Plus ingredientele pentru un frumos grătar de duminică. Și aici intră în scenă Olympe de Gouges, pe partea stângă. Asta e o glumă grozavă despre politica ei și despre faptul că era dramaturg. Sincer, cititorilor, am nimerit-o! Dar să revenim. Olympe de Gouges s-a născut cu un nume mai puțin mișto, Marie Gouze, în 1748, în sud-vestul Franței. S-a mutat la Paris după moartea soțului ei neinteresant (RIP) și a început să-și facă o reputație de femeie de litere, de femeie scriitoare care făcea lucruri de femeie scriitoare, precum a scrie piese de teatru, pamflete, a coresponda cu alți scriitori, a-și da coate cu alți intelectuali importanți prin saloane și a se certa cu trupele de actori când întârziau la spectacolele montate după piesele ei. În plus, probabil că și stătea gânditoare pe la ferestrele pariziene, așa cum se știe că fac franțuzoaicele.

Și-a scris cea mai faimoasă piesă, *Zamore și Mirza*, o comedie despre un naufragiu, în 1784, dar în 1789 a rescris-o ca să fie despre sclavie, cu titlul *Sclavagismul negrilor*. A început să-și facă o reputație nu doar pentru ideile aboliționiste, ci și pentru zelul revoluționar și pledoaria pentru drepturile femeilor.

Toate astea au culminat în cea mai importantă operă a ei, din 1791, pamfletul *Declarație pentru drepturile femeii și cetățenei*, care i se adresa Mariei Antoaneta. „Femeia se naște liberă", începe declarația, „și rămâne egală cu bărbatul în drepturi". De Gouges și-a scris declarația ca răspuns la marea dezamăgire față de Constituția din 1791, care includea o *Declarație a drepturilor bărbatului și cetățeanului* și făcuse din femei cetățeni „pasivi" ai Franței. Asta însemna că, deși tehnic erau cetățeni, femeile nu puteau vota sau face lucruri cetățenești. Mersi, băieți!

Constituția se inspira din idealurile iluministe legate de
de rațiune, logică și obiectivitate – dar aplicate ca să asigure
dreptate numai pentru băieți. De Gouges iubise Revoluția
și era mare fană a rațiunii și a logicii, dar, din păcate, ca
mulți alți bărbați, liderii revoluționari se dovediseră niște
gunoaie până la urmă. Sau o variantă mai drăguță și
franțuzită a gunoiului.

Așa că De Gouges a scris în *Declarația* ei că femeile – pe
care le descria drept „sexul superior și în frumusețe, și în curaj"
(adevărat) – merită aceleași drepturi ca cele care li se dau
bărbaților în Constituție.

Într-un epilog la declarație a adăugat că „mariajul e mormân-
tul încrederii și al iubirii", ceea ce poate fi la fel de adevărat,
o să revin în vreo 20 de ani să vă spun. De Gouges era în favoa-
rea sexului în afara căsătoriei și a atașat la declarație un model
de contract marital. Nu era teribil de romantic, dar, la urma
urmei, nici căsătoriile nu erau teribil de romantice înainte de
Revoluție. Contractul cerea drepturi egale pentru femeie și
bărbat în căsnicie și mai cerea drepturi egale pentru copiii
legitimi și nelegitimi. Olympe se credea fiica nelegitimă a
unui bărbat elegant.

După execuția lui Ludovic al XVII-lea, în 1793 (RIP),
iacobinii au mai scos niște constituții prin care extindeau
drepturile constituționale pentru toți bărbații, nu și pentru
toate femeile – ceea ce are sens, pentru că, dacă femeile ar fi
avut drept de vot, fustele lor umflate și mari s-ar fi agățat de
cabinele de vot și ar fi încetinit procesul democratic.

Până a apărut pe scenă cel mai mic futangiu al Franței,
Napoleon, și a introdus Codul Napoleonian din 1804, cele
mai rele lucruri pre-revoluționare ale vechiului regim patri-
arhal fuseseră reactualizate și chiar consolidate. Soții își
puteau încarcera soțiile pentru adulter, dar inversul nu se

aplica (normal), femeile nu puteau să semneze contracte sau
să dețină proprietăți fără acordul soților, iar tații își puteau
încarcera copiii dacă nu erau cuminți. Ceea ce era de căcat.
Olympe însăși a căzut victimă Terorii, adică partea
Revoluției dintre 1792 și 1794 care a fost plină de execuții la
ghilotină. Ea s-a opus execuției lui Ludovic al XV-lea și era o
mică fană a Mariei Antoaneta, în ciuda idealurilor revoluționare.
În 1793 a propus ca poporul francez să aibă un plebiscit în
care să decidă ce fel de guvern vrea. Pentru asta, pentru că îl
apărase pe rege și pentru scrisese o piesă „prea simpatizantă
cu regaliștii" (deși a negat vehement), a fost arestată și încar-
cerată trei luni. Pe 3 noiembrie 1793, iacobinii au condam-
nat-o la moarte pentru presupusă răzvrătire și activitate
contra-revoluționară, și a doua zi au dus-o la eșafod.

Un martor anonim de la execuție a descris modul cum „s-a
apropiat de catafalc cu o expresie calmă și senină pe față".
Cum să te simți când ești ucis de aceeași revoluție pentru care
te crezuseși o forță călăuzitoare prin scrierile și radicalitatea
ta? Nu prea grozav, dacă e să fim cinstiți.

În *Declarația* ei, De Gouges a scris una dintre cele mai
faimoase propoziții ale sale: „O femeie are dreptul să urce pe
eșafod. Trebuie să posede totodată dreptul de a urca pe podiu-
mul vorbitorilor." Dacă o femeie are dreptul să fie executată,
merită și dreptul de a fi ascultată. Poate că voia să spună: „Vă
rog nu mă executați, nenorociților."

De Gouges a ajuns un soi de eroină pentru feministele
moderne, care o consideră „prima feministă franceză". Acum
are o piață cu numele ei în Paris, unde oamenii se adună să le
contemple pe Olympe și pe celelalte 40 000 de persoane ucise
în Revoluția Franceză, în timp ce bagă în ei o franzelă delicioasă.

93

Policarpa Salavarrieta

1795-1817

Să fie subestimate e ceva destul de obișnuit în viețile multor femei în istorie și, de asemenea, în biroul unde am lucrat, dar, pentru Policarpa Salavarrieta, era exact lucrul de care avea nevoie ca să-și facă treaba. La începutul secolului al XIX-lea, regele spaniol Ferdinand al VII-lea încerca să recucerească acele bucăți din America de Sud care ajunseseră puțin prea independente pentru gusturile spaniolilor în anii cât le fuse distrasă atenția de către invazia lui Napoleon în Iberia – lucru care chiar poate distrage atenția cuiva, dacă te gândești bine. Unul dintre locurile în care încercau să recapete controlul era Noua Granada, regiune care cuprinde Columbia de azi. Iar Policarpa se număra printre cei care nu voiau să-i lase să facă asta.

Policarpa – „La Lola", pentru prieteni – era spioană pentru forțele revoluționare pro-independență și, în 1817, s-a strecurat în Bogota, care îi era loială bătrânului Ferdinand, folosind un pașaport fals. Odată ajunsă acolo, a devenit Gregoria Apolinaria, o inocentă cusătoreasă și menajeră interesată doar să repare șosete, care sigur că nu asculta discuții importante, nu, dom'le, nici vorbă. Doar o fată relaxată care iubește să coasă și sigur nu e interesată să afle ce vor să facă nenorociții de regaliști ca să dea informația mai departe forțelor revoluționare, ha ha ha, nu, fetelor nu le plac deloc lucrurile astea.

În timp ce frații și *prietenii ei domni* luptau de partea revoluționară, Policarpa era gata să-și aducă contribuția. În afară de a fi cusătoreasă pentru familiile regaliștilor mai recruta simpatizanți revoluționari dintre trupele regaliste, convingându-i cu o combinație de aur între flirt și mită. Totodată, strângea bani și negocia pentru soldați și arme. A cusut chiar și uniforme, pentru că, până la urmă, era doar o biată cusătoreasă.

Nimeni nu a suspectat-o, până într-o zi când niște băieți, care clar nu se pricepeau la spionaj, au fost prinși cu niște documente care o asociau cu rebelii. A fost arestată și condamnată la moarte, dar și-a petrecut ultimele cincisprezece minute de glorie în drum spre eșafod înjurând spaniolii cu atâta pasiune sălbatică, încât au pus tobarul să bată mai tare ca să nu se mai audă, în timp ce ofițerul spaniol urla: „E NEBUNĂ, NU O ASCULTAȚI!" Da, domnule, unele fete sunt doar nebune.

Ultimele cuvinte ale Policarpei, așa cum și le amintea viitorul președinte columbian José Hilario Lopez, care avea pe atunci 19 ani și se afla în mulțime, au fost: „Asasinilor! Moartea mea va fi răzbunată!" Ei bine, toată lumea știe că cea mai bună răzbunare împotriva dușmanilor e să ajungi pe bancnote; până să fie înlocuite de curând, pe bancnotele columbiene[1] era portretul Policarpei Salavarrieta, ca un *Du-te dracu'* de 10 000 de pesos adresat celor care au executat-o. Asta nu înseamnă decât vreo trei dolari sau 2,5 lire, dar, oricum, cei care au executat-o nu au ajuns niciodată pe bani.

---

[1] Un detaliu amuzant de la amica mea Laura: când guvernul columbian a înlocuit toți banii cu noile modele cu alte portrete (atât de bărbați, cât și de femei, unele bune, altele rele), noile bancnote nu încăpeau în ATM-uri și au trebuit retrase.

94

Sofia Perovskaya

1853-1881

*A*scultați, fetelor! O să vină momente în viețile voastre când BĂRBAȚII vă vor spune că nu vă puteți împlini visele. De căcat, nu? Vi se vor SUBESTIMA capacitățile și va fi COMPLET NEDREPT pentru că sunteți PUTERNICE și FRUMOASE și puteți reuși ORICE vă propuneți, fie că vreți să creșteți o familie, să pictați artă frumoasă, să alergați la MARATON, să aveți succes în AFACERI sau să îl ASASINAȚI PE ȚARUL RUSIEI.

Exact asta a pățit Sofia Perovskaya în anii 1870 și 1880. UNII oameni – care erau bărbați – credeau că, *doar fiindcă era femeie, nu putea să-și urmeze visele revoluționare, să ajungă teroristă, să organizeze o intrigă de succes ca să-l ucidă pe mult urâtul Alexandru al II-lea și să fie prima femeie din Rusia executată pentru o crimă politică.* Bărbații subestimează constant femeile – dar Sofia le-a arătat foarte clar că se înșelau!

Înainte de 1860, radicalismul socialist rus era mai degrabă un club de băieți. Dar când lucrurile au ajuns mai radicale, în anii 1960, femeile au luat revoluția în mâinile lor. Au început să se adune cu prietenele lor, să vorbească chestii de fete – precum cămine sigure și locuri de muncă –, să se plângă că femeile nu aveau voie să muncească sau să se mute fără permisiunea soților sau a taților sau să plănuiască asasinarea țarului. Știți voi, chestii de fete. De fapt, unele dintre lucrurile despre care vorbeau erau așa de „de fete", că uneori le interziceau bărbaților să participe. Pentru că unii bărbații chiar *nu pricep* cum e cu asasinarea țarului.

Totuși, fetele astea radicale erau niște doamne, nu? Așa că, normal, le plăcea și moda! Ca să obțineți un *#look* #feminist de la 1860, trebuie să vă schimbați hainele elegante de doamne cu o rochie simplă, de lână neagră, să vă părăsiți patronul mascul, să fugiți de familia opresivă, să purtați ochelari albaștri, să fumați în public, să vorbiți prea tare și să vă sacrificați chiar viața în numele revoluției. Bărbații pur și simplu URĂSC când femeile vorbesc prea tare sau îl asasinează pe țar!

În anii 1870, Sofia a intrat în Cercul Ceaikovski al studenților revoluționari de la medicină, care făceau propagandă socialistă printre colegii lor, în fabrici și în sate. Totodată, țineau cursuri serale pentru muncitorii care voiau să înțeleagă cum anume erau trași pe sfoară și au început să pună pe picioare prima organizație pentru muncitori din Rusia. Cercul era format din șapte femei și douăzeci și trei de bărbați – dintre cei care pricepeau că fetelor le plac revoluțiile.

Dar grupul acesta al Sofiei nu era singurul: un altul, numit grupul Fritsche, era format din treisprezece tinere rusoaice care mergeau la Universitatea din Zürich, se relaxau, studiau și unelteau pentru revoluția socialistă care urma. S-au distrat foarte bine până în 1873, când guvernul rus a decretat că toate trebuiau să-și încheie studiile și să se întoarcă acasă, acuzându-le de instigare la tulburări politice, de aventuri și de avorturi făcute unele celorlalte. Știți și voi cum e cu studentele și avorturile! Așa că s-au întors în Rusia și, spre marea consternare a guvernului, au devenit muncitoare și au continuat să instige.

Anii 1870 au continuat în plină fervoare revoluționară, cu feministele care se concentrau pe felul în care erau femeile exploatate de măgăria economică din țara lor. Domnia țarului făcea lucrurile atât de oribile, așa că țarul trebuia să dispară. O ruptură în grup a dus la crearea unuia nou, cu membri cărora le cam plăceau violența și teroarea, numit *Narodnaia Volia* („Voința poporului"). Planul lor era să-l asasineze pe țar, lucru care, așa cum știm, era și visul Sofiei. Deci iat-o, fiica unei familii de moșieri de provincie, gata să dea foc la tot și să sufere consecințele.

Sofia n-a fost prima femeie viteaza de succes în jocul asasinatelor din Rusia. Orice luptătoare din războiul de gherilă are nevoie de modele, nu? Al ei era Vera Zasulich, din sudul Rusiei, care l-a împușcat pe guvernatorul Sankt Petersburgului în ianuarie 1878 – un bărbat care, odată, bătuse un prizonier politic pentru că nu-și scosese pălăria în prezența lui. Bărbații ăstia, nu? Oricum, Vera a încercat să-l omoare, nu a reușit, însă a scăpat de pedeapsă.

Până când să-și încerce și Sofia norocul, deja avuseseră loc CINCI tentative de asasinat împotriva lui Alexandru al II-lea. Uneori e nevoie de o mână de femeie ca să iasă bine lucrurile, în viață ca și în afaceri, și mai ales în afacerea comploturilor de asasinat. Ea i-a urmărit mișcările țarului, și-a organizat agenții și le-a dat semnalul pentru momentul precis când să detoneze bombele lângă trăsura cu cai a acestuia. Iată genul de calități de lider pe care trebuie să le învețe orice fată!

Sofia a respins clemența pe care ar fi putut-o primi fiind femeie și a ales, în schimb, să profite de ocazie și să fie spânzurată cu ceilalți patru bărbați din complot, demonstrând că femeile chiar pot obține tot ce vor.

Deci nu uitați, fetelor, trebuie să trăiți, să râdeți, să iubiți și niciodată, dar NICIODATĂ să nu ascultați de cineva care vă spune că nu îl puteți asasina pe țar doar pentru că sunteți fete.

95

Alexandra Kollontai

1872-1952

*P*robabil că ați auzit de Ziua Internațională a Femeii, ziua aceea pe care o sărbătoresc toate brandurile de haine pentru femei, farmaceutice și de servicii financiare, cu reclame care să te emancipeze. Dar știați că această importantă tradiție de marketing anuală a apărut cu mult înainte ca Nike să vrea să le cumpărăm pantofii sport ca să ne urmăm visele? E greu de imaginat, dar e adevărat: originea Zilei Internaționale a Femeii a fost nici mai mult nici mai puțin decât un complot comunist. Și nimeni nu face un complot comunist la fel de bine ca rușii.

În 1913, Duma, adică Parlamentul rus, a desemnat cu multă reticență Ziua Internațională a Femeii, ca o versiune pentru fete a Zilei Muncii: socialism mai roz și mai plisat. Ideea apăruse la Conferința Internațională Socialistă de la Copenhaga, din 1910, apogeul mai multor ani de feminism rus manifestat prin marșuri de amploare. Femei cu convingeri politice diferite și din clase sociale diferite (dar mai ales doamne elegante, căci cu ele încep toate lucrurile astea de obicei) s-au adunat să discute despre dreptul de vot și să creeze Liga pentru Egalitatea Femeilor. Primul marș de Ziua Femeii a avut loc în 1913 și a inclus un contingent de bolșevici, despre care vom afla mai multe curând.

Alexandra Kollontai s-a născut la Sankt Petersburg, în 1872, într-o familie bogată, dar va deveni cea mai importantă feministă bolșevică și una dintre primele femei ambasador din lume. Pentru Alexandra, singurul mod prin care se putea îmbunătăți statutul femeilor era să li se dea independență economică și putere. Rusia de dinainte de Revoluție era în mare parte o societate țărănească. Era de căcat să fii țăran și chiar mai de căcat să fii țărancă, așa că Alexandra a muncit să organizeze femeile sărace muncitoare și să dezvolte o iterație feministă a marxismului. (Dacă nu știți prea multe despre marxism, mergeți la cea mai apropiată universitate, găsiți o petrecere la cineva acasă și întrebați-l pe primul bărbat cu barbă și ochelari care vă iese în cale. El o să vă explice.)

Feministele rusoaice voiau să schimbe legile represive ale divorțului. Voiau egalitate în educație și în muncă, în fața legii, precum și acces la mijloace de contracepție. Astea erau idei radicale la acea vreme, dar, din fericire, o sută de ani mai târziu, nimeni nu le mai neagă femeilor dreptul de a avea acces la orice formă de contracepție! Mă bucur că pe asta am rezolvat-o. Dar platforma bolșevică pentru femei nu însemna doar „toată lumea divorțează și ia contraceptive". Ele voiau să demonteze cu totul unitatea familiei. Numai distrugând familia, femeile puteau fi libere să muncească, să se educe și să se emancipeze. Îngrijirea copilului de către stat și bucătăriile comunale le-ar elibera pe femeile muncitoare de munca neplătită de acasă.

Pentru Alexandra Kollontai, lupta pentru drepturile femeilor era „o luptă pentru pâine", spunea ea. Mulți – dacă nu toți – bărbați bolșevici (#NuToțiBărbațiiBolșevici, pentru cei care mă urmăresc pe Twitter) credeau că femeile erau prea înapoiate politic și prea needucate ca să înțeleagă marxismul, socialismul și idealul revoluționar. (Dacă ați ajuns la petrecerea aia de la cineva de acasă și l-ați găsit pe tipul cu barbă și cu ochelari, s-ar putea să dați peste aceeași problemă.) Rusoaicele aveau să le dovedească acestor ochelariști bărboși că se înșală, cum altfel decât începând însăși Revoluția Rusă din 1917. De Ziua Internațională a Femeii, în 1917, mulțimi imense de femei din industria textilă au intrat în grevă generală. Era 12 martie – sau 7 februarie, după calendarul rus, de aceea se mai numește Revoluția din Februarie. Țarul, confruntat cu aceste proteste în masă, a abdicat, iar un guvern provizoriu a preluat puterea și le-a acordat femeilor dreptul de vot – prima mare putere mondială care a făcut asta. (Scuze, Noua Zeelandă, știu că le-ai dat drept de vot femeilor înca din 1893, dar ești prea mică și prea departe.)

Când guvernul provizoriu a început să tragă de timp cu reformele pentru femei, convins în continuare că femeile erau prea ignorante să facă politici sociale, Alexandra Kollontai a întrebat: „Dacă nu eram noi, femeile, cu mârâitul nostru împotriva foametei, a dezorganizării vieții din Rusia, a sărăciei și a suferințelor noastre de după război, cine ar fi trezit furia populară?" „Nu noi, femeile, am mers primele pe străzi ca să ne luptăm cu frații noștri pentru libertate, chiar dacă era să murim pentru asta?" Ba da, Alexandra, dar nu mai fi așa de lăudăroasă, Doamne!

Alexandra Kollontai a pledat și pentru o revoluție sexuală. Considera că romantismul însuși e o capcană aruncată de bărbați ca să-și manifeste stăpânirea asupra femeilor, dar înțelegea că tot aveau nevoie să facă sex, așa că accepta să vină și el la pachet. Mai spunea și că a face sex nu ar trebui să fie mai șocant sau mai semnificativ decât „a bea un pahar cu apă". Să fii promiscuă însemna să fii revoluționară; să fii pudică

însemna să fii burgheză. Dar, „dacă dragostea e începutul
sclaviei" pentru o femeie, Alexandra scria că „aceasta trebuie
să se elibereze; trebuie să depășească toate tragediile din
dragoste și să se țină de calea ei". Gelozia între femei trebuie
depășită ca să se ajungă la adevărata comunitate feminină, iar
Alexandra a scris romane în care explora aceste idei radicale.
Unele dintre cărțile ei erau așa de explicite sexual, că
au fost interzise sau cenzurate, inclusiv una care a fost sau n-a
fost despre o aventură pe care Lenin a avut-o sau n-a avut-o.[1]
    Cu siguranță ar fi trimis niște felicitări de Sf. Valentin absolut
grozave: „Monogamia e un construct bughez" ar scrie pe față,
iar în interior, pur și simplu, „M-am culcat cu amicul tău Pavel".
    Oricum, după *altă* revoluție, Revoluția din Octombrie,
conform calendarului rus, bolșevicii au venit la putere, iar
Alexandra a ajuns primul comisar pentru protecție socială.
Între cele două revoluții, socialiștii mai radicali se chinuiseră
cu un guvern provizoriu mai degrabă burghez. Până în decem-
brie 1917, bolșevicii anulaseră legile căsătoriei și ale divorțului
și decretaseră că numai căsătoriile civile erau valide, iar cleri-
cii nu mai aveau voie să oficieze căsătorii. Femeile nu mai
puteau fi concediate când rămâneau gravide și primeau conce-
dii de maternitate plătite și pauze de alăptare. Noile legi
spuneau că bărbații și femeile vor fi plătiți la fel, un alt
concept radical care, slavă Domnului, o sută de ani mai târziu
a fost rezolvat complet și de restul lumii.
    În octombrie 1918, un nou Cod al Familiei declara copiii
născuți în afara căsniciei egali în fața legii cu cei născuți în
cadrul ei. Pentru a divorța, oricare dintre cei doi trebuia să

---

[1] A avut-o. A fost o aventură cu o altă bolșevică importantă, Inessa
Armand, iar bolșevicii au fost așa de rușinați de toată povestea că, atunci
când Lenin a murit, au făcut tot ce s-a putut s-o șteargă din istorie.
Și totuși, iată-ne amuzându-ne de trecutul lui sexy într-o notă de subsol.

spună, pur și simplu, că nu mai voia să fie căsătorit. Adopția a fost abolită. De ce? Nu știu, era o epocă nebună, poate vreun bărbos ochelarist ne poate explica cum afectează adopția o societate condusă de egalitate. Alexandra și alte ~feministe socialiste mai radicale~ mergeau așa de departe încât spuneau că toții copiii trebuiau dați în grija statului. Cum ziceam, vremuri nebune. Dar, după șocanta distrugere a societății țariste în care femeile fuseseră proprietatea bărbaților, nu mai existau idei proaste.

Mă rog, până când au existat idei proaste. În vara lui 1918, a izbucnit un război civil devastator între bolșevici și o alianță stranie formată din liberali, monarhiști, țărani rebeli, intervenționiști străini și proto-fasciști – un război care va costa viețile a treisprezece milioane de oameni dintr-o populație de o sută treizeci și șase de milioane. Lucrurile s-au înrăutățit pentru toți rușii și s-au agravat pentru femei, într-un stat anarhic, în care soldații din toate facțiunile violau femei din ambele facțiuni și justificau asta prin orice ideologie aveau la buzunar. În loc să lupte pentru reforme, femeile luptau acum să rămână în viață.

După ce războiul s-a terminat cu victoria bolșevicilor, noua Uniune Sovietică, condusă de Vladimir Lenin, a încercat să readucă la viață cauza femeilor și egalitatea între sexe. Lenin a spus că femeile ar trebui să candideze și că „orice bucătăreasă trebuie să învețe să conducă statul". Șeful pe educație, Anatoli Lunacearski – al cărui titlu oficial era Comisarul Iluminismului – a spus că „Un adevărat comunist stă acasă și leagănă copilul", în timp ce soția merge la cursuri serale sau la întâlniri de partid, o replică pe care toate femeile moderne ar trebui s-o folosească.

Cât despre Alexandra Kollontai, a fost numită șefa noului Jenotdel, Departamentul pentru Femei, având sarcina să educe copiii, să organizeze femeile muncitoare și țărăncile, să le reprezinte în fața unor șefi de căcat în dispute de serviciu.

Până la mijlocul anilor 1920, o jumătate de milion de activiste ajunseseră să călătorească prin țară ca să îndoctrineze, să educe și să sprijine femeile. Când Alexandra i s-a opus lui Lenin, el a făcut-o ambasador în Norvegia, ca să scape de ea. După moartea lui, în 1924, Iosif Stalin a ajuns la putere și, în 1930, a dizolvat Jenotdel. Alexandra a ajuns să-l sprijine pe Stalin, dar cam trebuia să faci asta dacă voiai să rămâi în viață.

Oricum, după toate astea, lecția e că, pentru a sărbători cum se cuvine Ziua Internațională a Femeii, trebuie să naționalizăm Nike și să distribuim în masă pantofi sport, în loc să ne uităm cu gura căscată la reclame. Trebuie să naționalizăm Forever 21. Trebuie să naționalizăm toate brandurile și apoi să le mai naționalizăm puțin, iar apoi trebuie să interzicem dragostea. Asta și-ar fi dorit femeile de la marșul din prima Zi a Femeii.

Juana Azurduy

1781-1862

Juana Azurduy de Padilla s-a născut în Bolivia, în 1781, și va ajunge o luptătoare faimoasă din războiul pentru independența față de Spania, care a început în 1809. Juana a rămas orfană devreme, avea mamă indigenă și tată spaniol, așa că s-a dus la mănăstire. A început să se pregătească pentru călugărie de la doisprezece ani, dar a fost dată afară din mănăstire la șaptesprezece, pentru era rebelă, ceea ce va ajunge de fapt chiar treaba ei în viață, așa că țeapa și-au luat-o ăia care au dat-o afară. Juana și-a întâlnit soldatul viselor, Manuel Padilla, așa că Isus a mai pierdut o mireasă în fața unui bărbat în carne și oase. Îmi pare rău, Isus! Nu poți avea toate fetele.

Începând din 1809, Juana și *iubi* al ei s-au luptat împotriva Spaniei, apoi au intrat în armata trimisă de la Buenos Aires, în 1811. Când au pierdut și Spania a recăpătat controlul asupra regiunii, terenurile familiei au fost confiscate, iar Juana și copiii ei au fost prinși de regaliști. Visătorul Manuel i-a salvat, însă, s-au ascuns împreună și au reușit chiar și așa să recruteze 10 000 de soldați ca să ducă un război de gherilă. S-au bucurat de câteva victorii, dar le-au murit toți patru copiii de malnutriție. Ea a rămas din nou gravidă și a continuat să se lupte cu spaniolii fiind însărcinată cu al cincilea copil.

Juana a fost făcută locotenent-colonel de către guvernul rebel, după ce a câștigat mai multe bătălii. Manuel a murit în 1816 (RIP), iar ea și-a născut fiica în mijlocul unei campanii militare, cam cel mai nasol mod de a da naștere din istorie. Dar, hei, conducea 6 000 de bărbați care nu se puteau organiza singuri.

Bolivia și-a câștigat independența în 1825, iar Juana s-a pensionat din război ca să trăiască în orașul natal cu fiica ei. Însă noua Bolivie independentă nu voia să returneze terenurile pe care spaniolii le luaseră de la ea și soțul ei, așa că a trăit în sărăcie, probabil scoasă din minți. Când faimosul eliberator al Americii de Sud, Simon Bolivar, a vizitat-o, s-a simțit copleșit de vinovăție și i-a dat o pensie. I-a mai spus unui amic, lider al luptei pentru independență, că „Țara asta nu ar trebui să se numească Bolivia în onoarea mea, ci Padilla sau Azurduy, pentru că ei au eliberat-o!" Până la urmă, cred că a zis însă ceva de genul: „Glumesc, glumesc, numiți-o Bolivia" și așa se numește azi.

97

Rosa Luxemburg

1871-1919

Cartea asta e foarte inocentă. Nu are nicio agendă politică secretă. DACĂ ar fi avut o agendă politică secretă, aceasta cu siguranță nu ar fi fost ca toate fetele din lume să ajungă niște revoluționare de stânga radicale care, inspirate de povești ale unor eroine de dinaintea lor, să-și dorească să răstoarne capitalismul. Ar fi absurd!

Dar, dacă știți cumva pe cineva care S-AR PUTEA să vrea să răstoarne capitalismul, poate prietena voastră de la altă școală, ar trebui să o trimiteți după ponturi în viața și în operele Rosei Luxemburg.

Rosa s-a născut în 1871 în Polonia, care atunci era parte din Imperiul Rus, și s-a mutat împreună cu familia la Varșovia când era mică. A fost foarte interesată de politică încă de mică, devotându-și timpul studiului operelor lui Marx, așa cum le place tuturor fetițelor să facă. Rosa și familia ei erau evrei și au trecut prin pogroamele din Rusia anilor 1880. La paisprezece ani, a văzut patru socialiști spânzurați de citadela Varșoviei. În loc să se gândească „atunci e mai bine să nu fiu socialistă", Rosa s-a lansat în politica de stânga. La școală, i-a fost refuzat un premiu pentru note bune, fiindcă avea „tendințe așa de

rebele". Până la 19 ani, a trebuit să plece din Polonia, de teama
să nu fie arestată pentru activitățile ei revoluționare ilegale.

Femeile nu aveau voie să meargă la Universitate în Rusia
țaristă pentru că se știe că fetele sunt scârboase și au păduchi,
așa că Rosa s-a dus la Zurich, în Elveția, să-și continue studi-
ile. Apoi a ajuns în Germania, unde a lucrat pentru aripa
stângă (normal) a Partidului Social Democrat. Era o comen-
tatoare strălucită și un vorbitor talentat, care atrăgea mulțimi
mari deși avea vreo șapte centimetri înălțime[1]. Și, mai presus
de toate, scria și scria și scria, atât pamflete și articole publice,
cât și scrisori pentru amicele ei cu care făcea schimb de idei
despre revoluție.

Una dintre cele mai importante realizări intelectuale ale
Rosei a fost o teorie despre ceva numit *acumularea de capital*.
Cum poate o cantitate mereu în creștere de comodități să fie
vândută în aceeași piață ca să susții creșterea capitalismului?
Putem să cumpărăm, pur și simplu, la infinit, tot mai multe
căcaturi de care nu avem nevoie ? Dormitorul meu spune că da.

Sigur că ne cumpărăm tot timpul căcaturi. De exemplu, a
trebuit să cumpărați cartea asta în loc să primiți un exemplar
de la stat. Mare păcat. Mă rog, asta dacă nu sunteți la o
bibliotecă. Sau dacă nu sunteți hoți. Sau dacă nu ați
împrumutat-o de la amica Julia. Sau dacă nu locuiți de mulți
ani în Republica Socialistă Utopică a Larkmeniei de pe
îndepărtata planetă Ogg, unde banii au fost înlocuiți cu
schimbul liber de îmbrățișări tandre și calde. Caz în care să
vă fie de bine și mulțumesc oricui a luat cartea asta umilă cu
el în Călătoria de o Mie de Ani, în care toți supraviețuitorii

---

[1] Conform prietenului meu deștept, Trevor, se pare că purta pălării
uriașe ca lumea să vadă de unde vorbea.

au fugit de pe planetă ca să caute refugiu din calea Marelui
Smog de Drone din 2051.

În orice caz, Rosa a subliniat ideea că, pentru a supraviețui
și a continua să crească, capitalismul trebuie să demareze un
proiect imperial, să facă ravagii pe tot globul, intrând în piețe
noi din țări noi și umplându-le de căcat până ce toată lumea
e fututa, mediul înconjurător e distrus și toți oamenii mor în
războaie.

Exact așa vedea ea Primul Război Mondial: un proiect
imperial care îi va întoarce pe muncitori unii împotriva altora,
în conflagrația mondială, în loc să fie uniți într-o solidaritate
internațională. Așa că a pornit într-un turneu de discursuri
anti-război, încurajând muncitorii să saboteze statul, ca formă
de protest, de exemplu prin participarea la greve care să
oprească transportul și industria. Dar statului nu-i convenea,
așa că a fost arestată. Era încă la închisoare când au pierdut
războiul și kaiserul a fost demis.

Social-democrații au preluat puterea. Dar Rosa și tovarășii
ei de extremă stânga, precum Karl Liebknecht, împreună cu
care a fondat Partidul Comunist din Germania, nu erau nici
pe departe satisfăcuți de acțiunile social-democraților ajunși
la putere. Cel mai mult îi nemulțumea ce nu au făcut: nu au
reformat sistemul economic, ca în Rusia, deși creaseră o
democrație parlamentară.

Altă teorie importantă a Rosei a fost cea despre spontane-
itatea revoluției. Ea credea că o revoluție nu se putea orchestra
sau direcționa odată ce a început, nu fără să o distrugi complet.
De aici a pornit una dintre criticile ei față de cum a manevrat
Lenin Revoluția Rusă din 1917 – asta și Statul Terorii.

O a doua revoluție a măturat Germania în 1919, începută
de niște elemente distructive din partidul Rosei. În opinia ei,
era mult prea devreme pentru o altă revoluție. Dar sigur că

ceea ce începuse nu mai putea fi oprit, iar ea și-a dat seama că trebuia să meargă cu valul. Conducerea social-democraților, adică Friedrich Ebert, era hotărâtă să distrugă revoluția prin miliția cetățenească cunoscută drept Freikorps. Atât Rosa, cât și Karl Liebknecht au fost bătuți și omorâți de către Freikorps, iar trupul Rosei a fost aruncat în canal. Avea patruzeci și șapte de ani. Destul de ironic e că Freikorps au fost, practic, o formă incipientă a partidului nazist care, în următoarea generație, se va întoarce împotriva social-democraților și ni-l va aduce pe Hitler. Un mare bravo, Ebert.

Istoricii vă vor spune că nu trebuie să speculăm despre cum ar fi fost istoria dacă una sau alta nu s-ar fi petrecut.[1] Din fericire, eu nu sunt istoric adevărat. Ce s-ar fi întâmplat dacă Rosa nu ar fi fost ucisă? Ce ar mai fi făcut? Asasinarea ei va distruge stânga în următorii ani – oare o stângă mai unită ar fi putut preveni răspândirea național-socialismului? Spun eu că Rosa Luxemburg ar fi putut să-i oprească pe naziști? Nu, nu consimt la această idee pentru că îmi termin toate propozițiile cu semnul întrebării? Bun.

Și totuși, avem multe de învățat de la Rosa Luxemburg. Nu că voi sau eu am avea de gând să facem ceva. Nu, domnule! Nu e nimic de văzut aici!

---

[1] Istoricii îmi spun că, de fapt, istoricii adoră să facă asta, chiar dacă e o obrăznicie. Sau poate tocmai pentru că e o obrăznicie.

98

Constance Markievicz

1868-1927

*N*imeni dintre cei care au cunoscut-o pe revoluționara irlandeză Constance Markievicz când era copil nu s-ar fi așteptat vreodată să aibă viața pe care a avut-o. S-a născut în 1868, într-o familie aristocrată, Gore-Booth, și era membră a elitei de proprietari anglo-irlandezi. În sistemul de arendă al vremii, fermierii plăteau arende unor proprietari bogați, care uneori nici măcar nu locuiau în țară. Să fii irlandez sau catolic însemna să fii cetățean de rangul doi în propria țară, într-o situație precară de sărăcie. Constance, pe de altă parte, a crescut în frumoasa casă de familie Lissadell Court din Sligo, care avea patruzeci și opt de dormitoare.

Constance a învățat toate lucrurile pe care o domniță cu statutul ei trebuia să le învețe de la guvernanta poreclită Squidge[1]. Era frumoasă, băiețoasă și curajoasă, iubea să călărească, să vâneze și să deseneze. Era deșteaptă, vie, fericită și îndrăzneață. Odată, la o cină acasă, un oarecare bărbat important al cărui nume îl putem ignora bucuroși, și-a pus mâna pe piciorul ei, pe sub masă. Ea i-a luat mâna, a ridicat-o în aer și le-a spus oaspeților: „Iaaa uitați-vă ce am

---

[1] „Fleșcăita" (n. tr.).

găsit în poala mea!" Putem doar să presupunem că bărbatul a murit pe loc. RIP, pervers bătrân.

Poetul W.B. Yeats, care își vizita rudele într-un oraș apropiat de Lissadell, i-a scris lui Constance că „o văzuse de multe ori trecând călare spre sau de la vânătoare și era frumusețea întruchipată a provinciei". A scris un poem în care o compara cu o pasăre sălbatică (într-un sens bun). Ceva ani mai târziu, când lua masa cu Yeats la Londra, un bărbat de la altă masă, vrăjit de frumusețea ei, i-a furat startul lui Yeats scriind un sonet pentru ea pe un șervet de masă, pe care l-a decupat și i l-a oferit la plecare. (Iar Yeats a fost acuzat de distrugerea șervetului.)

Pentru o vreme, Constance s-a mutat la Paris, ca să studieze artă, și a început să poarte verighetă, ca să arate nu doar că iubește arta, dar și că e măritată cu ea – o chestie tipică pentru un „student la arte". În ciuda acestui mariaj, la Paris a cunoscut un conte polonez atrăgător, Casimir Dunin Markievicz, care era înalt, cu umeri lați, păr negru, ochi albaștri, visător, așa că s-a căsătorit și cu el și a devenit contesa Markievicz.

După toate previziunile, cam atât ar fi trebuit să fie viața ei. Ar fi putut fi superbă, deșteaptă, amuzantă și bogată. Dar destinul lui Constance a fost să rămână în istorie pentru mult mai multe decât că era o studentă enervantă de la arte și că a fost comparată cu o pasăre sălbatică, într-un poem de Yeats.

Din anii 1890, Constance începuse să fie interesată de două lucruri: votul femeilor și naționalismul irlandez. A început să participe la întâlnirile grupării Sinn Féin după înființarea acesteia, în 1908. Scopul grupării Sinn Féin era să obțină independența Irlandei față de conducerea britanică. Constance și alte femei naționaliste au fondat ziarul de femei numit *Bean na h-Eireann*, „Femeile din Irlanda", care

„pleda pentru luptă, separatism și feminism". La fel ca alte gazete de femei de azi. Scopurile sufragetelor și naționalistelor intrau adesea în conflict. Sufragetele criticau organizațiile naționaliste că nu-și luau membrele în serios, iar naționaliștii le criticau pe sufragetele care voiau să facă parte din parlamentul britanic, despre care ei credeau că nu trebuia să aibă un cuvânt de spus în guvernarea unei Irlande independente. Constance credea în ambele mișcări, dar considera că lupta pentru o Irlandă independentă era mai importantă. Așa că nici ea nu era fana sufragetelor care iubeau tot nenorocitul de Imperiu.

Într-o conferință din 1909, ținută la Societatea Literară Națională a Studenților, Constance i-a convins pe studenți de ideile ei: „Înarmați-vă ca să luptați pentru cauza nației voastre. Înarmați-vă sufletele cu idei nobile și libere. Înarmați-vă minţile cu poveștile și amintirile despre țara voastră, martirii ei, limba ei, artele și industriile. Și, dacă în timpul vieții voastre se dă chemarea la luptă, nu vă feriți nici de asta." Nici nu mai e nevoie să spun că discursuri ca ăsta au pus-o pe Constance pe radarul autorităților britanice.

În anii aceia, ea a mai fondat o trupă de băieți pro-independență, i-a dus la câmp și i-a învățat să tragă cu arma. A renunțat la titlul de contesă, preferând să se prezinte cu *mult* mai puțin formalul Madam Markievicz, și a început să renunțe la obligațiile și la plăcerile sociale. Prietenii ei din elită s-au bucurat să nu o mai vadă acum, că făcea parte din lumea obscenă a politicii, când lucra cot la cot cu săracii, le dădea mâncare familiilor aflate în grevă la 1913 și, în general, își murdărea mâinile într-un mod care li se părea nepotrivit pentru o doamnă.

În Duminica Paștelui din 1916, Constance, amicii ei naționaliști și o armată de voluntari se pregăteau de revoluție.

Constance a fost prima persoană care a proclamat public noua Republică Irlandeză când le-a citit Proclamația celor adunați pe treptele Liberty Hall din Dublin, la începutul revoluției. Documentul declara că noua republică oferea drept de vot pentru toți. Totuși, a fost semnat numai de bărbați, pentru că, din păcate, femeile nu-și puteau scrie singure numele, până ce inventatorul pixurilor Bic nu a făcut „Bic pentru Ea" prin 2012.[1]

La amiaza zilei următoare, Constance și compania ei din Armata Poporului au ajuns la St Stephen's Green, unde i-au rugat pe cei care ieșiseră în parc în ziua aia însorită să elibereze locul, căci aveau nevoie de el pentru o revoltă. Aripa lui Constance din mișcarea naționalistă crezuse că în acel moment ales de ei pentru revoluție, în mijlocul Primului Război Mondial, englezii nu-și vor putea folosi toată forța militară ca să îi strivească. Mamă mamă, ce s-au înșelat! Trupele engleze au venit și s-au luptat cu rebelii, care au fost repede depășiți numeric și îngenunchiați.

Constance a luat parte la luptă, la un moment dat chiar într-un schimb de focuri cu ofițerii britanici care luau un prânz drăguț la un hotel ce dădea spre parc când revoluția s-a pornit chiar sub ochii lor. Au încercat s-o împuște, dar ea se tot ascundea după copaci și răspundea cu focuri de armă, ceva destul de enervant când încerci să iei prânzul. În anii următori, Constance va fi acuzată și că a împușcat mortal un polițist – deși nu se știe sigur nici măcar dacă ea era în parc atunci când s-a întâmplat.

Constance era în a doua linie de comandă a batalionului ei. La sfârșitul unei săptămâni de rezistență și de război de tranșee, purtat la Colegiul Chirurgilor, au aflat că liderii revoltei se

---

[1] Vești bune, fetelor! Asta nu e imaginația mea bogată, ci chiar un pix pe care-l puteți cumpăra.

predaseră. Înfrântă, Constance a ieșit din colegiu și și-a pupat arma înainte să se predea căpitanului englez care o aștepta. Acesta s-a oferit s-o ducă cu mașina la închisoare, fiindcă era o doamnă, dar ea a refuzat și a mărșăluit cu tovarășii ei revoluționari – atât bărbați, cât și femei – spre închisoare. Constance a fost singura femeie judecată pentru revoltă, într-un tribunal secret, în fața unui judecător pe care l-a descris astfel: „Un ofițeraș agitat căruia îi ieșeau dinții din gură." A povestit experiența mai târziu, într-o scrisoare către sora ei: „Am spus Curții că am luptat pentru independența Irlandei în weekendul Paștelui și că eram gata să mor pentru cauză atunci." A fost găsită vinovată și condamnată la moarte prin împușcare, dar sentința a fost preschimbată în muncă silnică, pentru că era femeie. Devastată de faptul că tovarășii ei erau împușcați unul câte unul, le-a spus temnicerilor: „Mi-aș dori să aveți demnitatea să mă împușcați și pe mine."

În deceniul de după Revolta de Paște, Constance va fi încarcerată și eliberată de englezi de trei ori, în timp ce fervoarea revoluționară și politica irlandeză erau în mișcări de flux și reflux. În 1918, a ajuns prima femeie aleasă vreodată în Camera Comunelor, însă, ca membră Sinn Féin, nu a preluat niciodată poziția. Uneori, Constance a fost criticată de contemporanii ei, alteori a fost ridicată în slăvi drept un erou național nemaiîntâlnit. A fost extrem de dezamăgită când, în 1921, Republica Irlandeză pentru care lupta din 1916 a fost înlocuită de Statul Irlandez Liber, care lega Irlanda de Commonwealth-ul britanic, alături de alte țări, precum Canada sau Australia. Constance voia ca întreg Imperiul Britanic să ardă, iar noul consens nu putea mulțumi o radicală ca ea.

De-abia în 1927, când era foarte bolnavă și se apropia clar de finalul vieții, Constance a primit dovada clară a sprijinului pe care l-a câștigat de la poporul irlandez, atunci când mulțimi de oameni au venit să cânte și să se roage în fața spitalului unde era internată. „E așa de frumos să primesc atâta dragoste și bunătate înainte să mă duc", a spus. Când a murit, mii de oameni au făcut cozi pe străzi la procesiunea funerară.

99

Luisa Moreno

1907-1992

*T*ot ce e bun în viețile voastre i se datorează altcuiva. Poate credeți că v-ați ridicat pentru că v-ați tras singuri de șireturi, fără să vă ajute nimeni. Dar cineva trebuia să inventeze șireturile alea, cineva trebuia să le producă la fabrică, cineva trebuia să organizeze oamenii din fabrică pentru a fi plătiți și să nu moară în timp ce-și făceau treaba. Da, știu că logica asta nu e perfectă, dar ideea cu trasul de șireturi nu avea oricum sens de la început, nici metaforic, nici altminteri și, oricum, ideea mea e că toți ne datorăm bunăstarea strădaniei unor oameni ca Luisa Moreno. „Unul singur nu poate face totul", a spus ea. „Numai împreună cu alții putem face lucruri."

Luisa Moreno s-a născut în 1907 în Guatemala, într-o familie bogată și privilegiată. Tatăl ei era un influent cultivator de cafea, iar mama avea slujba oricărei femei bogate: era femeie de societate. Când Luisa a ajuns la vârsta educației superioare, s-a înfuriat pentru că guvernul nu le permitea femeilor să meargă la universitate. Așa că a adunat niște prietene bogate și influente ca să pledeze la guvern – un fel de preludiu al vieții ei de om care tulbură apele.

Înainte să se lanseze în cariera sa de succes ca lider sindi-cal, Luisa a trebuit să bifeze niște ani de poezie fără sens, ca noi toți. A fugit la New Mexico la nouăsprezece ani, ca să ducă o viață boemă alături de artiștii Diego Rivera și Frida Kahlo. A scris poezie, a trăit din jurnalism, a dus o viață de vis, apoi s-a măritat cu un pictor (semnal de alarmă, doamnelor!) care în anii următori s-a dovedit un gunoi. Luisa a rămas gravidă și cuplul s-a mutat la New York, în 1928, ca să împlinească dorința Luisei și copilul să fie „un latin din Manhattan", o expresie pentru care chiar merită să te muți din țară.

Odată ajunși la New York, Louisa și bărbatul ei inferior s-au trezit parte dintr-o cu totul altă lume decât cea de care se bucuraseră la New Mexico sau când își dădeau coate cu lumea bună în Guatemala. Trăiau cu chirie în Harlemul spaniol și aveau probleme cu banii. Luisa s-a angajat cusătoreasă, ca să întrețină toată familia. Trăind și muncind în condiții mizere, lefteră și încercând să crească un copil mic, cursul firesc pentru Luisa a fost să intre în Partidul Comunist, să își unească colegii de muncă și să facă un sindicat. Unii oameni sunt buni organi-zatori; alții tremură numai la ideea că trebuie să-și organizeze aniversarea. Luisa era bună la organizare. În vreme ce cusăto-resele conduceau negocierile și pledau în fața angajatorilor, soții făceau treburi de soți și organizau adunări de fonduri sau petreceri de dans săptămânale ca să sprijine sindicatul, având grijă să arate superb la cine. În spatele fiecărei femei puter-nice e un băiat frumos care ajută!

Talentul nativ pentru organizare al Luisei a atras atenția mișcării mai mari a muncitorilor americani și, curând, a primit o slujbă la American Federation of Labor (AFL). AFL reunea în acel moment muncitori de prin toată țara, cu excep-ția Floridei, unde fuseseră intimidați de către cei mai penibili rasiști, KKK (Ku Klux Klan). O organizație de bărbați în toată firea, care se îmbrăcau ca niște fantome și omorau oamenii, organizație care a fost eradicată între timp și în niciun caz nu îl sprijină pe actualul președinte[1], pentru că ar fi o absurditate și poporul american sigur nu ar permite așa ceva.

În ciuda pericolului la care o expunea, și pentru că erau prea lași ca să meargă ei înșiși, cei de la AFL au trimis-o pe Luisa la Florida. Aceasta și-a părăsit soțul, care se dovedise un rahat plutitor pe râu, și care o abuza, și a plecat să mobilizeze muncitorii latino-americani și afro-americani iubitori de țigări rulate din Florida. Luisa ieșise deja din Partidul Comunist, dar era mai devotată ca niciodată cauzei organizării muncitorilor. A negociat un contract pentru peste 13 000 de muncitori din Florida, apoi a făcut același lucru în alte state din America. Când ne gândim cum trebuie să fi arătat negocierile astea între Luisa, care nu avea nici un metru și jumătate, și o industrie plină de căpitani furioși, putem spera doar că intra la întâlniri, își punea picioarele pe birourile șefilor, fuma liniștită o țigară, apoi începea: „Ascultă aici, domnule, iată cum vor sta lucrurile...". Asta nu se poate verifica istoric, deci nu putem presupune că nu e adevărat.

În următoarele decenii Luisa a călătorit prin țară, renunțând de bunăvoie la o viață de familie plăcută și așezată, ca să amelioreze condițiile de viață a efectiv sute de mii de muncitori americani. S-a stabilit la Los Angeles, unde a organizat muncitorii din fabricile de conserve, majoritatea femei mexicane și evreice, ca să lupte împotriva practicilor de angajare discriminatorii, reușind să obțină salarii și orare mai bune pentru femei, chiar și creșe la locul de muncă. Așa și-a câștigat porecla de „Vijelia California".

---

[1] Este vorba tot de Donald Trump, președintele SUA la momentul apariției cărții (n. ed.).

Cât a fost acolo, Luisa s-a alăturat unui grup de organiza-
tori comunitari care făceau eforturi să expună rasismul din
sistemul de justiție penală din Los Angeles. Se numeau
Comitetul de Apărare Sleepy Lagoon și au apărut ca urmare
a arestării abuzive de către LAPD[1] a sute de tineri bărbați
latino care se adunaseră ca reacție la uciderea tânărului
José Díaz, al cărui trup fusese găsit în rezervorul poreclit
Sleepy Lagoon. A fost cea mai mare condamnare în masă din
istoria Californiei și o încercare clară de a hărțui și încarcera
tinerii de culoare din Los Angeles, nu de a rezolva o crimă.
Poliția nu i-a interogat niciodată pe cei doi bărbați care l-au
văzut ultimii pe José. În mijlocul tensiunilor rasiale din jurul
cazului, au izbucnit așa zisele *Zoot Suit Riots*[2], o serie de atacuri
ale albilor împotriva mexicanilor americani și a altora care
purtau costume de fanți – unele pentru care se pare că se
folosea mai multă stofă decât era acceptabil pe timp de război.
Polițiștii au închis ochii în fața violențelor, ba chiar s-au impli-
cat – în timp ce presa scrisă de albi aplauda găștile violente
și îi făcea „comuniști" și „tulburători de ape antrenați" pe cei
din Comitetul de Apărare Spleepy Lagoon. Și da, cam asta
erau, nu? Când Luisa li s-a alăturat liderilor din alte comunități,
ca să lupte împotriva discriminării, poliția și FBI-ul au încer-
cat tactica „dezbină și cucerește".

Până la urmă, ceea ce a încheiat cariera americană a Luisei
a fost acuzația de comunism în condițiile creșterii Panicii
Roșii[3] din anii 1940. În 1950, Luisa a fost deportată și decla-
rată „străin periculos" de către Casa Reprezentanților și

---

[1] *Los Angeles Police Department* – poliția din Los Angeles (n. red.).
[2] „Revoltele Costumelor Zoot" – niște costume bărbătești exagerat de
lungi, cu umeri înalți și accesorii pompoase. (n. red.)
[3] Nume dat unor perioade de puternic anticomunism din istoria
SUA (n. red.).

comitetul cu un nume incredibil: Comitetul pentru Acțiuni
Ne-americane. E amuzant ce ajunge să fie numit american și
ne-american, având în vedere că SUA au fost efectiv fondate
de niște agitatori. Așa că Luisa, prima femeie latină aleasă
într-o poziție înaltă în mișcarea laburistă americană și care,
probabil, ar fi fost un președinte extraordinar, a fost depor-
tată în Guatemala, împreună cu soțul ei.

„Pot încerca să mă deporteze", spunea Luisa sfidător, „dar
nu-i vor putea deporta niciodată pe oamenii cu care am lucrat
și cu care am realizat lucruri pentru binele a sute de mii de
muncitori – lucruri care nu pot fi niciodată distruse."

Și de aici, prieteni, vă vin vouă nenorocitele de șireturi.

100

Jayaben Desai

1933-2010

Ești bărbat. Un bărbat inteligent, un om de afaceri inteligent. Ai știut să câștigi niște bani și ai fost destul de deștept ca să moștenești niște bani pe care tatăl tău sau tatăl lui i-a făcut, de deștept ce era, și de aceea ți-ai deschis ca un deștept o fabrică în anii 1960. Și acum suntem în Marea Britanie în anii 1970. Tinerii ascultă tot felul de genuri muzicale alarmante, au părul lung și amenințător și părerea ta e că ar trebui să se tundă, să-și găsească o slujbă și să contribuie la bunăstarea țării, ratații ăștia dansatori de disco.

Drăguța ta fabrică din nord-vestul Londrei e un loc bun de muncă. Developezi pozele oamenilor prin poștă. E un sistem perfect și obții un profit frumușel.

Iar angajații tăi... Ce te mai iubesc! În mare parte, sunt de origine sud-asiatică și le spui „doamnele mele", iar ele nu se mai satură de muncă. Sigur, trebuie să-ți ceară voie să meargă la toaletă, și da, e adevărat, dacă nu muncesc destul de repede, *se prea poate* să le ameninți cu concedierea – dar, la urma urmei, ești șeful lor și cum altfel să bage la cap? Să fie fericite că sunt acolo! Dacă nu le place, pot oricând să plece să lucreze în fabrica *altuia* sau poate că sunt destul de deștepte să-și deschidă fabrica lor. Într-o zi, îi spui unei angajate că trebuie să lucreze ore suplimentare. Ea spune nu. Îi spui că trebuie – tu ești șeful, până la urmă, tu faci regulile, pentru că ești deștept și merituos. Le numești, pe ea și pe prietenele ei, „maimuțe bârfitoare", iar femeia asta de un metru douăzeci îți spune: „Ce conduci tu aici e o grădină zoologică, nu o fabrică. Dar la zoo sunt multe feluri de animale. Unele sunt maimuțe care dansează când pocnești din degete. Altele sunt lei care-ți pot smulge capul de pe umeri. Noi suntem leii ăia, domnule director".

Această femeie e Jayaben Desai și urmează să-ți facă viața foarte grea în următorii doi ani.

Jayaben Desai s-a născut în Gujarat, India, în 1933, și, după ce s-a căsătorit cu soțul ei, Suryakant, în 1955, s-a mutat în Tanzania de azi. Perechea trăia din venitul lui Suryakant, care era manager la o fabrică de roți, dar, din cauza persecuției asiaticilor din Africa de Est, din anii 1970, cuplul s-a mutat până la urmă la Londra.

Acolo, soții și cei doi copii s-au trezit deodată la fundul societății. Soțul lui Jayaben lucra ca muncitor necalificat, iar ea cosea într-un atelier înainte să se angajeze la uzina de procesare de filme de la Grunwick. După doi ani de muncă acolo se săturase de condițiile oribile și, în august 1976, s-a ridicat împotriva șefilor ei. Deși nu făcea parte din sindicat a plecat, iar în zilele care au urmat a convins sute de colege să oprească linia de lucru. Se săturaseră de orele lungi și de salariile mici, și își cereau dreptul de a fi membre ale unui sindicat organizat, care să ceară condiții de muncă mai bune. Le-a spus șefilor: „Îmi vreau libertatea".

În săptămânile care au urmat, greva lui Jayaben s-a dezvoltat într-o grevă susținută de sindicatele și de suporterii din toată țara. Managementul de la Grunwick nu voia să se clintească, dar nici femeile, cărora li s-au oferit slujbele înapoi dacă renunțau de tot la ideea de sindicat. Poliția a venit la coloanele de demonstranți; mai multe persoane au fost lovite de un manager, din mașină, pe când venea spre muncă.

Lucrătorii de la oficiul de sortare local din Cricklewood, majoritatea bărbați albi, au decis să se alăture „grevistelor în sari-uri", refuzând să livreze poșta pentru Grunwick – ceea ce era o mișcare destul de dură pentru o companie care opera prin intermediul poștei. „Nu-i spui nu doamnei Desai,", a explicat unul dintre muncitori. Această femeie micuță, care stătea alături de demonstranți, cu poșeta pe braț, era o adevărată forță a naturii.

Femeile păreau pe cale să câștige, când un grup numit Asociația Națională pentru Libertate (sau NAFF, un acronim ușor nefericit[1]) li s-a opus. Disputa de la Grunwick atrăsese atenția întregii țări și era asumată pe de-o parte de sindicate, care sprijineau protestul femeilor, pe de altă parte, de politicienii conservatori din Westminster, conduși de liderul opoziției, Margaret Thatcher, care apăra managementul din Grunwick. NAFF a organizat livrarea poștei prin toată țara, ca să spargă interdicția pusă de ofițerii poștali. Între timp, guvernul laburist, aflat sub o presiune imensă, a pornit o anchetă care a concluzionat că femeile trebuie să-și primească înapoi locurile de muncă și dreptul să formeze un sindicat. Dar conducerea Grunwick a ignorat aceste concluzii.

Jayaben era hotărâtă să continue, chiar dacă Congresul Sindicatelor și alți suporteri au început să se distanțeze. Dacă înainte vedeau în lupta ei o cauză celebră pentru stânga, acum suporterii își dădeau seama de imposibilitatea victoriei și nu

---

[1] De la *National Association for Freedom*, *naff* având semnificația argotică de „demodat, lipsit de valoare, nașpa" (n. red.).

le convenea atenția națională negativă. „Ce-ar face Ghandi, s-ar da bătut?", îi întreba Jayaben pe muncitori.

Dar, odată cu pierderea sprijinului Congresului Sindicatelor și completa intransigență a conducerii Grunwick în fața deciziilor și recomandărilor comisiei cum că femeile pot forma un sindicat, disputa s-a încheiat cu înfrângerea lor în 1978.

În alegerile din 1979, care au adus-o pe Margaret Thatcher la putere, Grunwick a ajuns centrul dezbaterilor tumultoase dintr-o Anglie în schimbare. O nouă ramură a conservatorilor folosea conflictul ca să spună că sindicatele aveau prea multă putere. Între timp, Jayaben rămăsese dezamăgită de sindicate. Cu câțiva înainte să moară, a spus: „Sprijinul sindicatelor e ca mierea pe cot: îl poți vedea, îl poți mirosi, dar nu-l poți gusta!"

Totuși, nu a regretat niciodată ziua când a plecat de la muncă și a cerut condiții mai bune pentru ea și colegele ei, nici cei doi ani care au urmat, în care a călătorit prin țară câștigând sprijin din toate sectoarele societății britanice. Când a vorbit public, după ce au fost înfrânți, Jayaben le-a reamintit greviștilor ce reușiseră: „Am arătat că muncitorii ca noi, cei de-abia ajunși pe aceste țărmuri, nu vor mai accepta vreodată să fim tratați fără demnitate sau respect".

Arătaseră că nu vor mai fi pur și simplu recunoscătoare pentru orice li se dădea. Arătaseră că puteau câștiga sprijinul muncitorilor albi. Erau sărace, mici, femei, imigrante, dar erau puternice și nu le era teamă să ceară ceea ce meritau. Marea Britanie nu trebuia să se mai aștepte la o sursă de muncă ieftină, înlocuibilă și supusă, din vechiul imperiu – cel puțin nu cât era Jayaben de gardă. Dacă oamenii mai în vârstă decât mileniali (există și așa ceva!) își amintesc poate grevele Grunwick, de la știri, cei mai mulți nu-și amintesc numele lui Jayaben Desai, care s-a ridicat împotriva unor forțe superioare. „Voiau să ne doboare", le-a spus Jayaben greviștilor, „dar noi nu am cedat".

Concluzie

Femeile din aceste pagini nici c-ar putea fi mai diferite una de alta. Le despart contexte, politici, oceane vaste și mii de ani. Dacă s-ar aduna toate într-un singur loc, ar ieși o cină extrem de stânjenitoare. Julie D'Aubigny ar înjunghia-o pe Mercedes D'Acosta cu o sabie, fiindcă amândouă ar încerca să flirteze cu Hedy Lamarr, care le-ar ignora pentru că ar vorbi pasional despre matematică cu Emmy Noether și cu Hypatia. Josephine Baker și Coccinelle s-ar dezbrăca și ar dansa pe masă, în timp ce Nana Asma'u și Hildegard von Bingen ar roși înfuriate și ar mormăi rugăciuni. Ida B. Wells și Frances E.W. Harper s-ar saluta ca niște vechi prietene și s-ar scuza să meargă în bucătărie pentru că au multe bârfe de recuperat. Sappho și Ulayya bint al-Mahdi ar lâncezi într-un colț pe niște perne, șoptindu-și poeme deocheate și râzând pe înfundate. Noor Inayat Khan ar face schimb de ponturi de spionaj cu Policarpa Salavarrieta, iar Rosa Luxembourg s-ar ascunde într-un dulap ca să pună la cale căderea capitalismului, alături de Alexandra Kollontai și de Luisa Moreno. Toate ar evita-o pe Qutulun, care ar provoca la luptă, încontinuu, pe oricine – mai puțin pe Lozen, care i-ar distrage atenția ca să îi fure unul dintre cai și să fugă în noapte.

Sojourner Truth ar ține un discurs însuflețit, care ar face toată camera să lăcrimeze, iar Susan La Flesche Picotte ar invita-o politicos pe Margery Kempe să meargă sus pentru o ceașcă de ceai și un consult medical, ca să găsească remediul pentru lamentarea ei neîncetată. Wang Zhenyi s-ar lăsa dată pe spate de Annie Jump Cannon și de Cecilia Payne-Gaposchkin, când ar aduce-o la zi cu ultimii 200 de ani de astronomie. Lucy Hicks Anderson și Pancho Barnes ar produce alcool de contrabandă, iar Gladys Bentley ar cânta la pian toată noaptea, în timp ce Miriam Makeba ar cânta cu vocea. Annie Smith Peck s-ar urca pe un dulap și ar refuza să se dea jos, urlând că deține recordul de altitudine la petrecerea asta. Tomoe Gozen ar ucide din greșeală pe cineva și totul s-ar termina cu venirea poliției fiindcă Zenobia, Ching Shih și Artemisia din Caria au încercat să dea buzna în casa vecină. Nellie Bly ar scrie în memorii totul despre seara asta dezastruoasă.

De fapt, pare cea mai tare petrecere dată vreodată.

Deci, da, erau foarte diferite. Dar, înainte să le cunoașteți pe femeile astea individual, să aflați despre luptele, teoriile, speranțele și visele lor, trebuie mai întâi să știți că toate au existat. Femeile au existat dintotdeauna. Au fost mereu aici și au făcut chestii. Au făcut chestii tot timpul, fie că știți voi sau nu.

Cartea e plină de femei care au cucerit, au înflorit și s-au bucurat de viețile lor mai mult decât era comod pentru cei din jurul lor. Dar mai e plină și de femei care au eșuat. Cele care au încercat să schimbe lucrurile și nu au reușit. Cele care au fost nevoite să accepte înfrângerea și să se adapteze la lumea periculoasă care voia să le zdrobească, să le schimbe sau chiar să le ucidă. Dar, în afară de, mă rog, niște criminale antice pe care le-am inclus așa, de distracție (salutări fetei mele, împărăteasa Wu), toate au fost fundamental bune, deștepte și curajoase. Poate nu le știam poveștile până acum, pentru că bunătatea, deșteptăciunea sau curajul lor nu au fost apreciate la adevărata valoare sau poate pentru că erau prea periculoase ca să capete recunoaștere de la învingătorii istoriei.

Așa că, dacă vă confruntați vreodată cu dezaprobarea cuiva mai important, mai puternic sau (cică) mai inteligent decât voi, opriți-vă și gândiți-vă ce motiv are.

Poate veți descoperi că sunteți mai puternice decât credeți.

Glosar
pentru cei în vârstă

Bun-venit, cititori (mai) în vârstă! Sunt foarte bucuroasă că v-ați alăturat. În ciuda infinitei înțelepciuni a mulților voștri ani, e posibil să vă fi simțit pierduți când v-ați întâlnit cu unii termeni sau cu întorsături de frază mai tinerești din paginile astea. Nu vă faceți griji! Am ales câteva dintre repetatele mele ofense aduse limbii ca să vi le explic. Așa că lăsați semn la pagina asta pentru referințe ulterioare, ticăloși bătrâni ce sunteți!

Iubi (subst.): Soțul, soția, iubitul sau iubita, partenerul sau persoana cu care v-ați mozolit la o beție de tinerețe și la care v-ați mai gândit apoi cu oarecare drag.

„Hai la brunch mâine! Ia-l(o) și pe iubi.

Iubi doi (subst.): Persoana care nu e soțul, soția, iubitul sau iubita și cu care aveți un flirt romantic, de obicei ilicit. Rușine!

„Îmi pare rău, nu pot să vin cu iubi la brunch pentru c-a aflat de iubi doi și m-a părăsit, LOL."

LOL (abrev.): LOL înseamnă „laughing out loud" (a râde tare). NU înseamnă „lots of love" (multă dragoste), deși asta par să creadă toți tații din lume. Un LOL cu majuscule înseamnă că ați scos și un sunet de plăcere, în timp ce „lol" cu minuscule înseamnă că ați zâmbit doar în minte sau poate că sunteți supărați pe cel căruia îi scrieți. O propoziție întreagă cu punct – „Lol." – implică un anumit nivel de copilăreală sau de ironie asumate, poate după vreo glumă internă sau sexuală. Lol.

„Lololololol."

Ticălos care trăiește pentru scandal[1] (subst.): O persoană reprezentată perfect de Joanne Prada sau „Joanne Intriganta", un personaj de pe Twitter inventat de Brenden Miller cunoscut pentru că e „Ticălosul care trăiește pentru scandal și dramă PRIN EXCELENȚĂ". Dacă explicația asta v-a accentuat confuzia, îmi pare rău. Voi dețineți proprietăți, iar milenialii o au pe Joanne Intriganta. Așa stă treaba.

„George Osborne e un ticălos care trăiește pentru scandal și dramă."

Memă (subst.): Cuvântul „memă" a fost creat, din păcate, de ratatul ăla de Richard Dawkins, ca să ilustreze o informație sau un concept ce se răspândește rapid în societate. În zilele noastre, e mai ușor de înțeles dacă spunem că mema e o glumă virală de pe internet. Uneori memele sunt amuzante, alteori nu sunt amuzante, uneori sunt rasiste, alteori nu înseamnă absolut nimic, dar tot ajung virale.

---

[1] „Messy bitch" în lb. engleză (n trad.).

„Nu înțeleg mema asta cu porci și cu ovăz, poate vreun tânăr să-mi explice?"

Aprins[1] (adj.): Când ceva e aprins înseamnă că e viu, se petrec lucruri acolo, iese cu scântei, e locul unde trebuie să fiți.

„Twitter o să fie aprins când se trag nuclearele."

Tbh (abrev.): Vine de la „to be honest" (ca să fiu sincer/ă), dar, din nu știu ce motiv, pare ușor diferit când e abreviat. Poate fi la începutul unei propoziții, ca și când începi cu o mărturisire sau cu un sentiment de vinovăție, sau la final, ca să marchezi ceva ce gândește toată lumea – însă astea nu sunt reguli stricte.

„Ar trebui să demisionezi mâine tbh."

„Tbh ar trebui. Vreau doar jumătate de milion de lire tbh e prea mult?

„Ți-ai căutat-o cu lumânarea tbh."

IRL (abrev.): Vine de la „in real life" (în viața reală). În lumea noastră modernă, puternic tehnologizată, rapidă, în cădere liberă, e nevoie de un mod la fel de rapid prin care să facem diferența între lucrurile care s-au petrecut pe internet și lucrurile pe care le-am atins sau spus în lumea reală și teribilă în care trăim și respirăm.

„Hahaha, tocmai am făcut un IRL lol."

Tinder (subst.) – Nu se referă la lemnul[2] pe care-l ardeți în vreo cabană frumoasă acoperită de zăpadă, ci la o aplicație

---

[1] „Lit" în lb. engleză (n. red.).
[2] „Tinder" înseamnă „buștean" în lb. engleză (n tr.)

pe telefon unde hotărâți dacă vă culcați sau nu cu cineva, bazându-vă pe câteva fotografii și câteva rânduri cu care s-au descris la „bio". Domni fără busolă morală trimit fotografii cu penisurile lor unor persoane pe care nu le-au cunoscut niciodată.

„Dacă Romeo și Julieta s-ar fi cunoscut pe Tinder și nu IRL, lucrurile s-ar fi terminat mai bine pentru ei tbh."

Fă ce trebuie să faci![1] (ordin dat de o femeie bogată): Expresie (*Lean In*) creată de Sheryl Sandberg, un manager de la Facebook, ca titlu pentru cartea ei despre cum femeile de carieră se pot lupta eficient ca să ajungă în topul organizației pentru care muncesc, ca să ajungă la bogății nemaivăzute și păr strălucitor. Pe de altă parte, ca idee, *a face ceea ce trebuie să faci* pune o grămadă de presiune pe o femeie ca să-și schimbe obiceiurile și să se adapteze la un loc de muncă sexyst și e relevant doar pentru eșaloanele din topul socio-economic al societății. Din alt punct de vedere, e amuzant să ne imaginăm că îi strigăm asta unei femei moarte de o mie de ani care și-a omorât toți inamicii.

„Fă ce trebuie să faci, împărăteasă Wu!"

„Fă ce trebuie să faci, Ælfthryth!"

„Am încercat să fac ceea ce trebuia să fac și să cer mai mulți bani, și am fost concediată, lol."

~ să pui chestiile astea pe oriunde ~ (punctuație): Nu se poate explica exact, e doar un semn ~estetic~. Se poate folosi

---

[1] „Lean in", în lb. engleză (n. tr.).

ca să puncteze idea că folosiți o expresie fie tocită, fie ~simandicoasă~, fie amândouă.

„Prietena mea Harriet călătorește mult cu munca pentru că e o ~femeie de carieră~ importantă."

Emo (adj. sau subst.): Emo e atât un gen de muzică super emoțională, cât și ~un fel de-a fi~. Dacă ești emo, simți chestiile profund. Nu ești bine. Nimeni nu te înțelege. Probabil porți mult dermatograf și/sau păr negru drept, cu un breton imens, și am ieșit cu tine când aveam 16 ani.

„Care dintre noi n-a trecut prin faza emo?"

Metal (adj.): La fel ca emo, dar cu metale. Poate fi folosit când ceva e hardcore. Dacă nu v-a plăcut niciodată heavy metal, mergeți la bucătărie și aruncați toate cratițele și tigăile în timp ce zbierați. Cam așa sună.

„Isuse, Izzy, menstra mea a fost metal luna asta."

Fake news! (subst.): Deși unii președinți cred că orice atenție din partea media care îi pune într-o lumină proastă e FAKE NEWS!, expresia se referă, de fapt, la un articol scris de cineva care știe că minte doar ca să genereze trafic pe site-ul lui sau din alte motive lugubre.

„Am citit un articol cu care nu sunt de acord, deci îl declar FAKE NEWS!!!!"

WhatsApp (subst.): Un serviciu de mesagerie foarte popular înainte de care comunicarea umană nu era posibilă.

„Cum vorbeau oamenii înainte de mesajele vocale WhatsApp?
Idk."

Idk (abrev.): Prescurtare pentru „I don't know" (nu știu, adică).

„Idk, omule, mi-e cam frică de zbor."

YOLO (abrev.): Abreviere pentru YOU ONLY LIVE ONCE (trăiești o singură dată), creat în 2011, de artistul Drake. Deși ar trebui să însemne că trebuie să-ți trăiești viața atent și să nu riști daune extreme, de fapt e o chestie pe care o urli înainte să faci ceva incredibil de stupid, periculos sau scump.

„Haide, omule, gândește-te câte fete pică în bot după delta-
plane! Poți să pui poză la profilul de Tinder și te-ai aranjat.
YOLO, OMULE!"
„Bine, ok, bine, YOLO, hai s-o facem!"
(Amândoi mor într-un accident teribil cu deltaplanul.)

Boarfă (subst.): O expresie pentru femei sau bărbați libertini, de obicei peiorativă, dar în cartea asta e folosită cu căldură.

„De ce să nu poată oamenii de secol XVII să fie nițel boarfe?
Cu toții am fost boarfe, la un moment dat. YOLO."

Tip/tipă de gașcă (subst.): Cineva căruia îi place tachinarea și care uneori face chestii epice, precum să bea douăsprezece halbe de bere sau să-și scoată fundul gol pe fereastra autobuzului.

„Sf. Brigid din Kildare era o tipă de gașcă."

Tip/tipă de gașcă absolut(ă) (expresie): Mai mult decât un tip/o tipă de gașcă.

„Sf. Brigid de Kildare era o tipă de gașcă absolută."

Tl;dr (abrev. sau subst.): Prescurtare de la „too long; didn't read" (prea lung, n-am citit). Mai poate însemna varianta scurtată sau rezumată a ceva. E folosită adesea când cineva îți trimite un articol mai lung de 300 de cuvinte.

„– Hei, mi-ai citit cartea?
– Scuze, tl;dr."

Mulțumiri

Se dovedește că a scrie o carte te face o persoană destul de îngrozitoare. E cu adevărat uimitor cât poți să te lamentezi și cât de egoist ajungi. (Și când zic tu, mă refer la mine, înțelegi ce vreau să spun?) Și, ca să fie și mai rău, toată lamentația e rezultatul unei șanse incredibile: să scrii o nenorocită de carte, cu mult ajutor de la mulți oameni. Ce vreau să spun e: mulțumesc și îmi cer scuze tuturor celor care au avut contact cu mine și care m-au sprijinit în perioada scurtă, dar intensă, din viața mea petrecută scriind bestia asta de carte.

Înainte de toate, mulțumiri agentului meu Charlie Viney de la The Viney Agency, care m-a căutat în 2016 să mă întrebe dacă nu vreau să scriu o carte și s-a dovedit că voiam. Ca debutant cu aproape zero înțelegere a modului în care se învârte lumea, îți voi fi etern recunoscătoare pentru îndrumarea, umorul și credința în mine și acest proiect.

Mulțumiri lui Hannah Black de la Hodder & Stoughton, nu doar pentru redactarea ta înțeleaptă, ci și pentru bunătatea de a-mi livra laude foarte necesare în toate momentele când eram gata să-mi dau foc la calculator. (Superb nume, apropo). Îi sunt recunoscătoare lui Ian Wong de la Hodder pentru că a făcut efectiv totul, mai ales corvezile teribile care fac o carte să nu fie proastă. Mulțumesc, Caitriona Horne, Heather Keane și Rebecca Mundy pentru munca voastră de PR și marketing, precum și pentru discuțiile de top stârnite pe Twitter.

Mulțumesc, Claudette Morris și Susan Spratt, pentru că ați transformat un document Word amărât într-o carte adevărată și vie. De fapt, toată lumea de la Hodder a făcut o muncă incredibilă într-un timp foarte scurt și sper că nu vi s-a acrit de doamnele din istorie. Nu e vina lor, e a mea.

Și, ghici ce?, mai sunt mulți alții care au lucrat la cartea asta, deși nici nu era treaba lor s-o facă. Înainte să ajung la ei, vreau să-mi trimit toți cititorii la bibliografie. Cartea asta a depins de munca unor Istorici Adevărați™, care fac o muncă grea și meticuloasă fără mari satisfacții. Vă rog, uitați-vă mai ales la bibliografiile pe care le-am citit pentru proiectul ăsta: la acești autori care au dedicat ani întregi cercetării detaliilor din viețile acestor femei ca să le aducă poveștile la viață. Ei au făcut partea grea, iar eu am avut bucuria să mă distrez, deci, vă rog, sprijiniți istoricii locali și cumpărați-le cărțile excelente. Fiindcă venii vorba de Istorici Adevărați™ (și alte varietăți de Academicieni Adevărați™), cartea asta a fost îmbunătățită de o sută de ori de redactările și sugestiile unei armate întregi de tipuri de doctori, mulți dintre ei citați în paginile astea. Mulțumiri lui Joseph Kellner pentru că s-a uitat la rusoaicele mele, lui Eoghan Ahern și Timothy Wright pentru că s-au uitat la gagicile mele medievale. Mulțumiri Juliei Wambach pentru că mi-ai împărtășit expertiza ta la capitolele franceze și cele despre al Doilea Război Mondial, mulțumiri Melindei Turoff pentru sugestiile prețioase la capitolele sud-africane, mulțumiri și Mahei Atal pentru observațiile la capitolele africane. Mulțumesc, Trevor Jackson, pentru că ai cercetat filozoafele și revoluționarele mele – ești tu însuți un filozof și un revoluționar. Mulțumesc, Kelly Oakes, pentru că ai verificat femeile de știință, nu ești doar un om de știință super-inteligent, dar și o scriitoare și editoare fantastică și abia aștept să citesc cartea TA. Și mulțumesc de un milion de ori Laurei Gutiérrez, pentru că a redactat mai multe secțiuni, dar și pentru că a fost cea mai bună majoretă pe care și-o poate dori o fată pe parcusul întregului proces.

Dar stai, MAI AM. Mulțumesc, Sam Stander, pentru redactările tale perfecte la introducere și mulțumesc, Bim Adewunmi, pentru redactările la mai multe capitole și pentru că ai fost mentor, prietenă, susținătoare și o fată de nota zece. Mulțumiri lui Gena-mour Barrett și lui Tom Phillips, care au făcut redactarea obișnuită, dar și verificări esențiale. Sunteți cei mai amuzanți scriitori din lume, fără supărare pentru ceilalți. Am primit atâtea sugestii minunate de femei de inclus aici de la prieteni și străini: le mulțumesc în special lui Margaret Wetherell, Hattie Soykan și Harry Kennard, care au făcut eforturi să-mi găsească femei senzaționale din istorie. Cred că-ți mulțumesc și ție, Dan Dalton, că mi-ai dat un laptop de căcat să-mi scriu cartea pe el. De câte ori cădea tasta „e", adică foarte des, te blestemam. Le mulțumesc tuturor foștilor colegi de la BuzzFeed UK pentru mediul de creativitate și ciudățenie care mi-a fost incubator ca scriitoare în peste cinci ani. Sunteți toți niște genii hilare și mi-e dor de voi.

În perioada cât am scris și editat cartea asta, am fost găzduită de un număr de oameni buni și atractivi în casele lor bune și atractive. Mulțumesc, Maggy van Eijk și familiei tale din Amsterdam, locul perfect pentru a te apuca de scris. Mulțumesc, Philippa și Flo Perry, că m-ați găzduit în splendida voastră casă la țară, unde am muncit din greu, dar totodată am luat pauze ample de mâncare, vin și pictat. Mulțumesc, Dee și Gordon Chesterman, pentru că mi-ați fost părinți-surogat când lucram în locul meu preferat, casa voastră din Ely. Scuze, unchiule Gordon, că nu ai apucat să printezi toată cartea în relief. Poate data viitoare. Le mulțumesc și lui Felicity Taylor și Harriet Williamson pentru că m-au primit de atâtea ori în casa lor, unul dintre locurile mele prefertate, care, întâmplător, e în inima culturală și politică a Londrei. E la o casă distanță de mine și e adresa unde îmi vin facturile bancare. Le mulțumesc cumnaților mei, Simeon și Amy Jewell, fiicei și remarcabilei viitoare femei care va fi Hazel, părinților lui Amy, Devra și John Harris, care au avut grijă de mine în groaznicele ultime zile de scris și editat.

Nu aș cunoaște niciunul dintre Adevărații Istorici™ de mai sus dacă nu ar fi iubitul meu, Sam Wetherell, cel mai adevărat istoric dintre toți. Mulțumesc, Sam, că ai fost prima persoană care a citit și a comentat absolut fiecare capitol, mulțumesc că m-ai sprijinit în cele mai bizare momente de îndoială și mulțumesc, mai ales, pentru supele delicioase. Poate nu știi tu cum să pui învelitoarea de pilotă, dar ești foarte bun la istorie și învăț în continuare atât de multe de la tine.

Și, finalmente, eu nu aș EXISTA dacă nu ar fi părinții mei, Jane și Chris Jewell, care nu doar că m-au făcut om, lucru pentru care le sunt foarte recunoscătoare, dar m-au crescut să fiu curioasă despre lume, să îmi pese de ceilalți și să nu mă iau prea în serios. Dacă volumul ăsta merge bine, promit să vă trimit la un cămin peste medie într-o zi. Vă iubesc pe amândoi.

Bibliografie

Ælfthryth

Rabin, Andrew, *Female Advocacy and Royal Protection in Tenth-Century England: The Legal Career of Queen Ælfthryth*, Speculum 84, nr. 2 (2009), p. 261-288.

Æthelflæd

Rank, Melissa și Rank, Michael, *The Most Powerful Women in the Middle Ages: Queens, Saints, and Viking Slayers, From Empress Theodora to Elizabeth of Tudor*, CreateSpace Independent Publishing Platform, 2013.

Alexandra Kollontai

Bridenthal, Renate, Koonz, Claudia și Mosher Stuard, Susan, *Becoming Visible: Women in European History*, Houghton Mifflin, 1987.

Mieville, China, *October: The Story of the Russian Revolution*, Verso, Londra, New York, 2017.

Annie Jump Cannon

„Annie Jump Cannon: American Astronomer", Encyclopedia Britannica. Accesat pe 29 iulie 2017; https://www. britannica.com/biography/Annie-Jump-Cannon.

Greenstein, George, *Portraits of Discovery: Profiles in Scientific Genius*, prima ediție, Wiley, New York, 1997.

Julie, Des, *The Madame Curie Complex: The Hidden History of Women in Science*, The Feminist Press at CUNY, 2010.

Annie Smith Peck

Kimberley, Hannah, *A Woman's Place Is at the Top: A Biography of Annie Smith Peck, Queen of the Climbers*, St. Martin's Press, New York, 2017.

Artemisia Gentileschi

„Artemisia Gentileschi", The Art History Babes.accesat pe 29 iulie 2017; http://www.arthistorybabes.com/podcast/2016/8/4/artemisia-gentileschi.

Danto, Arthur C., „Artemisia and the Elders", The Nation, 21 martie 2002; https://www.thenation.com/article/artemisia-and-elders/.

Artemisia I din Caria

„Artemisia I of Caria", Ancient History Encyclopedia. Accesat pe 29 iulie 2017; http://www.ancient.eu/Artemisia_I_of_Caria/.

Beatrice Potter Webb

Nolan, Barbara E., *The Political Theory of Beatrice Webb*, AMS Press, New York, 1988; http://webbs.library.lse.ac.uk/628/.

Seymour-Jones, Carole, *Beatrice Webb: Woman of Conflict*, Allison & Busby, Londra, 1992.

Webb, Beatrice, *The Co-Operative Movement in Great Britain*, Sonnenschein & Co, Londra, 1899.

Webb, Beatrice, *Beatrice Webb's Diaries*,1912-1924, prima ediție, Longmans, Green Co, 1952.

Brigid din Kildare

Kennedy, Patrick, *Legendary Fictions of the Irish Celts,* Cornell University Library, 1866.

„Saint Brigid of Ireland | Biography & Facts", Encyclopedia Britannica. Accesat pe 29 iulie 2017; https://www.britannica.com/biography/Saint-Brigit-of-Ireland.

Cecilia Payne-Gaposchkin

Greenstein, George, *Portraits of Discovery: Profiles in Scientific Genius,* prima ediție, Wiley, New York, 1997.

Julie, Des, *The Madame Curie Complex: The Hidden History of Women in Science,* The Feminist Press at CUNY, 2010.

Ching Shih

„6 Lady Pirates", Encyclopedia Britannica. Accesat pe 30 iulie 2017; https://www.britannica.com/list/6-lady-pirates.

„Ching Shih (Fl. 1807–1810) – Dictionary Definition of Ching Shih (Fl. 1807–1810) | Encyclopedia.com: FREE Online Dictionary", accesat pe 30 iulie 2017; http://www.encyclopedia.com/women/encyclopedias-almanacs-transcripts-and-maps/ching-shih-fl-1807-1810.

Cordingly, David, *Pirates: Fact & Fiction,* Artabras, 1992.

Coccinelle

Costa, Mario A., *Reverse Sex . . . The Life of Jacqueline Charlotte Dufresnoy. With Portraits, Translation by Jules J. Block,* Challenge Publications, Londra, 1961.

Constance Markievicz

„BBC – History – 1916 Easter Rising – Profiles – Countess Markievicz". Accesat pe 29 iulie 2017; http://www.bbc.co.uk/history/british/easterrising/profiles/po10.shtml.

Haverty, Anne, *Constance Markievicz: An Independent Life,* Pandora, Londra, 1988.

Dorothy Thompson

Sanders, Marion K, *Dorothy Thompson: A Legend in Her Time*, Houghton Mifflin, 1973.

Thompson, Dorothy, *Dorothy Thompson's Political Guide: A Study of American Liberalism and Its Relationship to Modern Totalitarian States*, Stackpole Sons Publishers, New York, 1938.

Thomas, Helen, *Watchdogs of Democracy?: The Waning Washington Press Corps and How It Has Failed the Public*, prima ediție, Scribner, New York, 2006.

Thompson, Dorothy, *I Saw Hitler*, Farrar & Rinehart, Inc, 1932.

Thompson, Dorothy, *Listen Hans*, Houghton Mifflin, 1942.

Elizabeth Hart

Ferguson, Moira, Hart Gilbert, Anne și Hart Thwaites, Elizabeth, *The Hart Sisters: Early African Caribbean Writers, Evangelicals, and Radical*, University of Nebraska Press, 1993.

Lightfoot, Natasha, „The Hart Sisters of Antigua: Evangelica Activism and "Respectable" Public Politics in the Era of Black Atlantic Slavery", în *Toward an Intellectual History of Black Women*, UNC Press Books, 2013.

Emmy Noether

„Emmy Noether, Mathematics Trailblazer", Stuff You Missed in History, 7 septembrie 2015; http://www.missedinhistory.com/podcasts/emmy-noether-mathematics-trailblazer.htm.

Mack, Dr Katie, „Dr Katie Mack On Emmy Noether", The Laborastory (Podcast) pe Player FM. Accesat pe 29 iulie 2017; https://player.fm/series/the-laborastory/dr-katie-mack-on-emmy-noether.

Împărăteasa Teodora

Rank, Melissa, și Rank, Michael, *The Most Powerful Women in the Middle Ages: Queens, Saints, and Viking Slayers, From Empress Theodora to Elizabeth of Tudor*, CreateSpace Independent Publishing Platform, 2013.

Împărăteasa Wu
Clements, Jonathan, *Wu: The Chinese Empress Who Schemed, Seduced and Murdered Her Way to Become a Living God*, Albert Bridge Books, Londra, 2014.

Ethel Payne
Morris, James McGrath, „Ethel Payne, «first lady of the black press», asked questions no one else would", *Washington Post.* Accesat pe 29 iulie 2017; https://www.washingtonpost.com/opinions/ethel-paynefirst-lady-of-the-black-pressasked-questions-no-one-else-would/2011/08/02/gIQAJloFBJ_story.html.
Morris, James McGrath, *Eye on the Struggle: Ethel Payne, the First Lady of the Black Press*, Amistad Press, New York, 2015.

Fanny Cochrane Smith
Clark, J. „Smith, Fanny Cochrane (1834–1905)", în *Australian Dictionary of Biography*, National Centre of Biography, Australian National University, n.d.; http://adb.anu.edu.au/biography/smith-fanny-cochrane-8466.

Fatima al-Fihri
Glacier, Osire, *Political Women in Morocco: Then and Now*, Red Sea Press, US, 2013.

Frances Ellen Watkins Harper
Field, Corinne T., „Frances E.W. Harper and the Politics of Intellectual Maturity", în *Toward an Intellectual History of Black Women*, UNC Press Books, 2013.

Funmilayo Ransome-Kuti
Bishop, Moe. „Coffin for Head of State." Vice. 2011. Accesat pe 1 august 2017; https://www.vice.com/en_us/article/znqen3/Wasted-Life-Coffin-for-head-of-state.

Byfield, Judith A., „Feeding the Troops: Abeokuta (Nigeria) and World War II", *African Economic History*, nr. 35, 2007, p. 77–87.

Byfield, Judith A., „From Ladies to Women: Funmilayo Ransome-Kuti and Women's Political Activism in Post-World War II Nigeria", în *Toward an Intellectual History of Black Women*, UNC Press Books, 2013.

Byfield, Judith A., „Taxation, Women, and the Colonial State: Egba Women's Tax Revolt", *Meridians* vol. 3, nr. 2, 2003, p. 250–277.

Gabriela Brimmer

Brimmer, Gabriela, şi Poniatowska, Elena, *Gaby Brimmer: An Autobiography in Three Voices*, University Press of New England, 2009.

Mandoki, Luis, *Gaby: A True Story*, VHS, Sony Pictures Home Entertainment, 1987.

George Sand

Jack, Belinda, „George Sand: A Woman's Life Writ Large", *New York Times*. Accesat pe 30 iulie 2017; http://www.nytimes.com/books/first/j/jack-sand.html.

„George Sand | French Novelist", Encyclopedia Britannica. Accesat pe 30 iulie 2017; https://www.britannica.com/biography/George-Sand.

Gladys Bentley

Wilson, James F., *Bulldaggers, Pansies, and Chocolate Babies: Performance, Race, and Sexuality in the Harlem Renaissance in Triangulations*, University of Michigan Press; Eurospan distributor, 2010.

Hannah Arendt

Arendt, Hannah, *Eichmann in Jerusalem: A Report on the Banality of Evil* (ed. rom. *Eichmann la Ierusalim. Raport asupra banalității răului*, Ed. Humanitas, București, 2008, trad. Mariana Neț), Faber and Faber, Londra, 1963.

Arendt, Hannah, *On Revolution*, Faber & Faber, Londra, 1963.

Arendt, Hannah, *The Origins of Totalitarianism* (ed. rom. *Originile totalitarismului*, Ed. Humanitas, București, 1994, 2006, 2014, trad. Mircea Ivănescu, Ion Dur), a doua ediție adăugită, Meridian Books, New York, 1958.

Arendt, Hannah, și Margaret Canovan, *The Human Condition: Second Edition. 2nd Revised edition edition* (ed. rom. *Condiția umană*, Ed. Idea, Cluj, 2008, trad. Claudiu Veres, Gabriel Chindea), University of Chicago Press, 1998.

Trotta, Margarethe von, *Hannah Arendt*, Zeitgeist Films, 2013.

Hatshepsut

„Hatshepsut | Ruler of Egypt", Encyclopedia Britannica. Accesat pe 29 iulie 2017; https://www.britannica.com/biography/Hatshepsut.

„Hatshepsut" *In Our Time*, BBC Radio 4. Accesat pe 29 iulie 2017; http://www.bbc.co.uk/programmes/b04n62jx.

Hedy Lamarr

„Hedy Lamarr | Austrian-Born American Actress", Encyclopedia Britannica. Accesat pe 29 iulie 2017; https://www.britannica.com/biography/Hedy-Lamarr.

„Star Wars Episode III: Hedy Lamarr (YMRT #29)", You Must Remember This. Accesat pe 29 iulie 2017; http://www.youmustrememberthispodcast.com/episodes/youmustrememberthispodcastblog/2015/1/14/star-wars-episode-iii-hedy-lamarr-ymrt-29.

Hildegard von Bingen

„Hildegard Von Bingen", Seria 25, *Great Lives*, BBC Radio 4. Accesat pe 9 iulie 2017; http://www.bbc.co.uk/programmes/b014q00c.

Hypatia

„Hypatia Biography". Accesat pe 30 iulie 2017; http://www-groups.dcs.st-and.ac.uk/history/Biographies/Hypatia.html.

Zielinski, Sarah, „Hypatia, Ancient Alexandria's Great Female Scholar", *Smithsonian*. Accesat pe 30 iulie 2017; http://www.smithsonianmag.com/history/hypatia-ancient-alexandrias-great-female-scholar-10942888/.

„Hypatia | Mathematician and Astronomer", Encyclopedia Britannica. Accesat pe 29 iulie 2017; https://www.britannica.com/biography/Hypatia.

Ida B. Wells-Barnett

Giddings, Paula J., *Ida: A Sword Among Lions: Ida B. Wells and the Campaign Against Lynching, Reprint edition*, Harper Paperbacks, New York, 2009.

Giddings, Paula J., *When and Where I Enter: The Impact of Black Women on Race and Sex in America*, W. Morrow, New York, 1984.

Wells-Barnett, Ida B., *Southern Horrors: Lynch Law in All Its Phases*, 1892; http://archive.org/details/southernhorrors14975gut.

Irena Sendler

Mazzeo, Tilar J., *Irena's Children: The Extraordinary Story of the Woman Who Saved 2,500 Children from the Warsaw Ghetto, Reprint edition*, Gallery Books, Londra, 2017.

Jang-geum

„Jungjong of Joseon – New World Encyclopedia". Accesat pe 29 iulie 2017; http://www.newworldencyclopedia.org/entry/Jungjong_of_Joseon.

Myung-ho, Shin., „Annals of the Joseon Dynasty Brought to Life by the Digital Era", *Koreana: A Quarterly on Korean Art & Culture*, 2008; http://koreana.kf.or.kr/pdf_file/2008/2008_AUTUMN_E022.pdf.

Jayaben Desai

Dromey, Jack, „Jayaben Desai Obituary", *Guardian*, 28 decembrie 2010; http://www.theguardian.com/politics/2010/dec/28/jayaben-desai-obituary.

„Grunwick: Chronology of Events | Striking Women: Voices of South Asian Women Workers from Grunwick and Gate Gourmet". Accesat pe 29 iulie 2017; http://www.leeds.ac.uk/strikingwomen/grunwick/chronology.

„Jayaben Desai", WCML. Accesat pe 29 iulie 2017; http://www.wcml.org.uk/our-collections/activists/jayaben-desai/.

Jean Batten

„Jean Batten | NZHistory, New Zealand History Online". Accesat pe 29 iulie 2017; https://nzhistory.govt.nz/people/jean-batten.

„Jean Batten – The Garbo of the Skies | Television | NZ On Screen". Accesat pe 29 iulie 2017; https://www.nzonscreen.com/title/jean-batten-the-garbo-of-the-skies-1988.

Taonga, *New Zealand Ministry for Culture and Heritage Te Manatu*, „Batten, Jean Gardner" pagină web. Accesat pe 29 iulie 2017; /en/biographies/4b13/batten-jean-gardner.

Jean Macnamara

Zwar, Desmond, *The Dame: The Life and Times of Dame Jean Macnamara, Medical Pioneer*, prima ediție, Macmillan, Melbourne, 1984.

Jind Kaur

Matthew, H. C. G., și Harrison, B., edit. Bance, Bhupinder Singh, „Jind Kaur (1817-1863)", publicat prima dată în 2004; Ediție online, ianuarie 2006, 854 de cuvinte, în *The Oxford Dictionary of National Biography*, Oxford University Press, 2004.

Josephine Baker

Baker, Jean-Claude, *Josephine Baker: The Hungry Heart*, Cooper Square Press, 2001.

Jovita Idár

Gonzalez, Gabriela, „Jovita Idár: The Ideological Origins of a Transnational Advocate for La Raza", în *Texas Women: Their Histories, Their Lives*, University of Georgia Press, New York, 2015.

Juana Azurduy

„Azurduy de Padilla, Juana (1781-1862) – Dictionary Definition of Azurduy de Padilla, Juana (1781-1862) | Encyclopedia.com: FREE Online Dictionary". Accesat pe 29 iulie 2017; http://www.encyclopedia.com/women/encyclopedias-a lmanacs-transcripts-and-maps/azurduy-de-padila-ju ana-1781-1862.

Julia de Burgos

Pérez Rosario, Vanessa, *Becoming Julia de Burgos: The Making of a Puerto Rican Icon*, University of Illinois Press, 2014.

Julie D'Aubigny

Gardiner, Kelly, „Swordswoman, Opera Singer, Runaway: "Goddess" Chronicles A Fabled Life", NPR.org. Accesat pe 29 iulie 2017; http://www.npr.org/2015/10/03/445032371/swordswoman-opera-singer-runaway-goddess-chronicles-a-fabled-life.

Khayzuran

Mernissi, Fatima, *The Forgotten Queens of Islam*, tradus de Mary Jo Lakeland, Cambridge, Polity Press, 1993.

Kosem Sultan

Rank, Melissa, și Rank, Michael, *The Most Powerful Women in the Middle Ages: Queens, Saints, and Viking Slayers, From Empress Theodora to Elizabeth of Tudor*, CreateSpace Independent Publishing Platform, 2013.

Lakshmibai, Rani din Jhansi

Mukhoty, Ira, *Heroines: Powerful Indian Women of Myth and History*, Aleph Book Company, 2017.

Laskarina Bouboulina

„Bouboulina, Laskarina (1771–1825) – Dictionary Definition of Bouboulina, Laskarina (1771–1825) | Encyclopedia. com: FREE Online Dictionary". Accesat pe 29 iulie 2017; http://www.encyclopedia.com/women/encyclopedias-almana cs-transcripts-and-maps/bouboulina-laskarina-1771-1825.

Gammell, Caroline, „Greek Woman "Sets Fire" to Briton's Genitals: Laskarina Bouboulina the Heroine", *Telegraph*, 7 august, 2009; http://www.telegraph.co.uk/news/worldnews/europe/greece/5989510/Greek-woman-sets-fire-to-Britons-ge nitals-Laskarina-Bouboulina-the-heroine.html.

Laura Redden Searing

Luck, Jessica Lewis, „Lyric Underheard: The Printed Voice of Laura Catherine Redden Searing", *Legacy: A Journal of American Women Writers*, 30, nr. 1, 2013, pp. 62–81.

Lilian Bland

Bol, Rosita, „Lilian Bland, the First Woman to Fly an Aircraft in Ireland", *The Irish Times*. Accessat la 30 iulie, 2017; http://www.irishtimes.com/life-and-style/people/lilian-bland -the-first-woman-to-fly-an-aircraft-in-ireland-1.2765782.

McIlwaine, Eddie, „Journalist, Photographer, Crackshot and the First Woman to Fly an Aeroplane . . . the Amazing Lilian Bland", BelfastTelegraph.co.uk. Accesat pe 29 iulie 2017; http://www.belfasttelegraph.co.uk/life/features/journalist-photo-grapher-crackshot-and-the-first-woman-to-fly-an-aeroplane-the-amazing-lilian-bland-28552187.html.

"Women's Museum of Ireland | Articles | Lilian Bland". Accesat pe 29 iulie 2017; http://womensmuseumofireland.ie/ articles/lilian-bland.

Lillian Ngoyi

Freeman, Cathy L, *Relays in Rebellion: The Power in Lilian Ngoyi and Fannie Lou Hamer*, Georgia State University, 2009; http://search.proquest.com/openview/71a114e383d1d4aac5c c517ea60de12e/1?pq-origsite=gscholar&cbl=18750&diss=y.

Möller, Pieter L., „They Also Served: Ordinary South African Women in an Extraordinary Struggle: The Case of Erna de Villiers (Buber)",2010; http://repository.nwu.ac.za/ handle/10394/5227.

Lotfia Elnadi

Cooper, Ann, "Lotfia El Nadi – The First Woman Pilot in Egypt", *Ninety-Nine News: Magazine of the International Women Pilots*, noiembrie 1991, vol. 17, nr. 9.

Louisa Atkinson

Chisholm, A. H., „Atkinson, Caroline Louisa (1834–1872)", în *Australian Dictionary of Biography*, Canberra, Australian National University, n.d.; http://adb.anu.edu.au/biography/atkinson-caroline-louisa-2910.

Clarke, Patricia, *Pioneer Writer: the Life of Louisa Atkinson: Novelist, Journalist, Naturalist*, Allen & Unwin, 1990.

Louise Mack

Phelan, Nancy, *The Romantic Lives of Louise Mack*, University of Queensland Press, 1991.

Lozen

Aleshire, Peter, *Warrior Woman: The Story of Lozen, Apache Warrior and Shaman*, St. Martin's Press, 2015.

Ball, Eve și Kaywaykla, James (narator) *In the days of Victorio: Recollections of a Warm Springs Apache*, Tucson, University of Arizona Press, 1970.

Lucy Hicks Anderson

Lucy Hicks Anderson, *We've Been Around*. Accesat pe 29 iulie 2017; http://www.wevebeenaround.com/lucy/.

Luisa Moreno

Johnson, Gaye Theresa, „Constellations of Struggle: Luisa Moreno, Charlotta Bass, and the Legacy for Ethnic Studies", *Aztlán: A Journal of Chicano Studies* 33, nr. 1, 2008, p. 155–172.

Ruiz, Vicki, „Una Mujer Sin Fronteras", *Pacific Historical Review* 73, nr. 1, 2004, p. 1–20.

Margery Kempe

Kempe, Margery, *The Book of Margery Kempe* (DS Brewer, 2004); https://books.google.co.uk/books?hl=en&lr=&id=LypF-lv_ZXgC&oi=fnd&pg=PR6&dq=margery+kempe&ots=GNk-TQe1xas&sig=_j1wq6Av80JEVww65jrxSj5pRZk.

Temple, Liam Peter, „Returning the English "Mystics" to Their Medieval Milieu: Julian of Norwich, Margery Kempe and Bridget of Sweden", *Women's Writing*, 23, nr. 2, 2016, p. 141-158.

Tuthill, Janet, „Margery Kempe: A Mirror of Change in Late-Medieval England", State University of New York at Stony Brook, 2016;

http://search.proquest.com/openview/2ad6495aad62d5f57511c35da5865277/1?pq-origsite=gscholar&cbl=18750&diss=y.

Marie Chauvet

Glover, Kaiama L., "Black" Radicalism in Haiti and the Disorderly Feminine: The Case of Marie Vieux Chauvet", *Small Axe* 17, nr. 140, 1 martie 2013, p. 7-21; doi:10.1215/07990537-1665407.

Glover, Kaiama L., „Daughter of Haiti: Marie Vieux Chauvet", în *Toward an Intellectual History of Black Women*, Carolina de Nord, UNC Press Books, 2013.

Mary Wollstonecraft

Gordon, Charlotte, *Romantic Outlaws: The Extraordinary Lives of Mary Wollstonecraft and Mary Shelley*, Londra, Hutchinson, 2015.

Taylor, Barbara, „Wollstonecraft, Mary (1759-1797)", *Oxford Dictionary of National Biography*, Oxford University Press, 2014.

Mercedes de Acosta

Schanke, Robert A., „That Furious Lesbian': The Story of Mercedes de Acosta, Theater in the Americas", Londra, Southern Illinois University Press; Eurospan, 2003.

Mirabal Sisters

Robinson, Nancy, „Women's Political Participation in the Dominican Republic: The Case of the Mirabal Sisters", *Caribbean Quarterly*, 52, nr. 2-3, 1 iunie, 2006, p. 172-83; doi:10.1080/00086495.2006.11829706.

„The Assassination of the Mirabal Sisters", *Witness*, BBC World Service. Accesat pe 29 iulie, 2017; http://www.bbc.co.uk/programmes/p04h454t.

Miriam Makeba

Allen, Lara, *Remembering Miriam Makeba: (4 March 1932-10 November 2008)*, Taylor & Francis, 2008; http://www.tandfonline.com/doi/pdf/10.2989/JMAA.2008.5.1.6.789.

Bordowitz, Hank, *Noise of the World: Non-Western Musicians in Their Own Words*, NY, Soft Skull Press, 2005.

Ewens, Graeme, „Obituary: Miriam Makeba", *Guardian*, 11 noiembrie 2008; http://www.theguardian.com/music/2008/nov/11/miriam-makeba-obituary.

Kaurismäki, Mika, *Mama Africa*, Documentar, 2011; http://www.imdb.com/title/tt1543029/.

Murasaki Shikibu

„Beyond The Tale of Genji: Murasaki Shikibu as Icon and Exemplum in Seventeenth-and Eighteenth-Century Popular Japanese Texts for Women", ResearchGate. Accesat pe 29 iulie 2017; https://www.researchgate.net/publication/279315379_Beyond_The_Tale_of_Genji_Murasaki_Shikibu_as_Icon_and_

Exemplum_in_Seventeenth-and_Eighteenth-Century_Popular_ Japanese_Texts_for_Women.

„Murasaki Shikibu | Japanese Courtier and Author", Encyclopedia Britannica. Accesat pe 29 iulie 2017; https:// www.britannica.com/biography/Shikibu-Murasaki.

Nana Asma'u

Azuonye, Chukwuma, „Feminist or Simply Feminine? Reflections on the Works of Nana Asma⁻'u, a Nineteenth-Century West African Woman Poet, Intellectual, and Social Activist", *Meridians: Feminism, Race, Transnationalism,* 6, nr. 2, 2006, p. 54–76.

Dangana, Muhammad, „Intellectual Contribution of Nana Asma'u to Women's Education in Nineteenth-Century Nigeria", *Journal of Muslim Minority Affairs* 19, nr. 2, 1999, p. 285–290.

Nancy Wake Bailey, Roderick, „Wake, Nancy Grace Augusta (1912-2011)", *Oxford Dictionary of National Biography*, Oxford University Press, 2015.

Leech, Graeme, „Fearless Matriarch of Resistance", *The Australian*, 8 august 2011; http://at.theaustralian.com.au/link/04b8b6 8e-785a9578e2db9dd19d17b702?domain=theaustralian.comau.

Stafford, David, „Nancy Wake Obituary", Guardian, 8 august 2011; http://www.theguardian.com/world/2011/ aug/08/nancy-wake-obituary.

Nell Gwyn

Beauclerk, Charles, *Nell Gwyn: A Biography*, Thistle Publishing, 2015.

Nellie Bly

Bly, Nellie, *Ten Days in a Mad-House*, CreateSpace Independent Publishing Platform, New York, 2011.

„Nellie Bly | American Journalist", Encyclopedia Britannica. Accesat pe 29 iulie, 2017; https://www.britannica.com/biography/Nellie-Bly.

Njinga of Angola

Heywood, Linda M., *Njinga of Angola: Africa's Warrior Queen*, Cambridge, Massachusetts; Harvard University Press, 2017.

Noor Inayat Khan

Basu, Shrabani, *Spy Princess: The Life of Noor Inayat Khan*, prima ediție, New Lebanon, NY, Omega Publications, Inc., 2007.

Olympe de Gouges

Brown, Gregory S, „The Self-Fashionings Of Olympe De Gouges, 1784-1789", *Eighteenth-Century Studies*, 34, nr. 3, 2001, p. 19.

Gouges, Olympe de, *Déclaration des droits de la femme et de la citoyenne*, Autrement, 2011; http://www.cairn.info/combats-de-femmes-1789-1799--9782746703971-page-223.htm.

Mousset, Sophie, *Women's Rights and the French Revolution: A Biography of Olympe de Gouges*, Transaction Publishers, 2011.

Rivas, Joshua, „The Radical Novelty of Olympe de Gouges", *Nottingham French Studies*, 53, 2014, p. 345-358.

Pancho Barnes

Japenga, Ann, „Pancho Barnes: An Affair With the Air Force: Ex-Socialite, Stunt Pilot, Club Owner Had the Right Stuff", Los Angeles Times, 17 noiembrie, 1985; http://articles.latimes.com/1985-11-17/news/vw-6714_1_pancho-barnes.

Tate, Grover „Ted", *The Lady Who Tamed Pegasus: The Story of Pancho Barnes*, Aviation Book Co, 1984).

Phillis Wheatley
Carretta, Vincent, *Phillis Wheatley: Biography of a Genius in Bondage*, University of Georgia Press, 2014.
Frund, Arlette, „Phillis Wheatley, a Public Intellectual", în *Toward an Intellectual History of Black Women*, Chapel Hill, Carolina de Nord, UNC Press Books, 2013.
Wheatley, Phillis, *The Collected Works of Phillis Wheatley*, Oxford University Press, 1988.

Policarpa Salavarrieta
Adams, Jerome R., *Notable Latin American Women: Twenty-Nine Leaders, Rebels, Poets, Battlers, and Spies, 1500-1900*, McFarland, 1995.

Queen Liliuokalani
Borch, Fred L., „The Trial by Military Commission of Queen Liluokalani", *Army Lawyer*, august 2014.

Queen Nanny of the Maroons
Gottlieb, Karla, *The Mother of Us All: A History of Queen Nanny, Leader of the Windward Jamaican Maroons*, Trenton, Africa World Press, 1998.

Qutulun
May, Timothy, *The Mongol Empire: A Historical Encyclopedia*, ABC-CLIO, 2016.

Raden Ajeng Kartini
Kartini, Ibu, *On Feminism and Nationalism: Kartini's Letters to Stella Zeehandelaar, 1899-1903*, traducere și introducere de Joost Coté, Clayton, Monash Asia Institute, 1995.
Wargadiredja, Arzia Tivany, „Kartini Was a Feminist Hero. So Why Is Her Holiday All About Beauty Pageants and Cooking Classes?", *Vice*, accesat pe 29 iulie 2017; https://www.vice.com/en_id/article/aem7zp/kartini-was-a-feminist-hero-so-why-is-her-holiday-all-about-beauty-pageants-and-cooking-classes.

Rani Chennamma
Wodeyar, Sadashiva S., *Rani Chennamma*, National Book Trust, India, 1977.

Rosa Luxembourg
Evans, Kate, Red Rosa: *A Graphic Biography of Rosa Luxemburg*, Edited by Paul Buhle, NY, Verso Books, 2015.
„Rosa Luxemburg", *In Our Time*, BBC Radio 4, accesat pe 29 iulie 2017; http://www.bbc.co.uk/programmes/b08lfc77.

Sappho
Mendelsohn, Daniel, „How Gay Was Sappho?", *The New Yorker*, 9 martie 2015; http://www.newyorker.com/magazine/2015/03/16/girl-interrupted.

Seondeok din Silla
„Jungjong of Joseon – New World Encyclopedia", accesat pe 29 iulie 2017; http://www.newworldencyclopedia.org/entry/Jungjong_of_Joseon.
Myung-ho, Shin, „Annals of the Joseon Dynasty Brought to Life by the Digital Era", *Koreana: A Quarterly on Korean Art & Culture*, 2008; http://koreana.kf.or.kr/pdf_file/2008/2008_AUTUMN_E022.pdf.

Sofia Perovskaya
Bridenthal, Renate, Koona, Claudia și Mosher Stuard, Susan, *Becoming Visible: Women in European History*, Houghton Mifflin, 1987.
Porter, Cathy, *Fathers and Daughters: Russian Women in Revolution*, prima ediție, Londra, Virago Press Ltd, 1976.

Sojourner Truth
Smiet, Katrine, „Post-Secular Truths: Sojourner Truth and the Intersections of Gender, Race and Religion", *European Journal of Women's Studies* 22, nr. 1, 2015, p. 7–21.

„Sojourner Truth | American Evangelist and Social Reformer", Encyclopedia Britannica. Accesat pe 29 iulie, 2017; https://www.britannica.com/biography/Sojourner-Truth.

„Sojourner Truth's Original "Ain't I a Woman" Speech", The Sojourner Truth Project. Accesat pe 29 iulie, 2017; https://www.thesojournertruthproject.com/.

Truth, Sojourner, *Narrative of Sojourner Truth*, Penguin, 1998; https://books.google.co.uk/books?hl=en&lr=&id=pt0vYON VXx4C&oi=fnd&pg=PT24&dq=sojourner+truth+narrative&ots= OiVCu2TVAA&sig=mDKl__hBZzFLu53nQA-3sZ7mlC8o.

Sophie Scholl
Newborn, Jud și Dumbach, Annette, *Sophie Scholl and the White Rose*, ed.rev., Oxford, Oneworld, 2006.

Sophie Scholl - The Final Days, Zeitgeist Films, 2006.

Sor Juana Inés de la Cruz
Yugar, Theresa A., *Sor Juana Inés de La Cruz: Feminist Reconstruction of Biography and Text*, Wipf and Stock, 2014.

Sorghaghtani Beki
Allsen, Thomas, „The Rise of the Mongolian Empire and Mongolian Rule in North China", *The Cambridge History of China*, vol. 6, 1994, p. 321-413.

Subh
Glacier, Osire, *Political Women in Morocco: Then and Now*, prima ediție, Trenton, Red Sea Press, 2013.

Mernissi, Fatima, *The Forgotten Queens of Islam*, tradus de Mary Jo Lakeland, Cambridge, Polity Press, 1993.

Susan La Flesche Picotte
„Changing the Face of Medicine | Susan La Flesche Picotte", accesat pe 29 iulie 2017; https://cfmedicine.nlm.nih.gov/physicians/biography_253.html.

Starita, Joe, *A Warrior of the People: How Susan La Flesche Overcame Racial and Gender Inequality to Become Americas First Indian Doctor*, New York, St Martin's Press, 2016.

Tarabai Shinde
O'Hanlon, Rosalind, *A Comparison between Women and Men: Tarabai Shinde and the Critique of Gender Relations in Colonial India*, Madras; Oxford, Oxford University Press, 1994.

Te Puea Herangi
King, Michael, *Te Puea: A Life*, ed. A IV-a, Auckland, Reed, 2003.

Tomoe Gozen
Brown, Steven T., „From Woman Warrior to Peripatetic Entertainer: The Multiple Histories of Tomoe", *Harvard Journal of Asiatic Studies*, 58, nr. 1, 1998, p. 183-199.

Ulayya Bint al-Mahdi
Al-Udhari, Abdullah, *Classical Poems by Arab Women*, Londra, Saqi Books, 1999.
Segol, Marla, „Representing the Body in Poems by Medieval Muslim Women", în *Medieval Feminist Forum*, 45:12, 2009; http://ir.uiowa.edu/cgi/viewcontent.cgi?article=1773&context=mff.

Umm Kulthum
Goldman, Michal, *Umm Kulthum: A Voice Like Egypt*, AFD, 2007.

Wallada bint al-Mustakfi
Segol, Marla, "Representing the Body in Poems by Medieval Muslim Women", în *Medieval Feminist Forum*, 45:12, 2009; http://ir.uiowa.edu/cgi/viewcontent.cgi?article=1773&context=mff.
Shamsie, Kamila, „Librarians, Rebels, Property Owners, Slaves: Women in Al-Andalus" în *Journal of Postcolonial Writing*, 52, nr. 2, 2016, p. 178-88.

Wáng Zhenyí

Bennett Peterson, Barbara and Zhang, Guangyu, *Notable Women of China: Shang Dynasty to the Early Twentieth Century*, Armonk, NY, MESharpe, 1999.

Whina Cooper

Bruce, Bryan, *Whina - Te Whaea O Te Motu*, Red Sky Film & Television Limited, 1992.

King, Michael, *Whina: A Biography of Whina Cooper*, Auckland, Penguin, 1991.

Wu' Méi

'Ng Mui', International Wing Chun Academy. Accesat pe 29 iulie 2017; https://www.wingchun.edu.au/the-academy/lineage/ng-mui.

„The History of Wing Chun", Wingchun Masters. Accesat pe 29 iulie 2017; http://wingchunmasters.com/history.

Yaa Asantewaa

McCaskie, Thomas C., „The Life and Afterlife of Yaa Asantewaa", *Africa* 77, nr. 2, 2007, p. 151-179.

Zabel Yesayan

Finding Zabel Yesayan, regizat de Lara Aharonian și Talin Suciyan, Partea 1 în engleză, Vimeo. Accesat pe 29 iulie 2017; https://vimeo.com/160420509.

Zenobia

Zahran, Yasmine, *Zenobia, Queen of the Desert*, ed. II, Londra, Gilgamesh Publishing, 2013.

Cuprins

note ....
....
....
....
....
....
....
....
....
....
....
....
....
....
....
....
....
....
....

note ....
....
....
....
....
....
....
....
....
....
....
....
....
....
....
....
....
....
....
....
....

note ....
....
....
....
....
....
....
....
....
....
....
....
....
....
....
....
....
....
....
....
....

note ....
....
....
....
....
....
....
....
....
....
....
....
....
....
....
....
....
....
....
....

note

DESCOPERĂ PLĂCEREA LECTURII ŞI ONLINE!
Urmăreşte-ne şi pe canalele noastre de social media,
ca să fii la curent cu noutăţile editoriale şi cu ştiri
despre scriitorii şi cărţile **NEMIRA**

Website	nemira.ro
facebook	facebook.com/ed.nemira
Instagram	@edituranemira
BLOG NEMIRA	blog.nemira.ro

Postează ce mai citeşti şi intră în comunitatea noastră:

#EdituraNemira
#PlăcereaLecturii